TARZAN

EDGAR RICE BURROUGHS

Tradução
Laura Folgueira

Principis

Esta é uma publicação Principis, selo exclusivo da Ciranda Cultural
© 2020 Ciranda Cultural Editora e Distribuidora Ltda.

Traduzido do original em inglês
Tarzan of the apes

Texto
Edgar Rice Burroughs

Tradução
Laura Folgueira

Preparação
Alice Ramos

Revisão
Karin Gutz

Produção editorial e projeto gráfico
Ciranda Cultural

Imagens
Oliver Denker/Shutterstock.com;
Vortex/Shutterstock.com;
Oliver Denker/Shutterstock.com;
VectorPot/Shutterstock.com;

Dados Internacionais de Catalogação na Publicação (CIP) de acordo com ISBD

B972t   Burroughs, Edgar Rice, 1875-1950

                Tarzan / Edgar Rice Burroughs ; traduzido por Laura Folgueira. - Jandira, SP : Principis, 2020.
                288 p. ; 16cm x 23cm. – (Literatura Clássica Mundial)

                Tradução de: Tarzan of the apes
                Inclui índice.
                ISBN: 978-65-5097-002-4

                1. Literatura americana. 2. Romance. I. Folgueira, Laura. II. Título. III. Série.

2020-1305   CDD 813.5
                                                       CDU 821.111(73)-31

Elaborado por Vagner Rodolfo da Silva - CRB-8/9410

Índice para catálogo sistemático:
1. Literatura americana : Romance 813.5
2. Literatura americana : Romance 821.111(73)-31

1ª edição em 2020
www.cirandacultural.com.br
Todos os direitos reservados.
Nenhuma parte desta publicação pode ser reproduzida, arquivada em sistema de busca ou transmitida por qualquer meio, seja ele eletrônico, fotocópia, gravação ou outros, sem prévia autorização do detentor dos direitos, e não pode circular encadernada ou encapada de maneira distinta daquela em que foi publicada, ou sem que as mesmas condições sejam impostas aos compradores subsequentes.

SUMÁRIO

Mar adentro 7
O lar selvagem 18
Vida e morte 28
Os macacos 36
O macaco branco 44
Combates na selva 53
A luz do conhecimento 60
O caçador do topo das árvores 72
Homem e homem 79
O fantasma do medo 91
"Rei dos macacos" 97
A razão do homem 108
A própria espécie 117
À mercê da selva 132
O deus da floresta 143
"Muito impressionante" 148
Sepultamentos 158
O preço da floresta 169
O chamado dos primitivos 181
Hereditariedade 193
A aldeia da tortura 206
A equipe de resgate 213
A irmandade dos homens 224
Tesouro perdido 234
O posto mais avançado do mundo 242
O auge da civilização 254
O gigante de novo 265
Conclusão 279

MAR ADENTRO

Ouvi esta história de alguém que não tinha nenhum interesse em contá-la nem a mim, nem a mais ninguém. Devo atribuir o crédito pelo início deste relato à influência sedutora de um vinho envelhecido sobre o narrador e a continuação da estranha lenda, à minha própria incredulidade cética nos dias que se seguiram.

Quando meu agradável anfitrião descobriu que tinha me contado episódios demais daquela história, e que, mesmo assim, eu tendia à dúvida, seu orgulho tolo retomou a tarefa que o vinho tinha começado. Então, ele desenterrou provas escritas na forma de um manuscrito mofado e velhos registros oficiais do Escritório Colonial Britânico, a fim de apoiar muitas das características salientes de sua impressionante narrativa.

Não digo que a história é verdadeira, pois não testemunhei os acontecimentos mencionados pelo meu anfitrião; no entanto, o fato de eu ter usado nomes fictícios para os personagens principais ao contá-la a vocês é evidência suficiente da sinceridade de minha própria crença de que ela *talvez* seja real.

As páginas amarelas e emboloradas do diário de um homem morto há muito tempo, tal como os registros do Escritório Colonial, encaixam-se perfeitamente à narrativa de meu agradável anfitrião. Dessa maneira, foi possível apresentar-lhes a história do modo como meticulosamente a montei com base nessas várias fontes.

Se não a considerar crível, ao menos concordará comigo em reconhecê-la como única, impressionante e interessante.

Naqueles registros e naquele diário que mencionei, ficamos sabendo que a um certo jovem nobre inglês, que chamaremos de John Clayton, lorde Greystoke, foi solicitada uma investigação peculiarmente delicada. A tarefa dizia respeito a determinadas condições presentes em uma colônia da costa da África Oriental Britânica, cuja população nativa estava sendo recrutada como soldado por outra potência europeia, para se incorporar ao exército nativo, usado apenas para a coleta forçosa de borracha e marfim dos povos do Congo e do rio Aruwimi. Os nativos da colônia britânica reclamaram que muitos de seus jovens eram seduzidos a ir embora por meio de promessas justas e brilhantes, mas que somente alguns ou nenhum deles voltavam a suas famílias.

Os ingleses que estavam no continente foram ainda mais longe nos relatos ao afirmar que esses pobres negros eram mantidos praticamente em escravidão, visto que os termos do alistamento eram impostos pelos oficiais brancos, que se aproveitavam de sua ignorância e lhes comunicavam que ainda deviam servir ao exército por muitos anos, ignorando a prescrição do alistamento.

Diante dessa situação, o Escritório Colonial nomeou John Clayton a um novo posto na África Ocidental Britânica, mas suas instruções confidenciais eram centradas em uma investigação minuciosa acerca do tratamento injusto de súditos negros britânicos pelos oficiais de uma potência europeia aliada. No entanto, o motivo pelo qual ele foi enviado, pouco importa a esta história, afinal, ele nunca fez investigação alguma, tampouco chegou a seu destino.

Clayton era o tipo de inglês que se costuma associar com os mais nobres monumentos de conquista histórica dentre os milhares de vitoriosos campos de batalha, era um homem forte e viril, tanto mental, quanto moral e fisicamente.

Sua estatura era um pouco maior que a altura mediana; seus olhos eram acinzentados, e os traços de seu rosto eram regulares e fortes; seu porte, era de saúde perfeita e robusta, influenciada pelos anos de treinamento militar.

A ambição política o levou a buscar uma transferência do exército ao Escritório Colonial e, assim, o encontramos, ainda jovem, com uma encomenda delicada e importante a serviço da rainha.

Quando recebeu essa missão, ficou ao mesmo tempo exultante e estarrecido. A nomeação parecia ter a natureza de uma recompensa merecida por um serviço laborioso e inteligente, e servir de degrau para postos de maior importância e responsabilidade. Por outro lado, ele havia se casado com a honorável Alice Rutherford há apenas três meses, e foi o pensamento de levar essa jovem e delicada garota aos perigos e isolamento da África tropical que o estarreceu.

Pelo bem dela, ele teria recusado a nomeação, mas ela discordaria dessa decisão. Em vez disso, insistiu que ele aceitasse e, inclusive, a levasse junto.

Mães, irmãos, irmãs, tias e primos expressaram opiniões variadas sobre o assunto, mas quanto ao que distintamente aconselharam o casal, a história faz silêncio.

Sabemos apenas que, em uma clara manhã de maio de 1888, John, lorde Greystoke e *lady* Alice tomaram o navio em Dover a caminho da África.

Um mês depois, chegaram a Freetown[1], onde alugaram uma pequena embarcação, *Fuwalda*, que os levaria a seu destino.

E aqui, John, lorde Greystoke, e *lady* Alice, sua esposa, desapareceram dos olhos e do conhecimento das pessoas.

Dois meses depois de terem levantado âncora e partido do porto de Freetown, meia-dúzia de navios de guerra britânicos vasculhavam o Atlântico Sul em busca de vestígios deles ou do pequeno barco e, quase imediatamente, os destroços foram encontrados nas margens de Santa

---

[1] Capital e maior cidade de Serra Leoa. Foi também a capital da África ocidental britânica entre os anos de 1808 e 1874. (N.T.)

Helena. Isso convenceu o mundo de que o *Fuwalda* havia naufragado com todos a bordo e, assim, a busca foi suspensa ainda no início. Mesmo assim, a esperança permaneceu nos corações saudosos por muitos e muitos anos.

A *Fuwalda*, um bergantim[2] de aproximadamente cem toneladas, era uma embarcação de um tipo muito comum no comércio costeiro do extremo Sul do Atlântico, com tripulações compostas de rejeitados do mar, assassinos não enforcados e bárbaros de todas as raças e nações. O *Fuwalda* não era uma exceção à regra. Seus oficiais eram valentões bronzeados, que eram odiados, mas também odiavam a tripulação. O capitão, embora fosse um marinheiro competente, tratava seus homens de forma bruta. Ele tinha somente dois, ou pelo menos usava apenas dois, argumentos para lidar com eles: uma malagueta e um revólver. De qualquer maneira, é pouco provável que a diversa agremiação contratada por ele pudesse entender qualquer outra coisa.

Então, desde o segundo dia, depois de saírem de Freetown, John Clayton e sua jovem esposa testemunharam, no deque do *Fuwalda*, cenas que acreditavam não existir fora das capas de livros de história do mar.

Na manhã desse mesmo dia, foi forjado o primeiro elo de uma série de circunstâncias cujo fim daria origem a uma vida sem paralelos na história humana, de alguém ainda não nascido.

Dois marinheiros lavavam os deques do *Fuwalda*, o primeiro-imediato estava de guarda e o capitão tinha parado para conversar com John Clayton e *lady* Alice.

Os homens trabalhavam e se deslocavam de costas na direção do pequeno grupo que conversava também de costas para eles. Cada vez mais, os dois grupos se aproximavam, até um dos marinheiros se posicionar bem atrás do capitão. Mais um momento e ele não estaria mais naquele lugar, e esta estranha narrativa nunca teria sido registrada.

Entretanto, bem naquele instante o oficial se virou para despedir-se de lorde e *lady* Greystoke e, ao fazê-lo, tropeçou no marinheiro e

---

2 Embarcação antiga movida a remo, também conhecida pelos nomes de bragantim ou fragatim. (N.T.)

precipitou-se pelo deque, derrubando o balde de água que o encharcou com seu conteúdo sujo.

Por um instante, a cena foi ridícula, mas só por um instante. Com uma saraivada de horríveis maldições e o rosto coberto de vergonha e raiva, o capitão se levantou e, com um terrível golpe, jogou o marinheiro no deque.

O homem era pequeno e bem velho, de modo que a brutalidade do ato se acentuou. No entanto, um outro marinheiro, que estava por ali, não era nem velho, nem pequeno: parecia um urso enorme, tinha bigodes pretos ferozes e um pescoço de touro entre os ombros gigantes.

Esse homem, ao ver seu companheiro cair, agachou-se e, com um resmungo grave, pulou no capitão, deixando-o de joelhos com um único poderoso golpe.

De vermelho, o rosto do capitão passou a ser branco, pois estava diante de um motim e ele já tinha encarado e dispersado motins durante sua violenta carreira, é claro. Sem nem se levantar, tirou do bolso um revólver e atirou a queima-roupa na grande montanha de músculos que se elevava diante dele. Mas, ainda que ele fosse muito rápido, John Clayton também era. Assim, a bala disparada em direção ao coração do enorme marinheiro se alojou, em vez disso, em sua perna, ao ser desviada por lorde Greystoke que, ao ver o brilho da arma no sol, desferiu um golpe no braço do capitão.

Em seguida, Clayton e o capitão começaram uma discussão, na qual o primeiro deixava claro o quão enojado se sentia pela brutalidade mostrada à tripulação e que não ia tolerar mais nada do tipo, enquanto ele e *lady* Greystoke fossem passageiros. O capitão estava a ponto de dar uma resposta irada, mas, ao pensar melhor, deu meia-volta e, sombrio e carrancudo, foi para a popa.

Ele achou melhor não hostilizar um oficial inglês, pois o poderoso exército da rainha empunhava um instrumento punitivo que ele era capaz tanto de admirar quanto de temer: a marinha de longo alcance da Inglaterra.

Os dois marinheiros se levantaram, o mais velho ajudando seu colega ferido. Um deles, o maior, conhecido entre seus companheiros como Black Michael, testou a perna com cuidado e, ao perceber que aguentava seu peso, virou-se na direção de Clayton e proferiu um agradecimento ríspido.

Embora o tom do homem fosse grosseiro, suas palavras evidentemente tinham boa intenção. Mal terminou seu pequeno discurso, virou-se e mancou até o castelo da proa, com a aparente intenção de evitar qualquer outra conversa sobre o que ocorreu.

Não o viram por vários dias, nem o capitão lhes dispensou mais que meros rosnados mal-humorados quando era forçado a dirigir-se a eles.

O casal fazia suas refeições na cabine do capitão, da mesma maneira como antes dessa ocorrência infeliz. No entanto, o capitão tomava o cuidado de garantir que as obrigações de sua função nunca lhe permitisse comer ao mesmo tempo que lorde e *lady* Greystoke.

Os outros oficiais eram homens rudes e analfabetos, porém superiores à tripulação repugnante a quem atormentavam. Ainda assim, eles estavam satisfeitos de evitar o convívio social com o polido nobre inglês e sua *lady*. Então, os Clayton basicamente ficavam apenas entre si.

A situação contemplava perfeitamente os desejos deles, mas também os isolava tanto da vida do pequeno navio, que ambos não conseguiam manter-se informados sobre os acontecimentos diários, que logo culminariam em uma tragédia sangrenta.

Na atmosfera da embarcação, havia aquela sensação indefinível que pressagiava o desastre. Teoricamente, até onde os Clayton sabiam, a situação no pequeno barco era normal, mas ambos sentiam que havia uma contracorrente levando-os a algum perigo desconhecido, embora não conversassem disso um com o outro.

No segundo dia após o ferimento de Black Michael, Clayton chegou ao deque a tempo de ver o corpo frouxo de um tripulante sendo carregado por quatro de seus companheiros, enquanto o primeiro-imediato, com uma malagueta pesada na mão, fitava furiosamente o pequeno grupo de marinheiros mal-humorados.

Clayton não fez perguntas, não precisava e, no dia seguinte, quando as grandes linhas de um grande encouraçado[3] britânico apareceram no horizonte, considerou exigir que ele e *lady* Alice fossem transferidos para lá, pois, cada vez mais, temia que nada de bom resultaria ao permanecer no sombrio e taciturno *Fuwalda*.

Perto do meio-dia, estavam suficientemente próximos do navio britânico a ponto de conseguirem conversar, mas, quando Clayton estava quase decidido a pedir ao capitão para colocá-los a bordo, o ridículo motivo do pedido de repente ficou aparente. Que justificava ele apresentaria ao oficial do navio de vossa majestade para desejar voltar na direção da qual acabara de vir?!

E se dissesse que dois marinheiros insubordinados tinham sido maltratados por seus oficiais? Com certeza, eles morreriam de rir e, além disso, seu desejo de sair da embarcação seria atribuído a uma única coisa: covardia.

John Clayton, lorde Greystoke, não pediu para ser transferido para o navio de guerra britânico e, já no fim daquela tarde, viu a parte superior do navio desaparecer no longínquo horizonte, mas não antes de ficar sabendo de algo que confirmava seus piores medos e que o fez xingar o falso orgulho que o impedira de buscar a segurança para sua jovem esposa algumas poucas horas antes, quando ela estava ao alcance, uma segurança que agora tinha desaparecido para sempre.

O meio da tarde trouxe o pequeno marinheiro idoso, que tinha sido golpeado pelo capitão alguns dias antes, até onde Clayton e sua esposa estavam, na lateral do navio, observando os contornos cada vez mais diminutos do grande encouraçado. O velho homem, que polia os corrimãos de metais, enquanto se aproximava de Clayton, disse, em voz baixa:

– Este barco aqui vai virá um inferno, pode *crê, senhô*. Um inferno!

– O que quer dizer, camarada? – perguntou Clayton.

---

[3] Navio de guerra de grande porte, comum entre os séculos XIX e XX, composto de uma poderosa artilharia, cuja proteção foi construída por uma couraça resistente. (N.T.)

– Ora, não vê o que *tá* acontecendo? Não *escutô* aquele *fio* do demônio do capitão e o *otro* dando uma surra *nim* todos os marinheiros? Duas cabeças quebradas ontem e três hoje. O Black Michael já tá novo e *num* é homem de aguentá isso, pode *crê, senhô*.

– Quer dizer, bom homem, que a tripulação está pensando num motim? – perguntou Clayton.

– Motim! – exclamou o velho homem. – Motim! *Tá* pensando é em morte, *senhô, pode crê, senhô.*

– Quando?

– *Tá chegano, senhô; tá chegano,* mas *num vô fala* quando, e já falei demais, mas o *senhô* foi bom outro dia e achei direito *avisá*. Mas fica com a boca fechada e quando ouvir tiro vai lá pra baixo e fica lá. Só isso, só fica com a boca fechada, pra não *levá* bala nas costelas, pode *crê, senhô* – e o velho homem seguiu polindo, o que o levou para longe de onde estavam os Clayton.

– Uma perspectiva nada animadora, Alice – disse Clayton.

– Você devia avisar o capitão imediatamente, John. É possível que os problemas ainda sejam evitados – falou ela.

– Imagino que sim, mas, por motivos puramente egoístas, estou tentado a "ficar com a boca fechada". O que quer que façam agora, vão poupar-nos como reconhecimento de minha defesa ao tal Black Michael, porém, se acharem que os traí, não haverá piedade para nós, Alice.

– Você tem apenas um dever, John, e é para com a autoridade constituída. Se não avisar o capitão, é igualmente culpado pelo que se seguir, como se tivesse ajudado a tramar com a própria cabeça e executar com as próprias mãos.

– Não entende, querida – respondeu Clayton. – É em você que estou pensando, pois está aí meu primeiro dever. O capitão causou esse mal a si mesmo, então, por que eu deveria arriscar submeter minha esposa a horrores impensáveis em uma tentativa provavelmente infrutífera de salvá-lo de suas próprias tolices violentas? Você não tem ideia, querida, do que aconteceria se esse bando de brutos ganhasse o controle do *Fuwalda*.

– Dever é dever, John, e nenhum sofismo vai mudar isso. Eu seria uma má esposa para um lorde inglês se fosse responsável por permitir que ele se furte a um dever claro. Percebo o perigo que deve se seguir, mas posso enfrentá-lo com você.

– Como quiser, então, Alice – respondeu ele, sorrindo. – Talvez estejamos chamando o perigo. Embora eu não goste do estado das coisas neste barco, pode não ser assim tão ruim, pois é possível que o "velho marinheiro" estivesse apenas dando voz aos desejos de seu mau coração e não falando de fatos. Motim em alto mar pode ter sido comum há cem anos, mas estamos em 1888 e é um acontecimento dos menos comuns. Olha! Lá vai o capitão entrar em sua cabine. Se vou avisá-lo, melhor fazer logo esse trabalho bestial, pois tenho pouco estômago para falar com o bruto.

Dizendo isso, ele caminhou sem preocupação na direção da escada de escotilha pela qual o capitão havia passado e, um momento depois, estava batendo na porta dele.

– Entre! – resmungou a voz grave do oficial mal-humorado.

Quando Clayton entrou e fechou a porta atrás de si, o capitão disse:

– O que é?

– Vim reportar o cerne de uma conversa que ouvi hoje, pois sinto que, embora talvez não seja verdade, é melhor alertá-lo. Em resumo, os homens estão organizando um motim e assassinato.

– É mentira! – rugiu o capitão. – E se estiver de novo interferindo na disciplina deste barco ou se metendo em assuntos que não lhe dizem respeito, vai sofrer as consequências e se prejudicar. Não me importo se é inglês ou não. Sou capitão deste barco, então, de agora em diante, não se meta onde não é chamado.

O capitão se encontrava em tal frenesi de raiva que seu rosto corou. Ele gritou as últimas palavras ao lorde com toda a força que conseguiu, enfatizando suas recomendações, enquanto socava a mesa com um punho enorme e balançava o outro na cara de Clayton.

Greystoke nem se despenteou, mirando o homem nervoso com um olhar fixo.

– Capitão Billings – falou, por fim –, perdoe-me pela sinceridade, mas eu poderia afirmar, com certeza, que você é um asno.

Então, ele se virou e saiu da cabine com a mesma tranquilidade indiferente que lhe era habitual, e que certamente era mais propícia a suscitar a ira de um homem da classe de Billings do que uma torrente de injúrias.

Assim, mesmo que o capitão pudesse facilmente se arrepender de seu discurso apressado, caso Clayton tentasse acalmá-lo, seu temperamento estava irrevogavelmente preso ao molde em que Clayton o deixara e, portanto, a última chance de trabalharem juntos para o bem comum tinha passado.

– Bem, Alice – disse Clayton, ao reencontrar sua esposa –, devia ter me poupado. O camarada se provou bastante ingrato. Praticamente pulou em mim como um cão louco. Por mim, ele e o maldito navio velho dele podem ser enforcados e até estarmos seguros longe daqui, gastarei minhas energias cuidando de nosso bem-estar. E imagino de fato que o primeiro passo para isso deva ser ir à nossa cabine buscar meus revólveres. É nesta hora que eu me arrependo de termos guardado as armas mais pesadas e a munição com as outras coisas no porão.

Eles encontraram sua habitação em um péssimo estado de desarrumação. Os baús e as malas estavam abertos com suas roupas espalhadas pelo pequeno apartamento, e nem mesmo as camas tinham sido poupadas.

– Evidentemente, alguém estava mais ansioso em pegar nossos pertences do que nós – falou Clayton. – Vamos dar uma olhada, Alice, para saber o que está faltando.

Uma busca meticulosa revelou que nada tinha sido levado, apenas os dois revólveres de Clayton e o pequeno estoque de munição reservado por ele.

– Eram justamente as coisas que eu mais desejaria que tivessem deixado – comentou Clayton –, e o fato de buscarem por elas, e levarem somente elas, é muito sinistro.

– O que vamos fazer, John? – perguntou a esposa. – Talvez você tivesse razão em afirmar que nossa melhor chance existe em um posicionamento neutro. Se os oficiais conseguirem evitar um motim, não temos nada a temer; por outro lado, se os amotinados forem vitoriosos, nossa única e remota chance está em não tentar impedi-los.

– Tem razão, Alice. Vamos ficar em cima do muro.

Quando começaram a arrumar a cabine, Clayton e sua esposa notaram um canto de folha de papel aparecer por baixo da porta de sua habitação. Quando Clayton abaixou-se para pegá-lo, ficou surpreso ao ver que a folha entrava no quarto. Então, percebeu que alguém do lado de fora empurrava a folha para dentro do quarto.

Rápida e silenciosamente, ele foi na direção da porta, mas, quando foi alcançar a maçaneta para abri-la, a mão de sua esposa pousou em seu punho.

– Não, John – ela sussurrou. – Eles não desejam ser vistos, portanto, não podemos vê-los. Não se esqueça de que estamos em cima do muro.

Clayton sorriu e soltou a mão ao lado do corpo. Ambos ficaram observando o pequeno pedaço de papel branco até que ele finalmente ficou parado no chão logo atrás da porta.

Então, Clayton agachou e o pegou a folha de papel branco e sujo, dobrada de qualquer jeito em um quadrado irregular. Ao desdobrá-la, acharam uma mensagem rude escrita de modo quase ilegível, com muitas evidências de que a pessoa que a escreveu não estava nada acostumada com tal tarefa.

A mensagem trazia um alerta para que os Clayton não reportassem a perda dos revólveres nem repetissem o que o velho marinheiro lhes tinha dito, caso contrário, estariam sob a ameaça de pena de morte.

– Imagino que ficaremos bem – disse Clayton, com um sorriso triste. – Só o que podemos fazer é aguentar firme e esperar o que venha a acontecer.

O LAR SELVAGEM

O casal não precisou esperar por muito tempo, pois, logo na manhã seguinte, quando Clayton estava saindo no deque para sua caminhada habitual, antes do café da manhã, um tiro soou, e depois outro e mais outro e assim sucessivamente.

Os acontecimentos com os quais ele se deparou foram a confirmação de seus piores medos. Toda a variada tripulação do *Fuwalda*, liderada por Black Michael, enfrentava o pequeno grupo de oficiais.

Na primeira saraivada dos oficiais, os homens correram para se proteger. Escondidos estrategicamente atrás de mastros, casa de navegação e cabine, dispararam as armas na direção dos cinco homens, representantes da odiada autoridade do navio.

Dois dos rebeldes tinham sido abatidos pelo revólver do capitão e ficaram no mesmo lugar onde tinham caído, em meio aos combatentes. Mas, então, o primeiro-imediato foi atingido no rosto e, sob o grito de comando de Black Michael, a tripulação atacou os quatro oficiais restantes. Os homens só tinham conseguido arrumar seis armas de fogo, por isso, a maioria se armou com ganchos, machados, machadinhas e pés-de-cabra.

Na hora do ataque, o capitão tinha acabado de esvaziar seu revólver e estava recarregando-o. Por azar, a arma do segundo-imediato emperrou, por isso, apenas duas armas ficaram apontadas para os amotinados no momento em que eles investiram contra os oficiais, que agora revidavam o bando de homens furiosos.

Os dois lados xingavam e amaldiçoavam assustadoramente seus oponentes, situação que, junto dos tiros de arma de fogo e dos gritos e gemidos dos feridos, transformou o deque do *Fuwalda* em uma espécie de hospício.

Antes mesmo de os oficiais andarem uma dúzia de passos para trás, eles já estavam sob ataque dos rebeldes. Então, um machado nas mãos de um negro corpulento rasgou a cabeça do capitão desde a testa até o queixo e, um instante depois, os outros oficiais caíram, mortos ou feridos por dezenas de golpes e balas.

O trabalho dos amotinados do *Fuwalda* foi rápido e macabro, e o tempo todo, John Clayton permaneceu tranquilamente apoiando as costas na escada que levava ao tombadilho[4], pitando, pensativo, seu cachimbo como se assistisse com indiferença a uma partida de críquete.

Quando o último oficial caiu, achou que era hora de se voltar para sua esposa e garantir que os membros da tripulação não a encontrassem sozinha lá embaixo.

Embora Clayton aparentemente estivesse calmo e indiferente, por dentro, estava apreensivo e tenso, pois temia pela segurança da esposa diante daqueles brutos ignorantes, em cujas mãos o destino os tinha tão cruelmente jogado.

Quando ele se virou para descer a escada, se surpreendeu ao ver sua esposa parada em um degrau quase ao seu lado.

– Há quanto tempo está aqui, Alice?

– Desde o início – respondeu ela. – Que terrível, John. Ah, que terrível! O que o futuro nos reserva, agora que estamos nas mãos de gente assim?

---

4   Estrutura construída na popa de um navio. Na maioria das vezes, o espaço do tombadilho é fechado. Também é conhecido como castelo de popa. (N.T.)

– Café da manhã, espero – disse ele, sorrindo corajosamente em uma tentativa de acalmar os medos dela. – Pelo menos – continuou – é o que vou pedir. Venha comigo, Alice. Não podemos deixá-los pensar que esperamos mais do que um tratamento cortês.

Neste ponto, os homens cercavam os oficiais mortos e feridos, e, sem parcialidade nem compaixão, arremessavam para fora da embarcação tanto aqueles que estavam vivos quanto os mortos. Da mesma maneira, desfizeram-se dos próprios mortos e moribundos de seu grupo.

Imediatamente, um dos tripulantes espiou os Clayton, que se aproximavam, correu na direção deles e gritou brandindo um machado:

– Aqui tem mais dois para os peixes!

Mas Black Michael foi mais rápido, de modo que o camarada caiu com uma bala nas costas antes de conseguir andar meia dúzia de passos.

Com um rugido alto, Black Michael chamou a atenção dos outros e, apontando para *lady* Greystoke, gritou:

– Esses aqui são meus amigos e devem ser deixados em paz. Entendido? Sou capitão deste navio agora e minha palavra é ordem – disse ele, em um tom severo.

E completou, virando-se para os Clayton:

– Não criem problemas e ninguém vai machucar vocês. – E com tom ameaçador, olhou para seus companheiros.

Os Clayton obedeceram às instruções de Black Michael tão bem que praticamente não viram a tripulação nem souberam nenhum dos planos que os homens arquitetavam.

Eventualmente, os dois ouviam os ecos distantes de brigas e discussões entre os amotinados e, em duas ocasiões, o odioso latir de armas de fogo soou no ar. Mas Black Michael era um bom líder para esse bando de assassinos e, portanto, mantinha seus homens submissos a suas ordens.

No quinto dia após o assassinato dos oficiais, eles viram terra ao observar o horizonte a partir da gávea. Se era ilha ou continente, Black Michael não sabia, mas anunciou a Clayton que, se a investigação concluísse que o lugar era habitável, ele e *lady* Greystoke seriam desembarcados no local junto de seus pertences.

– Vão ficar bem por uns meses – explicou – e, nesse tempo, vamos conseguir encontrar uma costa inabitada em algum lugar e nos espalhamos por lá. Aí, vou avisar seu governo onde vocês estão e logo mandarão um soldado para buscar vocês. Ia ser difícil botar vocês na civilização sem ter que responder um montão de perguntas, e a gente não tem umas respostas muito convincentes para dar.

Clayton protestou contra a desumanidade de desembarcá-los em uma costa desconhecida à mercê de bestas selvagens e, possivelmente, homens ainda mais selvagens. Mas suas palavras foram em vão e apenas despertaram a raiva de Black Michael, de tal modo que Greystoke teve de desistir de convencê-lo e buscar extrair o melhor daquela situação ruim.

Em torno de três da tarde, eles chegaram a uma bela costa com uma vasta floresta em frente à boca do que parecia ser um porto sem litoral.

Black Michael enviou um pequeno barco cheio de homens para examinar a entrada, em um esforço de determinar se era possível ao *Fuwalda* passar por ali com segurança.

Após cerca de uma hora, retornaram e relataram que a água era profunda tanto na passagem, quanto na pequena bacia que dava para o porto.

Antes de escurecer, o bergantim ancorou tranquilamente no seio da superfície da água que espelhava o porto.

As praias ao redor tinham belas vegetações semitropicais e, à distância, avistavam-se morros e chapadas que subiam acima do nível do mar, quase uniformemente cobertos por floresta nativa.

Não havia sinais visíveis de habitação, mas a evidência de que a terra podia facilmente servir para a sobrevivência humana estava no fato de que o lugar era repleto de animais. Havia pássaros em abundância, que os observadores no deque do *Fuwalda* viam de relance ocasionalmente, além do brilho de um pequeno rio que desembocava no porto, garantindo muita água fresca.

Enquanto a escuridão da noite caía, Clayton e *lady* Alice contemplavam silenciosamente sua futura morada pousados na grade do parapeito da embarcação. Das sombras escuras da imponente floresta, gritos de feras selvagens ecoavam: o intenso urro do leão e, ocasionalmente, o rugido estridente de uma pantera.

A mulher se encolheu e ficou mais perto do homem, antecipando aterrorizada os horrores que os esperavam no breu total das próximas noites, quando estariam sozinhos naquela costa selvagem e solitária.

Mais tarde, naquela mesma noite, Black Michael se juntou a eles para instrui-los sobre os preparativos para o desembarque da manhã seguinte. Eles tentaram convencê-lo a levá-los para outra costa mais habitável perto da civilização, para que houvesse alguma esperança de caírem em mãos amigas. Mas não havia apelo, ameaça ou promessa de recompensa capaz de convencê-lo.

– Sou o único homem a bordo que não prefere ver os dois mortinhos, e sei que seria o melhor jeito de garantir nosso próprio pescoço, mas Black Michael não é homem de esquecer um favor. Você salvou minha vida uma vez e em troca vou poupar a de vocês, mas não posso fazer mais nada. Os homens não aguentam mais essa situação, então, se eu não os desembarco rapidinho, eles podem mudar de ideia e não continuar dando essa folga para vocês. Vou botar todas as suas coisas na terra com vocês, e também umas coisas de cozinha e umas velas velha para fazer barraca, também vai um tanto de comida que vai durar até acharem fruta e caça. E tem as armas para proteção, para poder viver aí fácil, fácil, até chegar ajuda. Quando eu me esconder em segurança, vou cuidar de dizer pro governo inglês onde vocês estão, não vou conseguir de jeito nenhum falar exatamente onde, que também não sei. Mas vão achar direitinho.

Depois da conversa, o casal ficou em silêncio, cada um mergulhado nos próprios pressentimentos melancólicos.

Clayton não acreditava na promessa de Black Michael de notificar o governo britânico sobre seu paradeiro, e estava muito desconfiado de uma possível traição planejada para o dia seguinte, no momento em que eles estariam na costa com os marinheiros que os acompanhariam levando seus pertences.

Uma vez fora das vistas de Black Michael, qualquer um dos homens podia facilmente os atacar e ainda manter a consciência do líder limpa.

E mesmo se eles escapassem desse cruel destino, não seria apenas para enfrentar um outro cujos perigos seriam muito maiores? Sozinho, ele podia esperar sobreviver por anos, pois era um homem atlético e forte. Mas e quanto a Alice e aquela outra pequena vida que em breve seria lançada nas dificuldades e nos graves perigos de um mundo primitivo?

O homem tremeu ao pensar na terrível gravidade que enfrentaria, e na aterrorizante impotência de sua situação. Porém foi uma piedosa Providência que o impediu de prever a horrível realidade que os esperava nas profundezas sombrias daquela floresta melancólica.

No outro dia, já nas primeiras horas da manhã, seus inúmeros baús e suas incontáveis caixas foram içados ao deque e baixados para pequenos barcos que esperavam até a hora de transportá-los à margem.

Havia uma grande quantidade e imensa variedade de pertences do casal, visto que os Clayton esperavam residir em seu novo lar possivelmente pelos próximos cinco a oito anos. Assim, em meio às muitas coisas essenciais levadas, havia também uma gama de artigos luxuosos.

Black Michael havia determinado que nenhum pertence dos Clayton ficasse a bordo. Não se sabe muito bem se o líder teve tal atitude por compaixão ou pela promoção dos próprios interesses. Não havia dúvidas de que se houvesse, em uma embarcação suspeita, a presença de propriedades de um oficial britânico, que estava desaparecido, seria difícil explicar tal situação em qualquer porto civilizado do mundo.

Foram tantos os seus esforços para cumprir suas intenções que Black Michael insistiu para que os marinheiros em posse dos revólveres dos Clayton os devolvessem aos donos.

Também carregaram os pequenos barcos com carne curada e biscoitos, uma pequena provisão de batatas e feijões, fósforos e panelas, uma caixa de ferramentas e as velhas velas conforme foi prometido.

Como se ele mesmo temesse exatamente o que Clayton suspeitava, Black Michael acompanhou os dois até a margem e foi o último a deixá-los quando os pequenos barcos foram empurrados na direção do *Fuwalda*, logo após abastecerem o casco do navio com água fresca.

Enquanto os botes navegavam lentamente pelas águas suaves da baía, Clayton e sua esposa ficaram observando a partida em silêncio, no peito de ambos, um sentimento de desastre iminente e total desesperança.

Atrás deles, aos pés de um morro, outros olhos os observavam, olhos muito juntos, maldosos, brilhando sob testas cheias de pelos.

Quando o *Fuwalda* passou pela estreita entrada do porto e saiu de vista atrás de um penhasco demasiadamente alto, *lady* Alice jogou os braços ao redor do pescoço de Clayton e caiu em um choro desconsolado e agoniado.

Com muita bravura, ela enfrentou os perigos do motim com resistência heroica, projetou o terrível futuro; no entanto, agora que o horror da solidão absoluta estava sobre ela e seu marido, seus nervos esgotados cederam e finalmente reagiu.

Ele não tentou limpar as lágrimas dela. Era melhor que a natureza fizesse seu papel de aliviar aquelas emoções reprimidas há tanto tempo. Levou muitos minutos para a jovem moça, que tinha acabado de sair da adolescência, pudesse de novo se recompor.

– Ah, John – ela lamentou, por fim – que horror tudo isso. O que vamos fazer? O que vamos fazer?

– Só há uma coisa a fazer, Alice – ele falou tranquilamente como se estivessem sentados em sua confortável sala de estar em casa –, trabalhar. A nossa salvação será o trabalho. Não devemos gastar muito tempo com pensamentos, pois esse é o caminho da loucura. Devemos trabalhar e esperar. Tenho certeza de que o socorro virá rapidamente, quando derem falta do *Fuwalda*, ainda que Black Michael não mantenha sua palavra.

– Mas, John, se fossemos só eu e você – ela soluçou –, podíamos aguentar, eu sei, mas...

– Sim, querida – ele respondeu, gentilmente –, também estive pensando nisso, porém precisamos enfrentar, da mesma maneira como vamos fazer se qualquer ameaça surgir, com coragem e muita confiança em nossa habilidade de lidar com adversidades, quaisquer que sejam. Há centenas de milhares de anos, nossos ancestrais sobreviveram a um passado obscuro com os mesmos problemas que estão à nossa volta, possivelmente nessas mesmas florestas nativas. Estarmos aqui hoje, vivos, é prova de que eles alcançaram a vitória. O que fizeram que nós não podemos fazer? E ainda melhor, pois não estamos armados com um conhecimento superior, e não temos meios de proteção, defesa e sobrevivência dados pela ciência, que eles ignoravam completamente? O que eles conseguiram, Alice, com instrumentos e armas de pedra e osso, certamente também podemos conseguir.

– Ah, John, queria poder ser um homem, com a filosofia de um homem, mas sou apenas uma mulher, enxergando os fatos com meu coração e não com a cabeça, e tudo que consigo ver é horrível e impensável demais para colocar em palavras. Espero que tenha razão, John. Prometo que farei o possível para ser uma mulher primitiva corajosa, uma companhia adequada para um homem primitivo.

O primeiro pensamento de Clayton foi arrumar um abrigo para passarem a noite, algo que pudesse servir para protegê-los dos animais ferozes e predadores.

Então, ele abriu a caixa que continha rifles e munição, para poderem estar armados contra um possível ataque enquanto trabalhavam, e depois, juntos, buscaram um local para dormir na primeira noite.

A aproximadamente cem metros da praia, havia uma planície, praticamente sem árvores, onde decidiram construir uma casa permanente. Mas, por enquanto, os dois acharam melhor se alojarem em uma pequena plataforma nas árvores, fora do alcance das criaturas selvagens que os cercavam.

Para isso, Clayton selecionou quatro árvores que formavam um retângulo de pouco menos de um metro quadrado e, com longos galhos que cortou de outras árvores da região, ergueu uma base em torno delas, a cerca de dois metros e meio do chão, amarrando as pontas dos galhos nas árvores com uma corda, retirada do porão da *Fuwalda* e que Black Michael forneceu em boa quantidade.

Sobre a base, Clayton colocou outros galhos menores, bem unidos. Ele pavimentou a plataforma com as folhas largas da taioba que cresciam em profusão ao redor e, sobre elas, pôs uma grande vela de navio dobrada várias vezes.

Dois metros acima, ele construiu uma plataforma similar, embora mais leve, para servir de telhado, e nas laterais suspendeu o resto dos panos da vela e que formaram as paredes.

No fim, ao terminar o projeto, seu abrigo tinha se tornado um pequeno ninho bem confortável, para o qual levou os cobertores e algumas das bagagens mais leves.

Já era fim de tarde, quando Clayton dedicou o resto das horas de sol à construção de uma escada rudimentar que *lady* Alice pudesse usar para subir à sua nova casa.

Durante todo o dia, a floresta perto deles foi presenteada com inúmeros pássaros animados de plumagem brilhante e macaquinhos tagarelas e dançantes, que observavam com interesse e fascinação os recém-chegados e a maravilhosa construção do ninho.

Apesar de estarem atentos praticamente o tempo todo, eles não perceberam a presença de nenhum animal muito grande. Entretanto, em duas ocasiões, avistaram pequenos vizinhos símios gritando e tagarelando em um morro próximo dali, enquanto olhavam assustados, por cima dos ombros, e demonstrando claramente como se falassem que estavam fugindo de algo terrível escondido ali.

Pouco antes do anoitecer, Clayton terminou sua escada e, enchendo uma grande bacia com água do riacho, que ficava por ali, os dois subiram em relativa segurança para sua câmara aérea.

Como fazia bastante calor, as cortinas laterais foram abertas e jogadas por cima do telhado. Os dois se se sentaram no interior do abrigo, do mesmo modo como turcos sobre os cobertores. Nesse momento, *lady* Alice, apertou os olhos avistando as sombras escuras da floresta quando, de repente, agarrou o braço de Clayton.

– John – sussurrou –, olhe! Aquilo é um homem?

Quando Clayton virou a cabeça na direção indicada, viu uma silhueta aparecer contra as sombras e, mais além, uma grande figura ereta em cima do morro. Por um momento, a figura ficou parada como se estivesse ouvindo e, então, virou-se lentamente desaparecendo nas sombras da selva.

– O que era, John?

– Não sei, Alice – respondeu ele, gravemente –, está escuro demais para ver tão longe. Pode ter sido somente a sombra criada pelo nascer da lua.

– Não, John, se não era um homem, era alguma imitação de homem enorme e grotesca. Ah, estou com medo! Ele a segurou em seus braços, sussurrando palavras de encorajamento e amor em seus ouvidos.

Logo depois, baixou as paredes de cortina, amarrando-as seguramente às árvores de modo que, exceto por uma pequena fresta com abertura na direção da praia, eles ficavam totalmente encobertos.

Como agora estava completamente escuro dentro do minúsculo ninho, o casal se deitou nos cobertores para tentar ganhar, por meio do sono, um breve alívio de esquecimento.

Clayton deitou-se virado para a abertura frontal, com um rifle e um par de revólveres nas mãos.

Mal tinham fechado os olhos e o grito assustador de uma pantera soou na selva bem atrás deles. O som se aproximava cada vez mais do abrigo, até ser possível ouvi-lo exatamente abaixo da câmara. Por uma hora ou mais, ouviram a pantera farejando e unhando as árvores que apoiavam a plataforma, mas, no fim, ela se afastou e cruzou a praia, onde Clayton conseguia vê-la sob a luz brilhante do luar, uma fera enorme e linda, a maior que já tinha visto.

Durante as longas horas de escuridão, eles conseguiram dormir somente em alguns breves momentos, pois os barulhos da noite em uma grande selva pujante, com a grande variedade de vida animal, mantiveram os nervos deles à flor da pele. Foram centenas as vezes em que acordaram por causa do susto provocado pelos gritos penetrantes das criaturas ou pelo movimento furtivo de grandes corpos abaixo deles.

VIDA E MORTE

A manhã os encontrou pouco descansados, embora houvesse uma sensação de intenso alívio por estarem vendo o amanhecer.

Assim que fizeram seu pobre café da manhã de carne de porco salgada, café e biscoito, Clayton começou a trabalhar na casa, pois percebeu que não podiam esperar segurança nem paz à noite, a menos que quatro paredes fortes os separassem da vida selvagem.

A tarefa era árdua e exigiu boa parte de um mês, ainda que ele tivesse construído apenas um pequeno cômodo. Ele construiu sua cabana com pequenos troncos de quinze centímetros de diâmetro, vedados com argila encontrada há alguns metros da superfície do solo.

Em um dos cantos da cabana, construiu uma lareira com pequenas pedras da praia, que vedou também com a argila e, quando a casa estava completa, aplicou uma camada de dez centímetros de espessura da mesma argila em toda a superfície externa.

Na abertura destinada à janela, inseriu pequenos galhos de cerca de dois a três centímetros de diâmetro, tanto horizontal quanto verticalmente. Os galhos entrelaçados formavam uma grade substancial, capaz de aguentar a força de um animal poderoso. Assim, conquistaram um lugar com bastante ar e ventilação adequada, sem o medo de ter menos segurança na cabana.

O telhado feito de palha era triangular, em formato de "A", com pequenos galhos dispostos próximos uns dos outros e, sobre eles, longas folhagens de palmeiras e grama selvagem, com uma última camada feita de argila.

A porta foi construída com as peças das caixas onde guardavam seus pertences, pregando uma peça na outra transversalmente, até que ela tivesse um corpo sólido de cerca de oito centímetros de espessura. A porta ficou tão forte que os dois foram às gargalhadas quando terminaram de montá-la.

Clayton estava diante de uma das maiores dificuldades em construir a cabana, pois não sabia como faria para pendurar a porta após construí-la. No entanto, depois de dois dias de trabalho, ele conseguiu fazer dobradiças de madeira maciça, nas quais fixou a porta para que ela abrisse e fechasse com facilidade.

O reboco e demais acabamentos foram adicionados assim que se mudaram para a casa, o que fizeram logo que o telhado ficou pronto. Eles empilhavam suas caixas em frente à porta durante a noite para, então, manter uma habitação relativamente segura e confortável.

A construção de cama, cadeiras, mesa e prateleiras era algo mais ou menos simples e, por isso, no fim do segundo mês, os dois já estavam bem acomodados e, com exceção do constante medo do ataque de feras selvagens e a solidão crescente, não estavam desconfortáveis nem infelizes.

À noite, grandes feras grunhiam e rugiam ao redor da minúscula cabana, mas é tão fácil acostumar-se com barulhos repetidos que logo eles passaram a prestar pouca atenção a esses eventos, e puderam, finalmente, dormir profundamente a noite toda.

Três vezes viram de relance grandes silhuetas humanoides, semelhantes àquela vista na primeira noite, mas nunca tão perto a ponto de ter certeza de que as formas com pouca nitidez fossem de um homem ou de uma fera.

Os pássaros brilhantes e os macaquinhos se acostumaram com seus novos companheiros e, como evidentemente nunca tinham visto, até o momento, seres humanos diante de si, depois de o medo inicial passar, os animais aproximaram-se cada vez mais, impulsionados pela estranha curiosidade que domina as criaturas selvagens da floresta, da selva e dos prados. Então, dentro de um mês, vários pássaros tinham chegado a aceitar alguns bocados de comida vindos das mãos amigas do casal.

Certa tarde, enquanto Clayton trabalhava na expansão da cabana, pois pretendia construir mais cômodos, vários de seus pequenos amigos burlescos vieram do morro gritando e saltando entre as árvores. Enquanto fugiam, lançavam olhares temerosos para trás, e finalmente pararam perto de Clayton, cutucando-o agitados, como se precisassem alertá-lo sobre um perigo iminente.

Por fim, ele pôde enxergar a coisa que os macaquinhos tanto temiam: o homem-fera visto pelos Clayton em relances ocasionais.

A criatura se aproximava atravessando a selva com uma posição semiereta, apoiando o dorso dos punhos fechados no chão, eventualmente. Tratava-se de um enorme macaco antropoide[5] que, conforme avançava pela floresta, emitia rugidos profundos e guturais, além de um grave grito ocasional.

Clayton estava um pouco distante da cabana, pois saiu para cortar uma árvore que fosse particularmente perfeita para sua construção. Os meses constantes de segurança deixaram-no descuidado, pois, durante todo esse tempo, ele não percebeu a presença de animais perigosos sob a luz do dia, assim, deixava todo o seu armamento dentro da pequena cabana. Então, ao avistar o grande macaco pisoteando a vegetação em sua direção, o que praticamente o impedia de escapar, sentiu um vago tremor subindo e descendo por sua coluna.

---

5 Subdivisão da ordem dos primatas na qual estão inclusos os macacos, os monos e o homem. (N.T.)

Sabia que, apenas com um machado nas mãos, suas chances com o monstro feroz eram de fato pequenas. "E Alice, meu Deus!", pensou. "O que será de Alice?"

Mas, ainda havia uma pequena possibilidade de alcançar a cabana. Então, ele virou e correu na direção dela, enquanto gritava para alertar sua esposa a fechar a grande porta, caso o macaco impedisse sua fuga.

Lady Greystoke estava sentada um pouco distante da cabana e, quando ouviu o grito de seu marido, olhou para cima e viu o animal correndo. Com uma agilidade quase inacreditável para um animal tão grande e desajeitado, ele se esforçava para alcançar Clayton.

Com um grito reprimido, ela se atirou dentro da cabana e, ao entrar, lançou para trás um olhar que a encheu de terror: a fera interceptou seu marido. Ele estava agora encurralado segurando o machado com as duas mãos, pronto para brandi-lo contra o animal furioso quando desse o bote final.

– Feche e tranque a porta, Alice! – gritou Clayton. – Posso acabar com ele usando meu machado.

Mas ele sabia que enfrentaria uma morte terrível e ela também.

O macaco era um macho enorme, que provavelmente pesava 130 quilos, com olhos detestáveis e muito juntos, brilhando de ódio embaixo de sua testa peluda. A criatura tinha grandes presas caninas que ficaram à mostra em um terrível rosnado quando pousou por um momento diante de sua presa.

Por cima do ombro da fera, Clayton conseguia ver a porta de sua cabana, localizada a menos de vinte passos dali. Uma grande onda de horror e medo o tomou ao avistar sua jovem esposa surgir armada com um de seus rifles.

Ela sempre teve medo de armas de fogo e nunca cogitou tocá-las, mas agora corria na direção do macaco com a bravura de uma leoa protegendo a cria.

– Volte, Alice! – gritou Clayton – pelo amor de Deus, volte!

Mas ela se recusou a obedecê-lo e, bem nessa hora, o macaco atacou Clayton, que a partir daí não conseguiu dizer mais nenhuma palavra.

O homem brandiu seu machado com toda a sua grande força, mas a poderosa fera arrancou a arma de Clayton com suas apavorantes mãos e atirou-a para longe.

Com um rosnado horripilante, a criatura se aproximou da vítima indefesa, mas, antes que suas presas pudessem chegar até garganta pela qual estavam sedentas, um barulho agudo irrompeu no ar e uma bala entrou nas costas do macaco, entre seus ombros.

Jogando Clayton ao chão, a fera virou-se para sua nova inimiga. Lá, diante dele, estava uma jovem aterrorizada tentando em vão disparar outra bala no corpo do animal, mas ela não entendia o mecanismo da arma. Então, o martelo do rifle caiu futilmente sobre um cartucho vazio.

Quase simultaneamente, Clayton se levantou e, sem pensar na completa inutilidade de seu ato, correu para afastar o macaco de sua esposa abatida.

Com pouquíssimo esforço, ele conseguiu retirar o animal dali. O enorme corpo rolou inerte na grama diante dele: o macaco estava morto. A bala tinha feito seu trabalho.

Um exame às pressas revelou que sua esposa não tinha sido ferida, o que fez Clayton notar que a fera enorme morreu no exato instante em que se atirou em direção à Alice.

Gentilmente, levantou sua esposa ainda inconsciente e colocou-a na pequena cabana. Mas, somente após duas horas inteiras, ela recuperou a consciência.

Suas primeiras palavras encheram Clayton de uma apreensão vaga. Por algum tempo após recuperar os sentidos, Alice olhou confusa pelo interior da pequena cabana, e então, com um suspiro satisfeito, disse:

– Ah, John, é tão bom estar em casa! Tive um sonho horrível, querido. Achei que não estávamos mais em Londres, e sim em algum lugar horrível em que grandes feras nos atacavam.

– Está tudo bem, Alice – falou ele, acariciando a testa dela. – Tente dormir de novo e não se preocupe com sonhos ruins.

Naquela noite, um filhinho nasceu na minúscula cabana em meio à floresta nativa, enquanto um leopardo gritava diante da porta e um profundo rugido de leão soavam detrás do morro.

Lady Greystoke nunca se recuperou do choque sofrido por causa do ataque do grande macaco e, embora tenha vivido por um ano após o nascimento do bebê, nunca mais saiu da cabana nem percebeu de fato que não viviam mais na Inglaterra.

Às vezes, ela questionava Clayton sobre os barulhos estranhos das noites, a ausência de criados e de amigos, além da estranha precariedade da mobília de seu quarto. No entanto, embora ele não fizesse esforços para enganá-la, ela nunca conseguiu entender o significado de tudo aquilo.

Fora isso, era bastante racional, e a alegria e a felicidade de estar com seu filhinho, bem como a atenção constante de seu marido, tornaram aquele ano muito feliz para ela, o mais feliz de sua jovem vida.

Clayton sabia bem que teria sido uma época tomada de preocupações e apreensões caso Alice estivesse em plena posse de suas faculdades mentais. Por isso, embora sofresse muito por vê-la daquele jeito, havia momentos em que quase se sentia feliz por ela, que não podia entender.

Há muito tempo, ele abandonou as esperanças de ser resgatado, exceto por mero acaso. Com zelo incansável, trabalhou bastante para deixar mais bonito o interior da cabana.

Cobriu o chão com peles de leão e pantera, e forrou as paredes com armários e prateleiras de livros. Modelou vasos estranhos feitos com as próprias mãos usando a argila da região e plantou belas flores tropicais. Cortinas de grama e bambu cobriam as janelas e, a tarefa mais árdua de todas, em posse de um pequeno arsenal de ferramentas, cortou tábuas de madeira para cobrir as paredes e o teto, e colocou um piso liso dentro da cabana.

Ter sido capaz de acostumar suas mãos com um trabalho tão incomum era, para Clayton, uma fonte de algum espanto. Mas ele amava as tarefas que executava, porque as dedicava à Alice e à pequena vida que tinha vindo agraciá-los, embora intensificasse cem vezes mais o peso de suas responsabilidades e a atrocidade da situação.

Durante aquele ano, Clayton foi atacado várias vezes pelos grandes macacos que pareciam continuamente infestar as vizinhanças da cabana. No entanto, como nunca mais tinha ido fora da cabana sem rifle e revólveres, não tinha muito medo de topar com as enormes feras.

Ele fortaleceu as proteções da janela e colocou uma tranca de madeira peculiar na porta da cabana, de modo que, quando saísse em busca de caça e frutas, atividade comum e necessária para garantir a subsistência do grupo, não precisava se preocupar com a possibilidade de animais invadirem sua pequena casa.

No início, atirava em boa parte da caça através das janelas da cabana, mas, depois de um tempo, os animais aprenderam a temer o pequeno covil de onde saía o assustador estalo do rifle.

Em seu tempo livre, Clayton lia um livro, muitas vezes em voz alta, para a esposa, de uma pilha levada para o que seria a nova morada do casal. Entre eles, havia muitas obras feitas para crianças pequenas (livros ilustrados e escolares, cartilhas, etc.), pois sabiam que o filho teria idade para aproveitá-los antes mesmo que pudessem voltar à Inglaterra.

Outras vezes, Clayton escrevia em seu diário, cujo costume era manter registros em francês, no qual descrevia os detalhes de sua estranha vida. Guardava o manuscrito trancado em uma caixinha de metal.

Exatamente um ano depois do nascimento do filho, *lady* Alice faleceu durante a noite, com serenidade. Tudo foi tão calmo que levou horas até Clayton acordar e perceber que a esposa estava morta.

O horror da situação lhe atingiu lentamente, e é provável que ele nunca tenha percebido totalmente o tamanho de sua tristeza e a imensa responsabilidade que recaía sobre ele: o cuidado com aquele pequeno ser, seu filho, um bebê que ainda mamava.

O último relato de seu diário foi feito na manhã seguinte à morte de sua esposa. Ali, ele narra os tristes detalhes de forma direta, como forma de súplica por compaixão, pois sua condição exalava uma apatia cansada, nascida de um sofrimento e uma desesperança tão longas que nem esse golpe cruel era capaz de suscitar mais sofrimento:

"Meu filhinho está chorando por alimento. Ah, Alice, Alice, o que devo fazer?". Quando John Clayton escreveu as últimas palavras que sua mão estava destinada a cunhar, apoiou, exausto, a cabeça sobre os braços esticados e descansou sobre a mesa, que tinha construído para ela. A mulher ainda deitada inerte e fria na cama ao seu lado.

Por muito tempo, nenhum som quebrou a quietude mortal da selva ao meio-dia, exceto o choro queixoso do minúsculo menino.

OS MACACOS

Na floresta de planície, a um quilômetro e meio do oceano, o velho macaco Kerchak estava em um acesso de fúria contra seu próprio povo.

Os membros mais jovens e habilidosos de sua tribo correram para os altos galhos das grandes árvores para escapar da ira dele. Eles preferiam arriscar sua vida pendurados em cipós que mal suportavam seu peso a enfrentar o velho Kerchak em um de seus acessos de raiva descontrolada.

Os outros machos se espalharam em todas as direções, mas não antes de a tempestuosa fera morder com sua grande mandíbula espumando a vértebra de um deles.

Uma jovem fêmea sem sorte escorregou de um porto nada seguro em cima de um galho muito alto e caiu no solo quase aos pés de Kerchak.

Com um berro enlouquecido, ele se atirou em cima dela, arrancando um enorme pedaço de seu corpo com seus poderosos dentes e golpeando com força sua cabeça e seus ombros com um galho de árvore que transformou o crânio em geleia.

Então ele viu Kala, que, voltando de uma busca por comida carregando seu filhote, ignorava o temperamento do poderoso macho até que os gritos angustiados de seus companheiros fizeram-na disparar desesperadamente em busca de segurança.

Porém Kerchak estava perto dela, tão perto que quase teria conseguido agarrar seu tornozelo se ela não tivesse dado um salto furioso no espaço de uma árvore para outra. Aquele era um risco que os grandes macacos raramente ou nunca corriam, a não ser nos casos em que fossem perseguidos por um perigo que não lhes deixasse alternativas para fugir.

Kala deu o salto com sucesso, mas, quando agarrou o galho de uma árvore mais longe, o tranco repentino abalou a estabilidade do pequeno filhote, que soltou o pescoço da mãe, ao qual antes estava freneticamente agarrado, e ela teve de presenciar aquela coisinha despencar girando por nove metros até chegar ao solo.

Com um grito rouco de desespero, Kala mergulhou de cabeça para lá, sem pensar no perigo de topar com Kerchak. No entanto, quando segurou o pequeno filhote junto de seu peito, ele estava mutilado e sem vida.

Com murmúrios de lamentação, ela se sentou abraçada ao corpo de seu filhote, e Kerchak não tentou molestá-la. Com aquela morte, seu acesso de raiva demoníaca se dissipou tão repentinamente quanto começou.

Ele era um enorme macaco-rei, com mais de 150 quilos. Sua testa era extremamente baixa e recuada; seus olhos, injetados, pequenos e próximos a seu nariz grosso e achatado; suas orelhas, grandes e esguias, mas menores que as da maioria de sua espécie.

Seu terrível temperamento e sua notável força o tornaram supremo entre a pequena tribo na qual tinha nascido uns vinte anos antes.

Agora que estava em seu auge, não havia símio em toda a imponente floresta pela qual ele perambulava que ousasse contestar seu direito a governar, nem os outros animais maiores o enfrentavam.

O velho Tantor, o elefante, era o único em toda a vida selvagem que não o temia, e apenas ele era temido por Kerchak. Quando Tantor bramia, o grande macaco fugia com seus companheiros para o alto das árvores.

A tribo de antropoides, liderada por Kerchak com punho de ferro e presas à mostra, era composta de seis ou oito famílias, cada uma consistindo de um macho adulto com suas fêmeas e seus filhotes, com um total de mais ou menos sessenta ou setenta macacos.

Kala era a companheira mais jovem de um macho chamado Tublat, cujo significado é "nariz quebrado". O filhote que ela viu encontrar a morte era seu primeiro, visto que sua idade não passava de nove ou dez anos.

Independentemente de sua juventude, ela era grande e forte, um animal esplêndido de membros ágeis, com uma testa redonda e alta que denotava mais inteligência do que a maioria dos exemplares de sua espécie. Por causa disso, também tinha grande capacidade para o amor e o sofrimento maternais.

Ainda assim, era uma besta enorme e feroz de uma espécie próxima dos gorilas, porém mais inteligente. Essa combinação associada à força de seus parentes, tornava sua espécie a mais temível dentre aqueles formidáveis progenitores do homem.

Quando a tribo viu que a raiva de Kerchak tinha cessado, desceu lentamente de seus refúgios arbóreos para voltar às várias ocupações que foram interrompidas.

Os jovens macacos brincavam e saltitavam entre árvores e moitas. Alguns dos adultos se deitavam de costas em um colchão macio de vegetação morta e em decomposição que cobria o chão, enquanto outros reviravam pedaços de galhos caídos e montinhos de terra em busca de pequenos insetos e répteis que faziam parte de sua dieta. Outros, ainda, buscavam frutas, castanhas, pequenos pássaros e ovos nas árvores mais próximas.

Mais ou menos uma hora depois, Kerchak reuniu os membros de sua tribo e, com uma palavra de ordem para seguirem-no, iniciou um trajeto na direção do mar.

Na maior parte do tempo, o grupo se deslocou pelo chão, por onde o caminho estava aberto, seguindo os rastros dos grandes elefantes, cujas idas e vindas abriam as únicas estradas presentes no meio daqueles labirintos emaranhados de arbustos, videiras, trepadeiras e árvores. Eles caminhavam em um movimento desajeitado e ondulante, tocando os nós dos dedos no chão e balançando os corpos desajeitados para a frente.

Entretanto, quando havia árvores baixas pelo caminho, eles se moviam de maneira mais fácil, balançando-se de galho em galho com a agilidade de seus parentes menores, os micos. Durante todo o percurso, Kala carregou seu pequeno filhote morto próximo do peito.

Um tempo depois do meio-dia, chegaram a um morro com vista para a praia, onde, abaixo deles, ficava a pequena cabana, que era o destino pretendido por Kerchak.

Ele tinha visto muitos membros de sua espécie morrerem diante do ruído alto vindo de um pequeno pedaço de pau preto, controlado pelas mãos de um estranho macaco branco, que vivia naquele fascinante covil. Kerchak decidiu tomar posse daquela engenhoca mortífera e explorar o interior da habitação misteriosa.

Ele desejava descontroladamente sentir seus dentes enterrados no pescoço daquele animal esquisito que tinha aprendido a temer e odiar e, por isso, visitava a cabana frequentemente acompanhado da tribo, a fim de reconhecer o lugar, na espera de um momento em que o macaco branco estaria com a guarda baixa.

Nos últimos tempos, eles tinham parado de atacar e até de aparecer nos arredores da habitação, pois, anteriormente, toda vez que o fizeram, o pequeno bastão havia berrado sua terrível mensagem de morte para algum membro da tribo.

Hoje, não havia qualquer sinal do homem por ali, e de onde observavam, podiam enxergar a porta da cabana aberta. Lenta, cuidadosa e silenciosamente, eles se arrastaram na direção da pequena casa.

Entretanto, não houve rugidos nem gritos ferozes de raiva, afinal, o pequeno bastão preto tinha ensinado o grupo a chegar discretamente, para não acordá-lo.

Eles se deslocaram um pouco mais a frente, até o próprio Kerchak se esquivar cautelosamente até a porta e olhar lá dentro. Logo atrás dele, estavam dois machos e na sequência Kala, apertando o corpo morto próximo de seu peito.

Dentro da habitação, viram o estranho macaco branco com metade do corpo apoiada em uma mesa e a cabeça enterrada nos braços. Na cama, havia uma figura coberta pelo tecido da vela de navio, enquanto de um pequeno berço rústico vinha o choro queixoso de um bebê.

Sem fazer qualquer barulho, Kerchak entrou, agachado para dar o bote. Então, John Clayton se levantou de repente, com uma expressão assustada e ficou de frente para eles.

A cena que seus olhos presenciaram deve ter deixado seus sentidos petrificados de horror, pois ali, parados em sua porta, estavam três grandes macacos machos, e atrás deles muitos outros se amontoavam. Ele nunca soube quantos formavam o bando, pois seus revólveres permaneceram pendurados na parede oposta ao lado do rifle, enquanto Kerchak o atacava.

Quando o macaco-rei soltou a forma frouxa que um dia foi John Clayton, lorde Greystoke, e voltou sua atenção para o bercinho, Kala já havia chegado antes dele. No momento em que ele ia pegar o menino, ela o agarrou e, antes de Kerchak prever qualquer movimento dele, a macaca saiu como um raio pela porta e se refugiou no alto de uma árvore.

Ao segurar o pequeno bebê de Alice Clayton, ela derrubou o cadáver do próprio filhote no berço vazio, pois o choro do vivo respondia ao chamado universal da maternidade alojado em seu peito selvagem de um jeito que o morto não poderia mais fazer.

Nos galhos de uma imponente árvore, ela abraçou o infante que gritava em seu peito. Logo o instinto do amor materno, tão dominante nessa feroz fêmea, da mesma maneira como existia no peito de sua mãe terna e bela, foi compreendido pelo minúsculo menino, que o pranto cessou.

Assim, a fome reduziu o abismo entre eles, e o filho de um lorde e uma *lady* ingleses mamou no peito de Kala, a grande macaca.

Nesse meio-tempo, as feras dentro da cabine estavam examinando com desconfiança o conteúdo daquele covil estranho.

Muito satisfeito com a morte de Clayton, Kerchak não se deu ao trabalho de seguir o rastro da criança, e prosseguiu com sua investigação no interior da cabana. Era hora de prestar atenção à coisa colocada sobre a cama, coberta por um pedaço de tecido de vela de navio.

Timidamente, levantou um dos cantos da lona com cautela, mas, ao ver o corpo da mulher estirado, arrancou o pano com rispidez e agarrou a garganta imóvel e branca com suas enormes mãos peludas.

Por um momento, ele permitiu que seus dedos afundassem na carne fria, porém, ao perceber que ela já estava morta, afastou-se de seu corpo para examinar o conteúdo do cômodo. Kerchak não molestou novamente o corpo de *lady* Alice nem de *sir* John.

O rifle pendurado na parede foi o que primeiro chamou sua atenção. Afinal, era por esse bastão trovejante que ele ansiava há meses, mas, agora que estava a seu alcance, mal tinha a temeridade de pegá-lo.

Com cuidado, ele se aproximou da coisa, pronto para fugir repentinamente caso ela falasse por meio de seus rugidos profundos, da mesma maneira como antes tinha pronunciado as últimas palavras àqueles de sua espécie que, por ignorância ou descuido, atacaram o fascinante macaco branco que a carregava.

Algo bem lá no fundo da consciência de Kerchak garantia que o ruidoso bastão era perigoso apenas nas mãos de quem soubesse manipulá-lo, apesar disso, levou um bom tempo até se convencer a tocá-lo.

Em vez disso, andou para lá e para cá diante da arma, sem nunca desviar seus olhos do objeto de seu desejo.

Usava seus longos braços como um homem usa muletas, rolando sua enorme carcaça de um lado a outro a cada passo. O gigantesco macaco-rei perambulava pelo interior da cabana, emitindo graves rosnados, e ocasionalmente pontuados por gritos perfurantes, o som mais terrível de toda a selva.

Enfim, ele parou diante do rifle. Lentamente, ergueu sua enorme mão até quase tocar o cano brilhante, para, em seguida, retirá-la e continuar aquela dança apressada de um lado para o outro.

Era como se o grande bruto, com essa amostra de bravura somada à sua voz selvagem, criasse coragem a ponto de tomar o rifle nas mãos.

De novo ele parou e, desta vez, conseguiu forçar sua mão relutante a encostar no aço frio, retirou-a quase imediatamente e retomou seu movimento inquieto.

Essa estranha cerimônia se repetiu muitas vezes, mas a cada ocasião com mais confiança até, finalmente, o rifle ser arrancado de seu gancho e pousar nas mãos da grande fera.

Ao perceber que a arma não o machucava, Kerchak buscou examiná-la de perto. Tateou o rifle de ponta a ponta, espiou dentro da profundidade negra do cano, passou os dedos pela mira, pela culatra, pela coronha e, finalmente, pelo gatilho.

Durante toda a operação, os macacos que tinham entrado na cabana permaneceram sentados, em um aglomerado perto da porta, observando seu chefe, enquanto aqueles do lado de fora se amontoavam para conseguir tentar enxergar qualquer relance do que acontecia lá dentro.

De repente, o dedo de Kerchak fechou-se em volta do gatilho. Um ruído ensurdecedor ecoou pelo pequeno cômodo. Os macacos que estavam empilhados na porta, e atrás dela, despencaram um em cima do outro em uma ansiedade desesperada de escapar.

Kerchak ficou igualmente assustado, tão demasiadamente assustado, aliás, que se esqueceu de jogar longe o autor daquele barulho temeroso e correu para a porta segurando-o firme nas mãos.

Ao passar pela abertura, a parte da frente do rifle bateu no canto da porta aberta com tanta força que foi o suficiente para fechá-la logo atrás do macaco em fuga.

Quando Kerchak parou aliviado próximo da cabana e descobriu que ainda segurava o rifle, largou-o como se fosse um ferro em chamas, e não tentou recuperá-lo. Afinal, o barulho era demais para seus nervos brutos, porém, agora, ele tinha se convencido de que o terrível bastão era bem inofensivo, se fosse deixado em paz.

Somente depois de passada uma hora, os macacos tiveram coragem novamente de se aproximar da cabana, a fim de continuar suas investigações, e, quando finalmente o fizeram, viram, com decepção, que a porta estava fechada e tão bem trancada que parecia impossível empurrá-la.

A tranca inteligente construída por Clayton foi acionada quando Kerchak atravessou a porta. Os macacos tentaram ingressar pelas janelas, mas a tarefa parecia impossível.

Depois de zanzar pelos arredores da casa durante algum tempo, eles voltaram para o interior da floresta nas terras altas de onde vieram.

Em nenhum momento, Kala colocou os pés no chão desde que adotou seu pequeno filhote, mas agora Kerchak convocou-a para descer com o resto do grupo. Como não havia sinais de um tom de raiva na voz dele, ela se moveu para baixo com cuidado, de galho em galho e se reuniu aos outros na marcha para casa.

Os macacos que tentaram examinar o estranho bebê de Kala foram repelidos com caninos à mostra e rosnados graves e ameaçadores, acompanhados por advertências da fera.

Quando garantiram a ela que não fariam mal à criança, Kala permitiu que chegassem perto, mas sem deixar que tocassem em seu protegido.

Era como se soubesse que o bebê era frágil e delicado e, por causa disso, temesse que as mãos grosseiras de seus companheiros pudessem machucar o pequeno menino.

Ao recordar a morte do próprio filhote, agarrou desesperadamente seu novo filho com uma das mãos, durante toda a marcha. Os outros filhotes eram transportados nas costas das mães: os bracinhos iam presos com força ao pescoço peludo e as pernas ficavam trançadas abaixo das axilas da mãe.

Não funcionava assim para Kala. Ela segurou o pequeno lorde Greystoke perto do peito, onde as mãos delicadas do bebê agarraram o pelo preto e longo que cobria aquela parte do seu corpo. Ela tinha visto um filho cair de suas costas e sofrer uma morte terrível, logo não correria mais riscos como este.

O MACACO BRANCO

Com ternura, Kala amamentou seu pequeno órfão, procurando entender qual seria a razão de ele não ganhar força e agilidade da mesma maneira como os filhotes das outras mães. Quase um ano se passou entre o pequeno chegar a ela e ser capaz de andar sozinho, mas quanto a escalar: nossa, como ele era estúpido!

Às vezes, Kala conversava com as outras fêmeas sobre seu jovem promissor, porém nenhuma delas conseguia entender como uma criança podia ser tão lenta e atrasada em aprender a cuidar de si mesma. Ora, ele sequer era capaz de achar a própria comida e já haviam se passado doze luas desde que ela o encontrara.

Se soubessem que o bebê tinha visto treze luas antes de chegar às mãos de Kala, teriam considerado o caso dele completamente incorrigível. Afinal, os pequenos macacos daquela tribo eram tão avançados com duas ou três luas quanto esse pequeno estranho se tornou depois de vinte e cinco.

Tublat, marido de Kala, ficava muitíssimo irritado e, se não fosse a vigilância atenta da fêmea, teria se livrado da criança.

– Ele nunca vai ser um grande macaco – argumentou ele. – Você sempre vai precisar carregá-lo e protegê-lo. Que bem ele fará à tribo? Nenhum, só será um peso. Vamos deixá-lo dormindo tranquilamente no meio da grama alta, para que você possa conceber outros macacos grandes e fortes para nos proteger na velhice.

– Nunca! – respondeu Kala. – Se precisar carregá-lo para sempre, assim será.

Então, Tublat procurou Kerchak, pedindo-lhe que usasse sua autoridade com Kala e a forçasse a renunciar ao pequeno Tarzan, nome dado ao pequeno lorde Greystoke cujo significado era "pele branca".

Mas, quando Kerchak falou com Kala sobre isso, ela ameaçou fugir da tribo se não a deixasse em paz com a criança. Como esse é um direito inalienável dos moradores da selva, caso estivessem insatisfeitos entre seu próprio povo, eles não a incomodaram mais. Kala era uma jovem fêmea de membros fortes, portanto eles não desejavam perdê-la.

Conforme Tarzan crescia, acelerava seu desenvolvimento, de modo que aos dez anos tinha se tornado excelente na escalada. No chão, o menino era capaz de fazer muitas coisas maravilhosas, que estavam além das habilidades de seus pequenos irmãos e irmãs.

Ele era diferente de diversas maneiras e, com frequência, todos se admiravam com sua inteligência superior, porém em tamanho e força era bastante defasado. Aos dez anos, os grandes antropoides tinham se desenvolvidos plenamente. Alguns deles atingiam mais de um metro e oitenta, enquanto o pequeno Tarzan ainda era um menino que mal tinha crescido.

Ainda assim, que garoto incrível!

Desde a primeira infância, ele usava as mãos para se balançar de galho em galho à maneira de sua mãe gigante e, conforme crescia, passava horas a fio diariamente se lançando entre os topos das árvores com seus irmãos e irmãs.

Ele era capaz de saltar a uma distância de seis metros entre as alturas vertiginosas do topo da floresta e agarrar-se, com precisão infalível e sem solavanco aparente, a um ramo balançando ininterruptamente no caminho de um tornado que se aproximava.

Tarzan podia cair seis metros, de um galho a outro, em uma rápida descida ao chão, ou alcançar o mais alto pináculo da elevação tropical com a facilidade e a rapidez de um esquilo.

Embora tivesse apenas dez anos, o menino era forte como um homem de trinta e bem mais ágil do que a maioria dos atletas mais experientes jamais seria. E dia a dia, sua força aumentava.

Sua vida entre aqueles macacos ferozes tinha sido feliz. Em suas memórias, não havia espaço para outra vida, porque, afinal, ele sequer sabia da existência, em todo o universo, de algo além de sua pequena floresta e os animais selvagens com os quais estava familiarizado.

Próximo dos dez anos, Tarzan começou a reparar nas grandes diferenças entre ele e seus companheiros. Seu pequeno corpo, queimado pela exposição ao sol, de repente lhe causou sentimentos de vergonha intensa, pois ele, finalmente, percebeu que era inteiramente pelado, como uma cobra rasteira ou outro réptil.

Para disfarçar tais características, o menino se cobriu dos pés à cabeça com lama, mas ela secou e caiu. Além disso, a situação era tão desconfortável que ele rapidamente decidiu que preferia a vergonha ao desconforto.

Nos lugares mais altos da floresta, onde sua tribo frequentava, havia um pequeno lago, e foi ali que Tarzan viu pela primeira vez seu rosto refletido na superfície das águas claras e paradas.

Era um dia abafado da estação seca, quando ele e um de seus primos foram à margem do lago beber água. À medida que se inclinavam, as duas carinhas surgiam nas águas plácidas: os traços ferozes e terríveis do macaco ao lado das feições do aristocrático descendente de uma antiga casa inglesa.

Tarzan ficou chocado. Era muito ruim não ter pelos, mas ter aquele semblante era bem pior! Ele se perguntou como os outros macacos eram capazes de olhar para ele.

Aquela boquinha escassa e os frágeis dentes brancos! Como eram infames ao lado dos lábios enormes e das presas poderosas de seus irmãos mais sortudos!

E aquele nariz miúdo e estreito, tão fino que parecia estar pela metade. Ele ficou vermelho ao compará-lo com as belas narinas amplas de seu companheiro. Que nariz generoso! A bela forma como se espalhava pela metade do rosto dele! "Com certeza devia ser maravilhoso ser tão bonito", pensou o pobre Tarzan.

Mas quando ele viu seus próprios olhos, aí, foi a gota d'água: uma mancha marrom, um círculo cinza e, depois, tudo branco! Medonho! Nem as cobras tinham olhos tão horríveis quanto os dele.

Estava tão envolvido com essa avaliação pessoal de suas características que não ouviu a grama alta atrás de dele se abrindo, com um grande corpo se aproximando sorrateiramente pela selva. Seu companheiro, o macaco, também não escutou, pois ao beber, encobria a aproximação silenciosa do intruso com o som de seus lábios sugando e do gorgolejar de satisfação.

A menos de trinta passos dos dois, ela se agachou balançando a cauda: era a Sabor, a grande leoa. Com cuidado, levou uma grande pata acolchoada à frente, posicionando-a sem fazer ruído antes de levantar a outra. Assim, avançou, com a barriga tão baixa, que quase tocava a superfície do solo. A grande felina se preparava para saltar sobre sua presa.

Agora, ela estava a três metros dos dois amigos desavisados: cuidadosamente, arrastou as patas traseiras para debaixo de seu corpo, e seus grandes músculos moveram-se sob a pele macia. A leoa estava agachada tão perto do chão que parecia estar grudada nele, exceto por suas costas brilhantes que se curvavam para cima, preparando-se para o salto.

A cauda não mexia mais, ficou imóvel e reta atrás dela.

Ela parou por um instante, como se petrificada e, então, com um terrível rugido, lançou-se sobre a presa.

Sabor, a leoa, era uma caçadora sábia. A alguém não tão esperto, o aviso selvagem de seu grito feroz ao saltar teria parecido tolo, afinal, ela não teria mais certeza de pegar suas vítimas se pulasse silenciosamente, sem aquele berro alto?

Mas, Sabor conhecia bem a rapidez impressionante dos animais da selva e sua audição quase inacreditável. Para eles, o farfalhar de uma folha raspando na outra era um alerta tão eficaz quanto seu mais alto rugido, e a leoa sabia que não seria capaz de dar um grande salto sem fazer um pouco de barulho.

Seu grito selvagem não era um alerta. A intenção era paralisar suas pobres vítimas no terror pela minúscula fração de segundo necessária para suas poderosas garras se fincarem na carne macia e segurarem a presa sem que houvesse esperança de escapar.

Quanto à reação do macaco, Sabor tinha acertado no raciocínio. O pequeno animal se agachou tremendo somente por um instante, suficientemente longo para causar sua ruína.

Não foi assim, porém, com Tarzan, o menino. Sua vida entre os perigos da selva o havia ensinado a enfrentar as emergências com autoconfiança, e sua inteligência superior resultava em uma velocidade mental muito além das capacidades dos macacos.

Então, o grito de Sabor, a leoa, incitou o cérebro e os músculos do pequeno Tarzan a agir imediatamente.

Diante dele, estavam as águas profundas do pequeno lago e, atrás, a inevitável certeza de uma morte cruel sob garras dilacerantes e caninos afiados.

Tarzan sempre odiou a água, exceto nos momentos em que precisava saciar sua sede. Odiava porque associava com o frio e o desconforto causados pelas chuvas torrenciais, que temia, pois vinham acompanhadas de trovões, raios e ventos.

Sua mãe selvagem tinha lhe ensinado a evitar as águas profundas do lago e, além do disso, ele não tinha visto a pequena Neeta afundar sob aquela tranquila superfície há apenas algumas semanas sem nunca mais retornar à tribo?

Mas, entre dois males, sua mente ágil escolheu o menor. Momentos antes de a primeira nota do rugido de Sabor quebrar o silêncio da selva e a grande fera ter completado metade de seu salto, Tarzan já podia sentir a temperatura fria das águas cobrindo sua cabeça.

Ele não sabia nadar e o lago era muito fundo. Ainda assim, o menino não perdeu nem um pouco de autoconfiança e engenhosidade, marcas de seu ser superior.

Rapidamente, chacoalhou as mãos e os pés em uma tentativa de subir à superfície de algum jeito e, possivelmente mais por acaso do que por conhecimento, repetiu os movimentos de nado usados pelos cães quando estão na água. Dessa maneira, em poucos segundos, seu nariz emergiu até que ele pudesse sentir o ar novamente, e neste momento, o menino percebeu sua capacidade de manter-se nadando se continuasse a agitar seus membros, além de também poder se deslocar pela água.

Ele ficou muito surpreso e contente com essa nova conquista repentina, mas não teve tempo suficiente para pensar muito sobre aquilo.

Agora, estava nadando paralelamente à margem e, ali, viu a fera cruel agachada sobre a figura inerte de seu pequeno primo.

A leoa examinava Tarzan com atenção, evidentemente esperando que voltasse à margem, mas o menino não tinha intenção alguma de fazer isso.

Em vez de sair do lago, ele levantou sua voz em um grito de socorro usado por sua tribo, valendo-se de um alerta que notificasse os possíveis salvadores sobre a presença de Sabor.

Quase imediatamente, houve uma resposta distante, e logo quarenta ou cinquenta enormes macacos se balançaram, rápida e majestosamente, pelas árvores em direção à cena onde houve a tragédia.

Na linha de frente, Kala se movia apressada, pois tinha reconhecido o tom de seu filho mais amado, e com ela, a mãe do pequeno macaco dilacerado pela cruel Sabor.

Embora mais poderosa e equipada para a luta do que os macacos, a leoa não desejava encontrar aqueles adultos raivosos e, com um rosnado de ódio, saltou acelerada no meio da vegetação e desapareceu.

Finalmente, Tarzan nadou até a margem e saiu rapidamente para a terra seca. A sensação de frescor e euforia, conferida pelas águas frias, encheu seu pequeno ser de uma grata surpresa. A partir desse dia, ele nunca mais perdeu a oportunidade de dar um mergulho diário no lago, no rio ou no mar sempre que possível.

Por muito tempo, Kala não conseguia se acostumar com o hábito do menino, pois, apesar de sua espécie ser capaz de nadar quando precisava, ela não gostava de entrar na água e nunca o fazia voluntariamente.

A aventura com a leoa deu a Tarzan memórias agradáveis, porque esse tipo de acontecimento era o que quebrava a monotonia de sua vida cotidiana. Sem levar em conta esses eventos, sua rotina se restringia apenas a um ciclo tedioso de buscar comida, comer e dormir.

A tribo à qual ele pertencia caminhava por uma extensão de, mais ou menos, quarenta quilômetros na costa e oitenta quilômetros para dentro do continente. Atravessavam esse trecho quase continuamente e, em algumas ocasiões, ficavam por meses em um único local, mas quando se moviam com velocidade pelas árvores, chegavam a cobrir o território em poucos dias.

O tempo de percurso dependia muito da oferta de comida, condições climáticas e prevalência de animais de espécies mais perigosas, embora Kerchak frequentemente os levasse em longas marchas pelo único motivo de ter se cansado de ficar no mesmo lugar.

À noite, eles dormiam onde a escuridão os achava, deitando-se no chão e às vezes cobrindo a cabeça e, mais raramente, o corpo com grandes folhas de taioba. Dois ou três podiam se deitar aninhados nos braços uns dos outros para se esquentar caso a temperatura esfriasse e, assim, Tarzan dormira nos braços de Kala toda noite por todos aqueles anos.

Não há dúvida de que aquela fera enorme e selvagem amava uma criança de outra raça, e ele também dava ao animal grande e peludo todo o carinho que teria pertencido a sua jovem e linda mãe, se ela tivesse sobrevivido.

Quando o menino era desobediente, Kala batia nele, é verdade, mas nunca era cruel, e com mais frequência o acariciava do que o punia.

Tublat, seu companheiro, sempre odiou Tarzan, e em várias ocasiões chegou perto de acabar com a jovem vida dele.

O menino, por sua vez, nunca perdia uma oportunidade de mostrar que os sentimentos por seu pai adotivo eram recíprocos. Sempre que podia irritá-lo, fazer caretas ou insultá-lo na segurança dos braços de sua mãe ou nos galhos finos das árvores mais altas, ele o fazia.

Sua inteligência e astúcia superiores lhe permitiam inventar mil truques diabólicos para tornar a vida de Tublat mais difícil.

No início de sua infância, ele aprendeu a criar cordas trançando e amarrando longas folhagens umas nas outras. Em posse delas, constantemente fazia o macaco tropeçar, ou tentava pendurá-lo em algum galho saliente.

Por estar o tempo todo brincando e experimentando novas funções para as cordas, ele aprendeu a fazer nós rudimentares para se divertir com os macacos mais jovens. Eles até tentavam imitar o que Tarzan fazia, mas apenas ele conseguia adquirir habilidades nas tarefas que buscava desenvolver.

Um dia, enquanto brincava, Tarzan jogou uma corda em um de seus companheiros que corria, enquanto segurava a outra ponta nas mãos. Por acidente, o laço caiu bem em volta do pescoço do macaco, fazendo-o parar instantânea e surpreendentemente.

"Ah, lá havia brotado uma nova brincadeira, tão boa", pensou Tarzan, que imediatamente tentou repetir o truque. Assim, com a prática contínua e dedicada, ele aprendeu a arte de laçar.

Desse dia em diante, de fato, a vida de Tublat virou um pesadelo. Enquanto dormia, marchava, durante a noite ou o dia, ele nunca sabia quando aquele laço traiçoeiro se enrolaria em seu pescoço e quase o estrangularia até a morte.

Kala castigava o menino, Tublat jurava uma vingança terrível e o velho Kerchak, ao saber dos fatos, o advertia e o ameaçava, mas era tudo em vão.

Tarzan desafiava a todos, e o laço fino e forte que construiu continuava a cair no pescoço de Tublat, quando ele menos esperava.

Os outros macacos se divertiam muito com o embaraço de Tublat, pois ele era um velho colega desagradável de quem a maioria do grupo não gostava.

Na mente esperta de Tarzan, muitos pensamentos flutuavam, e na base deles estava seu divino poder de raciocinar.

Se ele era capaz de laçar seus companheiros macacos com seu longo braço feito de folhas, por que não capturar Sabor, a leoa?

Era a semente de um pensamento que permaneceria em sua mente consciente e inconsciente, até resultar em uma conquista magnífica.

Mas isso aconteceria apenas anos mais tarde.

COMBATES NA SELVA

Com frequência, as perambulações da tribo levavam o grupo para perto da cabana fechada e silenciosa na região do pequeno porto cercado de terra. Para Tarzan, a atividade sempre era uma fonte de mistério e prazer infinitos.

Ele olhava através das janelas acortinadas ou subia no telhado para espiar o que havia do outro lado da profunda e escura chaminé, em uma tentativa vã de resolver os enigmas desconhecidos presentes naquelas paredes fortes.

Sua imaginação infantil inventava criaturas maravilhosas morando lá dentro, e a impossibilidade de forçar a entrada aumentava em mil vezes o desejo de fazê-la.

Tarzan era capaz de trepar no telhado e nas janelas por horas, tentando descobrir meios de entrar, mas pouca atenção dava à porta, pois aparentemente era tão sólida quanto as paredes.

Depois da aventura com a velha Sabor, ao visitar novamente a cabana e observá-la à distância, Tarzan notou que a porta parecia ser uma parte independente da parede na qual foi anexada. Pela primeira vez, ocorreu-lhe a ideia de que isso poderia ser o meio de entrada que há tanto tempo buscava.

Ele estava sozinho, como quase sempre que ia até a cabana, pois os macacos não gostavam de chegar perto dela. Aquela história do bastão de trovão foi contada durante esses dez anos, e assombrava a habitação deserta do homem branco, em uma atmosfera de estranheza e terror para os símios.

Entretanto, a história de sua conexão com a cabana nunca lhe foi contada. A linguagem dos macacos tinha tão poucas palavras que eles não conseguiam falar muito sobre os eventos que ocorreram na habitação. Parecia difícil ter de usar um vocabulário reduzido para descrever com precisão a presença de pessoas estranhas e de seus pertences. Assim, muito antes de Tarzan ter idade para entender tal situação, o assunto tinha sido esquecido pela tribo.

De uma forma vaga e obtusa, em algum momento, Kala explicou a ele que seu pai era um estranho macaco branco; no entanto, o menino não sabia que Kala não era sua mãe.

Naquele dia, então, ele foi direto para a porta e passou horas examinando-a e testando as dobradiças, a maçaneta e a tranca. Finalmente, encontrou por acaso a combinação certa para destravar a porta, o que a fez ranger quando abriu bem diante de seus olhos surpresos.

Por alguns minutos, ele não ousou entrar, mas, enfim, quando seus olhos se acostumaram com a luz difusa do interior, ele ingressou devagar e cuidadosamente na cabana.

No meio do chão, havia um esqueleto, já sem qualquer vestígio de carne nos ossos, mas onde ainda se prendiam os remanescentes mofados e apodrecidos do que um dia foi uma roupa. Na cama, algo similarmente pavoroso, porém menor, enquanto em um pequeno berço, havia um terceiro esqueleto minúsculo.

A nenhuma dessas evidências da terrível tragédia, ocorrida em um dia no passado, o pequeno Tarzan deu mais que uma importância passageira. A vida na selva habituou o menino à visão de animais mortos e moribundos, e mesmo se ele soubesse que estava diante dos restos de seu pai e sua mãe, não teria sentido mais emoção.

Foram os móveis e outros conteúdos do cômodo que atraíram sua atenção. Ele examinou várias coisas minuciosamente, como ferramentas e armas estranhas, livros, papel, roupas: tudo que tinha sobrevivido à devastação do tempo na atmosfera úmida da costa tropical.

Ele abriu baús e armários, coisas que não o surpreenderam com sua pouca experiência, nos quais achou conteúdos mais bem preservados.

Entre outras coisas, encontrou uma faca de caça afiada, na qual imediatamente cortou o dedo ao encostar na lâmina. Sem se abalar, continuou seus experimentos, descobrindo que, com esse novo brinquedo, era capaz de cortar e talhar a madeira da mesa e das cadeiras.

Por muito tempo, isso o divertiu, mas logo voltou à sua exploração. Ao abrir um armário cheio de livros, encontrou um em que havia diversas figuras em cores vibrantes, um alfabeto infantil ilustrado:

> A é de arqueiro
> Que atira o arco.
> B é de boneca,
> mas também é de barco.

As figuras o interessaram muito.

Havia muitos macacos com rostos parecidos com o dele desenhados na página e, mais adiante, ao folhear um pouco o livro, ele encontrou, na letra "M", alguns macaquinhos como os que via diariamente correndo pelas árvores de sua floresta primitiva. Entretanto, não havia ilustrações da espécie de seu povo. Em todo o livro, nenhuma imagem se parecia com Kerchak, Tublat ou Kala.

No início, Tarzan tentou pegar as pequenas figuras das folhas, mas logo viu que não eram reais, embora não entendesse o que poderiam ser nem tivesse palavras para descrevê-las.

Os barcos e os trens, as vacas e os cavalos não apresentavam nenhum significado para ele, mas não surpreendiam o menino tanto quanto as figurinhas esquisitas que apareciam embaixo e entre as figuras coloridas. Parecia algum tipo estranho de inseto, e de fato ele achou que fossem, pois muitas tinham pernas, embora em nenhum lugar ele achasse uma com olhos e boca. Esse era seu primeiro contato com as letras do alfabeto, e Tarzan já tinha mais de dez anos de idade.

É claro que ele nunca tinha visto nada impresso, ou falado com algum ser vivo que tivesse a mais remota ideia de que língua escrita existe, e obviamente não tinha se deparado com ninguém lendo.

Então, não é de se espantar que o pequeno rapaz estivesse bastante perdido, buscando entender o significado das figuras estranhas.

Perto do meio do livro, ele achou sua velha inimiga, Sabor, a leoa, e mais para a frente, estava Histah, a serpente, enrolada.

Ah, era muito envolvente! Nunca, em todos os seus dez anos de idade, ele tinha gostado tanto de algo. Tarzan estava tão absorvido que não notou o anoitecer se aproximando até as figuras começarem a ficar borradas.

Ele guardou o livro de volta no armário e fechou a porta, pois não desejava que mais ninguém encontrasse e destruísse seu tesouro. Assim, ao sair para a escuridão que se intensificava, fechou a grande porta da cabana atrás de si do jeito que estava até ele descobrir o segredo da tranca. Contudo, antes de partir, notou a faca de caça largada no lugar em que ele tinha jogado. Apanhou-a do chão e carregou-a consigo para mostrar a seus companheiros.

Mal tinha dado doze passos na direção da floresta, e uma enorme figura se impôs sobre ele vinda das sombras de um arbusto baixo. No início, achou que era alguém de sua tribo, mas, após um instante, percebeu que era Bolgani, o enorme gorila.

A fera estava tão perto dele que não havia chance de fuga. O pequeno Tarzan teve certeza de que teria de lutar por sua vida, pois esses terríveis animais eram inimigos mortais de sua tribo, e nem um, nem outro jamais pedia ou dava trégua.

Se ele fosse um macho crescido da mesma espécie de sua tribo, poderia enfrentar o gorila, mas, sendo apenas um menino inglês, embora muitíssimo musculoso para sua idade, não tinha chance contra esse antagonista cruel. No entanto, em suas veias, havia o sangue dos melhores de uma raça de grandes lutadores, e por trás disso, o treinamento de sua curta vida entre os brutomontes ferozes da selva.

Ele não conhecia o medo como o conhecemos: seu coraçãozinho bateu mais rápido, mas era de animação e euforia pela aventura. Se a oportunidade houvesse se apresentado, ele fugiria, mas apenas porque seu julgamento lhe dizia que ele não era páreo para o animal enorme que o confrontava. E como a lógica mostrava que escapar de modo bem-sucedido era impossível, ele encarou o gorila com coragem, sem tremor de um único músculo nem sinal de pânico.

Na verdade, ele encontrou a fera no meio da investida e socou o enorme corpo com seus punhos fechados, da mesma forma como uma mosca ataca um elefante. Porém, em uma de suas mãos, segurava a faca que tinha achado na cabana de seu pai. Então, quando o animal foi para cima dele, com golpes e mordidas, o menino acidentalmente virou a ponta da faca na direção do peito peludo. Quando a lâmina entrou fundo no corpo, o gorila gritou de dor e raiva.

O menino tinha aprendido, naquele breve segundo, um dos usos daquele brinquedo afiado e brilhante, de modo que, ao ser arrastado para o chão, pela fera raivosa e violenta, ele cravou a lâmina repetidamente no peito dela até o cabo.

O gorila, lutando à maneira de sua espécie, conseguiu rasgar a pele da garganta e do peito do menino, usando seus terríveis golpes e suas presas poderosas.

Por um momento, os dois rolaram no chão no frenesi selvagem do combate. Cada vez mais fraco eram os golpes do braço, rasgado e ensanguentado, que segurava a longa lâmina afiada. Então, o pequeno corpo endureceu com um espasmo e Tarzan, jovem lorde Greystoke, rolou inconsciente por cima da vegetação morta e decadente que atapetava seu lar selvagem.

Distante pouco mais de um quilômetro, na floresta, a tribo pode ouvir a ameaça feroz do gorila e, como era seu costume, na presença de qualquer perigo, Kerchak reuniu seu povo, em parte para protegerem-se mutuamente contra um inimigo comum, já que o gorila podia ser apenas um dentre vários, mas também para verificar se todos os membros da tribo estavam ali.

Logo perceberam que Tarzan estava desaparecido, porém Tublat se opôs fortemente a mandar ajuda. O próprio Kerchak não gostava do estranho órfão, portanto, ouviu Tublat e, finalmente, dando de ombros, voltou para a pilha de folhas na qual tinha feito sua cama.

Mas Kala tinha outra opinião. Aliás, ela mal se deu conta de que Tarzan estava ausente, e já estava voando pelos galhos embaraçados até o lugar onde os gritos do gorila ainda eram plenamente audíveis.

A escuridão da noite era completa e uma lua nova criava sombras estranhas e grotescas em meio à folhagem densa da floresta.

Aqui e ali, os raios brilhantes penetravam até a terra, mas, na maior parte, só serviam para acentuar a escuridão apavorante das profundezas da selva.

Como um enorme fantasma, Kala se balançou de árvore em árvore sem fazer ruído, às vezes, correndo ligeiramente por um extenso galho, outras saltando no ar até o fim de outro, apenas para agarrar o galho de uma árvore mais distante, em seu progresso rápido pela cena da tragédia, que seu conhecimento sobre a selva dizia existir a uma curta distância do lugar em que ela estava.

Os gritos do gorila anunciavam seu combate mortal contra algum outro habitante da floresta selvagem. De repente, esses gritos cessaram e o silêncio da morte reinou pela selva.

Kala não conseguia entender, pois a voz de Bolgani se elevou a um gemido de agonia de sofrimento e morte, mas não havia chegado a ela nenhum som que pudesse determinar qual era o estado físico de seu antagonista.

Ela sabia que seria pouco provável que seu pequeno Tarzan derrotasse um enorme gorila macho e, assim, ao aproximar-se do local de onde vinham os sons da luta, ela se moveu com cuidado. Por fim, lenta e cautelosamente, Kala atravessou os galhos mais baixos, espiando ansiosa a escuridão banhada pelo luar em busca de um sinal dos combatentes.

Logo ela os encontrou. Os dois estavam desmaiados em um pequeno espaço aberto bem embaixo da luz da lua: o pequeno corpo rasgado e ensanguentado de Tarzan e, ao seu lado, um enorme gorila macho, absolutamente morto.

Com um grito rouco, Kala correu para Tarzan e, levando o pobre corpo coberto de sangue ao peito em busca de um sinal de vida. Escutou bem fraquinho o bater débil do coração do menino.

Com afeto, ela o levou de volta à floresta escura até o lugar onde a tribo estava, e, por muitos dias e noites, ficou de guarda ao seu lado, levando-lhe comida e água, e espantando as moscas e outros insetos das feridas doloridas.

De medicina ou cirurgia, a pobrezinha não sabia nada. Ela podia somente lamber as feridas e, assim, mantê-las limpas, para que a natureza curadora fizesse seu trabalho mais rápido.

No início, Tarzan não comia nada, apenas se debatia delirando de febre intensa. Ele desejava apenas água, que ela trazia da única forma que conseguia, carregando-a na própria boca.

Nenhuma mãe humana seria capaz de demonstrar uma devoção mais altruísta e sacrificada do que aquele pobre animal selvagem em sua relação com o pequeno órfão, o qual o destino deixou a seus cuidados.

Finalmente, a febre cedeu e o menino começou a sarar. Não passou por seus finos lábios nenhuma palavra de reclamação, embora a dor de suas feridas fosse excruciante.

Uma parte de seu peito estava aberta até as costelas, e três delas quebradas pelos golpes poderosos do gorila. Um braço quase foi arrancado pelos gigantes caninos, e havia um grande pedaço de seu pescoço faltando, expondo a jugular, que as mandíbulas cruéis não haviam atingido por milagre.

Com o estoicismo dos animais irracionais que o tinham criado, ele suportou em silêncio seu sofrimento, preferindo engatinhar para longe dos outros e se deitar em posição fetal, em meio a um montinho de gramas altas, a mostrar sua dor diante deles.

Ele ficava feliz apenas por ter Kala ao seu lado, mas, agora que se sentia melhor, ela saía por mais tempo em busca de comida. Enquanto Tarzan estava muito enfermo, o dedicado animal quase não comia o suficiente para se manter viva e, em consequência disso, reduziu-se a uma mera sombra do que era antes da tragédia.

A LUZ DO CONHECIMENTO

Depois do que parecia ter sido uma eternidade para o pequeno sofredor, ele conseguiu voltar andar e, dali em diante, sua recuperação foi tão rápida que, em um mês, ele estava tão forte e ativo como costumava ser.

Durante sua convalescência, ele repassava mentalmente a batalha com o gorila. Nesses momentos, a primeira ideia que preenchia sua cabeça era a de recuperar a maravilhosa arma que transformou o fracote, irremediavelmente em desvantagem, em um ser superior ao imponente terror da selva.

Além disso, estava ansioso para voltar à cabana e continuar suas investigações acerca daquele maravilhoso conteúdo.

Dessa maneira, em uma manhã, nas primeiras horas do dia, ele partiu em sua jornada. Após uma rápida busca, localizou o cadáver carcomido de seu adversário e, lá perto, parcialmente enterrada sob folhas caídas, achou a faca, já vermelha de ferrugem por causa da exposição à umidade do solo e do sangue seco do gorila.

Ele não gostou da mudança na superfície antes clara e brilhante, mesmo assim, era uma arma formidável, que ele pretendia usar em sua vantagem sempre que houvesse oportunidade. Então, Tarzan concluiu que, em posse da faca, não seria mais preciso fugir dos ataques maldosos do velho Tublat.

Em seguida, chegou à cabana e, depois de pouco tempo, conseguiu abrir a fechadura novamente e entrou na habitação. Sua primeira preocupação foi aprender o mecanismo da tranca, o que fez ao examiná-la de perto, enquanto a porta estava aberta, a fim de entender exatamente como ela segurava e soltava a porta com o toque.

Descobriu que era possível fechar e trancar a porta por dentro, o que fez para que não houvesse chance de ser molestado durante sua investigação.

Começou uma revista sistemática da cabana, mas logo sua atenção foi aguçada pelos livros que pareciam exercer sobre ele uma influência estranha e poderosa. Ele mal conseguia olhar para outras coisas por causa da sedução causada pelo fantástico quebra-cabeça.

Entre os outros livros, havia uma cartilha, algumas leituras infantis, vários livros ilustrados e um grande dicionário. Ele examinou tudo isso, mas as ilustrações o agradaram mais, embora os pequenos insetos, que cobriam as páginas onde não havia figuras, estimulassem sua imaginação e seus pensamentos mais profundos.

Agachado em cima da mesa da cabana que seu pai tinha construído, um pequeno corpo nu, moreno e liso debruçado sobre um livro apoiado em suas mãos esguias e fortes, e sua grande cascata de cabelo negro e longo caindo sobre sua cabeça bem formada e seus olhos inteligentes e brilhantes, Tarzan dos Macacos, o filho das selvas, pequeno homem primitivo, era uma imagem cheia de *páthos*[6] e melancolia e, ao mesmo tempo, de promessa: a imagem alegórica de uma exploração primitiva através da noite escura da ignorância em direção à luz do aprendizado.

O rosto dele estava concentrado no estudo, pois tinha compreendido parcialmente, de forma turva e nebulosa, os rudimentos de um raciocínio que estava destinado a provar-se a chave e a solução para o problema enigmático dos estranhos insetos.

---

6 Na antiga arte grega, tratava-se da qualidade de quem é compassivo ou emocional. (N.T.)

Em suas mãos, descansava uma cartilha aberta na imagem de um macaco similar a ele, mas coberto, exceto nas mãos e no rosto, com uma pele estranha e colorida, pelo menos era desse modo que ele entendia as imagens da jaqueta e das calças. Abaixo da imagem, havia seis pequenos insetos:
MENINO.
E agora Tarzan tinha descoberto, no texto da página, que esses seis insetos se repetiam várias vezes na mesma sequência.

Outro fato que aprendeu foi que havia relativamente poucos insetos individuais, que também se repetiam muitas vezes, ocasionalmente sozinhos, mas com mais frequência na companhia de outros.

Lentamente, ele virou as páginas, examinando as imagens e o texto em busca de uma repetição da combinação M-E-N-I-N-O. Logo encontrou-a sob uma imagem de outro pequeno macaco branco e um estranho animal, que ficava de quatro como o chacal, sem parecer nem um pouco com ele. Sob essa imagem, os insetos eram: UM MENINO E UM CACHORRO.

Lá estavam, os seis pequenos insetos que sempre acompanhavam o pequeno macaco.

Assim ele progrediu, muito, muito lentamente, pois era uma tarefa dura e laboriosa que ele tinha se colocado sem saber. Uma tarefa que, para mim ou para você, poderia parecer impossível: aprender a ler sem ter o menor conhecimento de letras ou linguagem escrita, nem a menor ideia de que tais coisas existissem.

Ele não conseguiu em um dia ou uma semana, nem em um mês ou um ano, mas aprendeu bem devagar, ao perceber as possibilidades presentes naqueles pequenos insetos. Então, aos quinze anos, o jovem conhecia as várias combinações de letras que identificavam cada imagem da cartilha, e em um ou dois dos livros ilustrados.

Quanto ao significado e ao uso de artigos e conjunções, verbos, advérbios, pronomes, ele tinha apenas uma pálida concepção.

Um dia, quando tinha cerca de doze anos, ele encontrou vários lápis em uma gaveta, até então não descoberta sob a mesa. Ao riscar a superfície da mesa com um deles, ficou encantado em ver a linha preta deixada por ele.

Trabalhou tão assiduamente com seu novo brinquedo que a mesa logo virou um conjunto de incompreensíveis círculos rabiscados e linhas irregulares, e a ponta do lápis ficou gasta até a madeira. Então, ele pegou o próximo lápis apontado, mas, desta vez, o utilizaria em um objeto definido: tentaria reproduzir alguns dos pequenos insetos que se espalhavam pelas páginas de seus livros.

Era uma tarefa difícil, pois ele segurava o lápis como se agarrasse o cabo de uma adaga, o que não facilita na hora de escrever, nem deixa os resultados legíveis.

Contudo, perseverou por meses, sempre que conseguia ir à cabana, até que, finalmente, depois da extensa repetição da experiência, encontrou uma posição para segurar o lápis que lhe permita guiá-lo e controlá-lo melhor, para pelo menos conseguir grosseiramente reproduzir alguns dos pequenos insetos.

Assim, ele começou a escrever.

Copiar os insetos o ensinou outra coisa: o número deles. Embora ele não soubesse contar da forma como estamos habituados, tinha uma ideia de quantidade, cuja base de cálculos era o número de dedos de uma de suas mãos.

Tarzan explorou vários livros até se convencer de que tinha descoberto todos os tipos de insetos, que apareciam repetidos em diversas combinações. Ele arrumava os insetos na ordem adequada com muita facilidade, por causa da frequência com que tinha lido atentamente o fascinante livro ilustrado do alfabeto.

Sua educação progrediu, mas suas grandes descobertas estavam no inesgotável armazém do enorme dicionário ilustrado, pois ele aprendia mais por meio das imagens do que do texto, mesmo depois de ter compreendido o significado dos insetos.

Quando descobriu que as palavras eram organizadas em ordem alfabética, divertiu-se buscando e encontrando as combinações com que estava familiarizado. Então, observou as palavras que as seguiam e as frases com as definições, que o levaram ainda mais longe nos labirintos da erudição.

Aos dezessete anos, tinha aprendido a ler a cartilha infantil simples e entendido completamente o verdadeiro e maravilhoso propósito dos pequenos insetos.

Tarzan já não sentia mais vergonha de seu corpo sem pelos nem de seus traços humanos, pois agora seu raciocínio lhe dizia que ele era de uma raça diferente da de seus companheiros selvagens e peludos. Ele era um H-O-M-E-M, eles eram M-A-C-A-C-O-S, e os macaquinhos menores que corriam pelo topo da floresta eram M-I-C-O-S. Ele ficou sabendo, também, que a velha Sabor era uma L-E-O-A, Histah, uma S-E-R-P-E-N-T-E e Tantor, um E-L-E-F-A-N-T-E. Assim, ele aprendeu a ler.

Desse dia em diante, seu progresso foi rápido. Com a ajuda do grande dicionário e da inteligência ativa de uma mente saudável, dotada de uma herança maior do que os potenciais comuns de raciocínio, quase sempre seus chutes ficavam próximos da verdade.

Havia muitas pausas em sua educação, causadas pelos hábitos migratórios de sua tribo, porém, mesmo quando removido de seus livros, seu cérebro ativo continuava pensando sobre os mistérios de seu fascinante passatempo.

Pedaços de casca de árvore e folhas achatadas, e até trechos lisos do solo limpo se tornavam cadernos para rabiscar, com a ponta da faca de caça, as lições que estava aprendendo.

Porém ele não negligenciou os deveres mais duros de sua vida, ao buscar a solução para os mistérios de sua biblioteca.

Tarzan continuava praticando com sua corda e sua faca, que tinha aprendido a manter afiada esfregando-a em pedras lisas.

A tribo cresceu desde a chegada de Tarzan, pois, sob a liderança de Kerchak, foram capazes de causar medo em outras tribos e afastá-las da região que ocupavam na selva. Desse modo, tinham muitos alimentos e pouca ou nenhuma perda derivada de incursões predatórias de vizinhos.

Portanto, os machos mais jovens, quando se tornavam adultos, achavam mais confortável encontrar companheiras de sua própria tribo ou, caso capturassem uma fêmea de outra, levá-la de volta para o bando de Kerchak para viver em harmonia com ele, em vez de tentar montar os próprios novos grupos ou lutar por supremacia com o temível Kerchak.

De vez em quando, um dos mais ferozes macacos entre seus companheiros tentava esta última alternativa, mas não houve nenhum capaz de arrancar a palma da vitória do feroz e brutal líder.

Já Tarzan tinha uma posição peculiar na tribo. Os macacos pareciam considerá-lo um deles, mas, de alguma forma, diferente. Os machos mais velhos ou o ignoravam inteiramente, ou o odiavam tão vingativamente que, se não fosse por sua maravilhosa agilidade e velocidade, e pela feroz proteção da enorme Kala, ele teria sido despachado ainda novo.

Tublat era seu inimigo mais consistente, mas foi por meio de Tublat que, quando ele tinha cerca de treze anos, a perseguição de seus inimigos de repente cessou e ele foi deixado completamente sozinho. No entanto, a exceção acontecia em certas ocasiões, em que um deles se descontrolava naqueles espasmos estranhos e selvagens de uma raiva insana que ataca os machos de muitas das espécies mais ferozes da selva. Aí, ninguém estava seguro.

No dia em que Tarzan estabeleceu seu direito a ser respeitado, a tribo estava reunida em torno de um pequeno anfiteatro natural, que a selva tinha deixado livre de suas vinhas e trepadeiras embaraçadas, em um vão entre alguns pequenos morros.

O espaço aberto era quase circular. Em cada um dos lados, cresciam os mais imponentes gigantes da floresta nativa, com uma vegetação tão entrelaçada entre os enormes troncos que a única abertura de acesso à pequena arena era entre os galhos mais altos das árvores.

Ali, a salvo de qualquer interrupção, muitas vezes, a tribo se reunia. No centro do anfiteatro, havia um daqueles estranhos tambores de terra, que os antropoides construíam para usar em cerimônias com ritos peculiares cujos sons os homens ouviam na solidez da selva, mas que nenhum jamais testemunhou.

Muitos viajantes viram os tambores dos grandes macacos, e alguns ouviram o som de suas batidas e o barulho selvagem e estranho vindo das festas desses primeiros lordes da selva. Mas Tarzan, lorde Greystoke, é sem dúvida o único ser humano a se juntar à folia feroz, louca e intoxicante do *Dum-Dum*.

Desse ritual primitivo, nasceram, inquestionavelmente, todas as cerimônias e os modelos usados na Igreja e no Estado modernos. Afinal, através das inúmeras eras, nos alicerces de uma humanidade que desabrochava, nossos antepassados dançaram os ritos do *Dum-Dum* ao som de seus tambores de terra, sob a luz brilhante de um luar tropical, nas profundezas de uma selva imponente, até hoje tão inalterada quanto naquela noite escura de um passado morto. Com certeza, uma cena impensável em que nosso primeiro ancestral peludo balançou de um galho de árvore e pousou levemente na relva suave do primeiro local de encontro.

No dia em que Tarzan emancipou-se da perseguição que compulsoriamente o acompanhava há doze de seus treze anos de vida, sua tribo, agora com cem integrantes, marchou em silêncio pelos galhos mais baixos das árvores e caiu sem ruído no chão do anfiteatro.

Os ritos do *Dum-Dum* marcavam acontecimentos importantes na vida da tribo, como uma vitória, a captura de um prisioneiro, o assassinato de algum animal grande e poderoso da selva ou a morte ou ascensão de um rei, e eram conduzidos com um cerimonialismo rigoroso.

Nesse dia, tratava-se da morte de um macaco gigante, membro de outra tribo. Quando o povo de Kerchak entrou na arena, depararam-se com dois imponentes machos carregando o corpo do derrotado.

Eles depositaram o fardo diante do tambor de terra e se agacharam ao lado, como guardas, enquanto os outros membros da comunidade se acomodavam nos gramados para dormir até a lua nascente dar o sinal para o início de sua orgia selvagem.

O silêncio absoluto reinou por horas na pequena clareira, exceto quando as notas dissonantes de papagaios com penas brilhantes o quebravam, ou os gritos e pios das milhares de aves selvagens voando sem parar entre as orquídeas, vívidas e exuberantes, que decoravam a miríade de galhos cobertos de musgo dos reis da floresta.

Por fim, quando a escuridão caiu sobre a selva, os macacos começaram a acordar, e logo formaram um grande círculo ao redor do tambor de terra. As fêmeas e os jovens agacharam em uma estreita fila na periferia externa do círculo, enquanto, à frente deles, vinham os machos adultos. Diante do tambor, sentavam-se três fêmeas anciãs, cada uma armada com um galho nodoso com cerca de quarenta e cinquenta centímetros.

Lenta e suavemente, começaram a bater na superfície ressonante do tambor, enquanto os primeiros raios débeis da lua nascente tingiam de prata o topo das árvores ao redor.

Conforme a luz no anfiteatro aumentava, as fêmeas aceleravam a frequência e a força de seus golpes, até um estrondo selvagem e rítmico dominar a extensa floresta por quilômetros em todas as direções. Animais enormes e ferozes pararam suas caçadas e, com os ouvidos aguçados e as cabeças levantadas, escutavam o ruído abafado que sinalizava o *Dum-Dum* dos macacos.

Ocasionalmente, um deles soltava um grito agudo ou rugido trovejante em resposta ao desafio do selvagem estrondo dos antropoides, mas nenhum se aproximava para investigar ou atacar, afinal, os grandes macacos, reunidos com o poder em número de integrantes, provocavam no peito de seus vizinhos de floresta um respeito profundo.

Quando o estrondo do rufar do tambor se ampliou a um ponto quase ensurdecedor, Kerchak saltou para o centro, no espaço vazio entre os machos agachados e as batedoras de tambor.

Ereto, ele jogou a cabeça bem para trás e, olhando profundamente para a lua crescente, bateu no peito com as grandes patas peludas e emitiu seu temeroso berro vibrante.

Uma, duas, três vezes aquele grito aterrorizador soou pela fervilhante solidão daquele mundo indizivelmente veloz, mas inconcebivelmente morto.

Então, agachado, Kerchak perpassou sem ruído pelo círculo aberto, afastado do cadáver diante do tambor, mas, ao passar por ele, manteve seus pequenos olhos vermelhos, ferozes e maldosos fixos em corpo.

Um outro macho pulou na arena e, repetindo os gritos horrendos de seu rei, seguiu discretamente seus passos. Em seguida, apareceu mais um, e outro, e outro deram sequência em rápida sucessão, até a selva reverberar com as notas, agora quase incessantes, dos gritos dos machos da tribo sedentos por sangue.

Era o desafio e a caça.

Quando todos os machos adultos tinham se juntado à estreita fila de dançarinos circulares, o ataque começou.

Kerchak, tomando um enorme tacape, retirado de uma pilha de armas, que estava à mão para esse propósito, correu furiosamente para o macaco morto e desferiu um golpe terrível no cadáver, ao mesmo tempo, que emitia rugidos e rosnados de combate. O estrondo do tambor aumentou, bem como a frequência das batidas, e os guerreiros, aproximando-se da vítima da caçada e dando seu golpe de clava, juntaram-se ao vórtice enlouquecido da Dança da Morte.

Tarzan era um integrante daquela horda selvagem. Seu corpo musculoso e coberto de suor, brilhando à luz do luar, cintilava flexível e gracioso entre os animais grosseiros, desajeitados e peludos ao seu redor.

Nenhum deles era mais sorrateiro na mímica da caçada, nenhum era mais perverso na ferocidade selvagem do ataque, nenhum saltava tão alto no ar na Dança da Morte.

Conforme o barulho e a velocidade das batidas de tambor aumentavam, os dançarinos pareciam intoxicados pelo ritmo bárbaro e os gritos ferozes. Seus saltos e pulos aumentaram, seus caninos expostos babavam saliva, seus lábios e peito estavam salpicados de espuma.

Por meia hora, a estranha dança continuou até, a um sinal de Kerchak, o barulho dos tambores cessou, e as batedoras se espalharam às pressas no círculo de dançarinos em direção à borda externa, onde estavam os espectadores agachados. Então, como se fossem um único ser, os machos se atiraram de cabeça em cima da coisa que seus golpes terríveis tinham reduzido a uma bola de pelos.

Raramente, seus dentes encontravam carne em grandes quantidades, então, um final bem adequado a sua festa selvagem era sentir o gosto de carne recém-abatida. Assim, eles voltaram sua atenção ao propósito de devorar seu inimigo falecido.

Grandes caninos penetraram a carcaça, arrancando-lhes pedaços enormes. O mais poderoso dos macacos obtinha os bocados mais suculentos, enquanto o mais fraco circulava à margem do bando que lutava e rugia, à espera de uma chance de roubar um petisco caído ou um osso remanescente antes que tudo acabasse.

Tarzan, mais que os macacos, desejava e precisava de carne. "Descendente de uma raça de carnívoros, nunca na vida tinha saciado seu apetite por comida animal", pensou o menino. Portanto, agora, seu pequeno corpo rastejou ligeiramente para o meio da massa de lutadores, empurrando os macacos em uma tentativa de obter uma porção maior que a força de seu corpo era capaz de conseguir.

A seu lado, estava a faca de caça de seu desconhecido pai, pendurada em uma bainha improvisada, inspirada em uma das imagens que ele tinha visto em um de seus amados livros.

Finalmente, ele chegou ao banquete que desaparecia rapidamente e, com sua faca afiada, extraiu uma porção mais generosa do que esperava: todo um antebraço peludo que se projetava sob os pés do poderoso Kerchak. O líder estava tão ocupado em perpetuar a prerrogativa real de sua gulodice que não notou aquele ato de lesa-majestade[7].

Então, o pequeno Tarzan se esquivou do alvoroço por baixo da massa de lutadores, agarrando seu prêmio macabro junto do peito.

Entre aqueles que circulavam em vão a periferia do banquete, estava o velho Tublat. Ele foi um dos primeiros a agarrar a carne, mas se afastou com uma porção vistosa, para comer tranquilo longe da baderna, e agora forçava uma nova entrada para obter mais.

---

7   Crime cometido contra o rei ou algum outro indivíduo da família real, ou contra a soberania do Estado. (N.T.)

Foi assim que espiou Tarzan emergir da multidão, que se unhava e se empurrava, com aquele antebraço peludo apertado com firmeza ao seu corpo.

Os pequenos olhos de porco vermelhos e juntos de Tublat miraram com ódio o objeto de seu desprezo. Neles, também havia a ganância pela guloseima apetitosa que o garoto carregava.

Porém Tarzan percebeu o olhar de seu arqui-inimigo rapidamente e, adivinhando o que a grande fera faria, pulou com agilidade em direção às fêmeas e aos jovens, a fim de se esconder entre eles. Tublat, porém, perseguia o menino de perto e, portanto, o menino não teve oportunidade de buscar um esconderijo, e viu que seria difícil fugir.

Ligeiramente, ele correu para as árvores ao redor e, com um salto veloz, agarrou-se em um galho baixo com uma das mãos e, ao transferir a carga para os dentes, pôde escalar rapidamente a árvore, com Tublat se aproximando logo atrás dele.

Ele subiu cada vez mais, até o balançante pináculo de uma nobre monarca da floresta, onde seu oponente pesado não ousava segui-lo. Lá em cima, empoleirou-se, xingando e provocando a fera raivosa e espumante, que estava quinze metros abaixo.

E, então, Tublat enlouqueceu.

Com gritos e rugidos aterrorizantes, ele correu para o chão, entre as fêmeas e os jovens, enfiou os enormes caninos em uma dezena de minúsculos pescoços e arrancou enormes pedaços das costas e dos peitos das fêmeas que caíam em suas garras.

Sob a luz brilhante do luar, Tarzan testemunhou todo o acesso insano de raiva. Presenciou as fêmeas e os jovens correndo em busca de abrigo nas árvores. Desse modo, os grandes machos no centro da arena, ao sentirem os poderosos caninos de seu companheiro ensandecido, sumiram nas sombras negras da floresta acima, em uma decisão unânime.

Só havia mais um macaco no anfiteatro além de Tublat. A fêmea corria atrasada para a árvore em que Tarzan estava empoleirado, e bem atrás dela o terrível Tublat a seguia.

A fêmea era Kala e, assim que Tarzan viu que Tublat se aproximava dela, ele saltou rapidamente em uma pedra em queda, lançando-se de galho em galho, em direção a sua mãe adotiva.

Agora, ela se encontrava embaixo dos galhos salientes e, logo acima dela, estava Tarzan agachado, esperando pelo resultado da corrida.

Kala saltou no ar, e agarrou um galho baixo, quase sob a cabeça de Tublat, de tão perto que ele tinha chegado. Ela devia estar segura agora, mas o som de estalo ecoou: o galho se quebrou e precipitou-a sobre a cabeça de Tublat, e os dois foram ao chão.

Imediatamente, ambos se levantaram, porém, por mais rápidos que fossem, Tarzan conseguiu superá-los, de modo que o macho furioso ficou perante o pequeno homem, que se colocava entre ele e Kala.

Nada poderia agradar mais a fera, que, com um rugido de triunfo, pulou no pequeno lorde Greystoke. Contudo, seus caninos nunca se fecharam naquela carne castanha.

Uma mão musculosa se estendeu e agarrou-o pela garganta peluda, e outra enfiou uma faca de caça afiada doze vezes na larga fera. Os golpes caíram como raios e só cessaram quando Tarzan sentiu o corpo sem vida despencar diante de si.

Quando a carcaça de Tublat rolou para o chão, Tarzan dos Macacos colocou o pé sobre o pescoço de seu inimigo da vida toda e, levantou os olhos para a lua cheia, jogou a jovem cabeça para trás com ousadia e vociferou o grito selvagem e terrível de seu povo.

Um por um da tribo desceu de seus abrigos nas árvores e formou um círculo em torno de Tarzan e de seu inimigo derrotado. Quando todos já tinham terminado de chegar, Tarzan virou-se em direção a eles.

– Eu sou Tarzan – gritou. – Sou um grande matador. Que todos respeitem Tarzan dos Macacos e Kala, sua mãe. Nenhum de vocês é tão poderoso quanto Tarzan. Que seus inimigos tomem cuidado!

Olhando diretamente nos olhos maldosos e vermelhos de Kerchak, o jovem lorde Greystoke bateu em seu grande peito e deu mais uma vez seu grito valente de resistência.

O CAÇADOR DO TOPO DAS ÁRVORES

Na manhã seguinte ao *Dum-Dum,* a tribo começou lentamente a voltar para a costa através da floresta.

O corpo de Tublat ficou exatamente no mesmo lugar onde tinha caído, pois o povo de Kerchak não comia os próprios mortos.

A marcha era apenas uma busca tranquila por comida. Palmito e ameixa, bananas-da-terra e abacaxi foram encontrados em abundância, além de ananás. De vez em quando, pequenos mamíferos, aves, ovos, répteis e insetos também apareciam. As nozes colhidas no caminho eram quebradas com suas fortes mandíbulas ou, se fossem duras demais, amassando-as entre pedras.

Uma vez, a velha Sabor, cruzando seu caminho, os fez fugir em busca de abrigo nos galhos mais altos, pois, se ela respeitava o grande número de integrantes e os caninos afiados do grupo. Já os macacos, por sua vez, também consideravam, na mesma proporção, a ferocidade cruel e imponente da leoa.

Em um galho mais baixo, estava Tarzan, sentado diretamente acima do corpo majestoso e flexível que desfilava pela densa floresta. A grande fera parou e, virando-se, mirou a figura provocadora acima dela.

Com um brusco movimento da cauda, a leoa mostrou suas presas amareladas, curvando os lábios em um rosnado odioso, que fazia seu focinho enrugar, e fechando os olhos maus em duas fendas estreitas de raiva e ódio.

Com as orelhas para trás, ela olhou direto nos olhos de Tarzan dos Macacos e deu um rugido feroz e agudo que lançou o desafio. Então, da segurança do galho mais alto, o menino-macaco devolveu a temível resposta de sua espécie.

Por um momento, os dois se observaram em silêncio, até que a grande felina voltou-se para a selva, que a engoliu como o oceano engole uma pedra atirada.

Mas, na mente de Tarzan, surgiu um grande plano. Ele tinha matado o feroz Tublat, logo, não poderia fazer isso com uma lutadora poderosa também? Agora era hora de ele caçar a astuta Sabor e a destruí-la do mesmo jeito. E, assim, iria se tornar um caçador poderoso.

No fundo de seu pequeno coração inglês, batia o grande desejo de cobrir sua nudez com ROUPAS, pois ele tinha aprendido em seus livros ilustrados que todos os HOMENS se cobriam assim, enquanto MICOS e MACACOS e todos os outros seres ficavam nus.

ROUPAS, portanto, deviam ser verdadeiramente uma marca de grandeza: a insígnia de superioridade do HOMEM sobre todos os outros animais. Afinal, certamente não poderia haver outro motivo para usar aquelas coisas horrendas.

Muitas luas atrás, quando ele era bem menor, tinha desejado ter a pele de Sabor, a leoa, ou de Numa, o leão, ou de Sheeta, o leopardo, para poder cobrir seu corpo pelado e não se parecer mais com a feia Histah, a serpente. Entretanto, agora ele tinha orgulho de sua pele lisa, pois ela indicava sua descendência de uma raça poderosa e hesitava, entre os desejos conflitantes, em ficar nu, como prova orgulhosa de sua ancestralidade ou do conformismo diante dos hábitos da própria espécie e usar o vestuário horroroso e desconfortável.

A tribo seguiu seu caminho lento pela floresta, após a passagem de Sabor. A partir dali, a cabeça de Tarzan ficou ocupada com seu grande plano para matar sua inimiga, e, por muitos dias, ele não conseguiu pensar em outra coisa.

Naquele dia, porém, outras tarefas imediatas precisavam muito de sua atenção.

De repente, o céu escureceu: parecia meia-noite. Os barulhos da selva cessaram, as árvores estavam paralisadas, como se esperassem imóveis algum desastre enorme e iminente. Na verdade, toda a natureza esperava, mas não por muito tempo.

A uma certa distância, um lamento baixo e triste surgiu. Ele se aproximava cada vez mais perto, e ficava cada vez mais alto.

As grandes árvores se dobraram em uníssono, como se pressionadas contra a terra por uma mão forte. Inclinaram-se cada vez mais ainda em direção à terra. Mesmo assim, não havia qualquer som na selva, exceto pelo lamento profundo e impressionante do vento.

Então, de repente, as gigantes árvores da selva se balançaram de volta, chicoteando suas poderosas copas em um raivoso e ensurdecedor protesto. Uma luz vívida e ofuscante brilhou entre as nuvens escuras e rodopiantes. Uma profunda descarga de trovões estrondosos gritou um aterrorizante desafio. O dilúvio chegou: foi o caos na selva.

A tribo, tremendo com a chuva fria, escondeu-se nas bases de grandes árvores. Os raios, que precipitavam e iluminavam a escuridão, também revelavam os galhos balançando violentamente, os cipós chicoteando e os troncos dobrando.

De vez em quando, algum antigo patriarca do bosque, atingido por um raio luminoso, partia-se em mil pedaços, no meio das demais árvores ao redor, e carregava inúmeros galhos e muitos vizinhos menores para a emaranhada confusão da selva tropical.

Galhos, grandes e pequenos, arrancados pela ferocidade do tornado, voavam pela vegetação que balançava constantemente, carregando morte e destruição para incontáveis cidadãos infelizes do mundo densamente povoado abaixo.

Por horas, a fúria da tempestade continuou sem cessar, e a tribo permaneceu escondida junta e tremendo de medo. Em uma ameaça constante de troncos e galhos caírem, e paralisados pela luz vívida dos raios e o estrondo dos trovões, eles ficaram agachados em uma situação desconfortável até a tempestade passar. A tempestade terminou tão rápido quanto o se iniciou. O vento finalmente cessou, o sol brilhou, e a natureza sorriu novamente.

As folhas e galhos pingavam e as pétalas úmidas das lindas flores brilhavam no esplendor do dia que voltava a clarear. E assim, conforme a natureza esquecia, seus filhos também esqueciam. A vida ocupada seguiu como antes da escuridão e do medo.

Mas, para Tarzan, tudo havia mudado, pois uma aurora de luz tinha chegado para explicar o mistério das ROUPAS. Como ele teria ficado quentinho sob o pesado casaco de Sabor! Então, houve um novo incentivo para a aventura.

Por vários meses, a tribo permaneceu perto da praia onde ficava a cabana de Tarzan, e ele podia dedicar-se aos estudos, que tomavam a maior parte de seu tempo. No entanto sempre que viajavam pela floresta, ele mantinha sua corda pronta para laçar algum habitante da selva, e muitos eram os pequenos animais que caíam na armadilha da força ágil.

Uma vez, caiu no pescoço curto de Horta, o javali, e a corrida louca dele pela liberdade derrubou Tarzan do galho em que estava debruçado e do qual tinha lançado sua espiral sinuosa.

O animal arisco olhou para trás desconfiado com o som do corpo do menino caindo e, avistando apenas a presa fácil que era um macaco novo, abaixou a cabeça e atacou furiosamente o jovem surpreso.

Tarzan, felizmente, não se feriu na queda. Levantou-se rapidamente como um gato, apoiando os pés e as mãos no chão, pronto para aguentar o impacto. No instante seguinte, ficou de pé e saltou com a agilidade do macaquinho que era. Então, alcançou a segurança de um galho baixo enquanto Horta, o javali, corria em círculos lá embaixo.

Foi assim que Tarzan aprendeu, com uma experiência, as possibilidades e as limitações que sua estranha arma oferecia.

Ele perdeu uma longa corda nessa ocasião, mas sabia que, se tivesse sido Sabor a arrastá-lo de seu poleiro, o resultado, talvez, fosse bem diferente, pois ele teria, sem dúvida, perdido a vida no processo.

Foram necessários muitos dias para ele trançar uma nova corda, porém, quando ela finalmente ficou pronta, Tarzan saiu com o propósito de caçar. Assim, ele se deitou à espreita, entre a folhagem densa de um grande galho, bem em cima da trilha batida que levava à água.

Vários animais pequenos passaram embaixo dele sem serem incomodados, pois o menino não queria caças tão insignificantes. Era preciso um animal forte para testar a eficácia de seu novo plano.

Por fim, veio quem Tarzan procurava, com seus tendões flexíveis desfilando embaixo de sua pele reluzente: gorda e brilhante chegou Sabor, a leoa.

Suas grandes patas almofadadas pisavam suave e silenciosamente na trilha estreita. Sua cabeça estava alta, sempre alerta, e a cauda longa se movia lentamente em ondulações sinuosas e graciosas.

Ela chegou cada vez mais perto de onde Tarzan dos Macacos estava agachado em seu galho, com a corda enrolada, pronta para ser usada, nas mãos.

Como uma estátua de bronze, imóvel como a morte, Tarzan esperou pela leoa. Sabor passou embaixo do galho. Deu mais um passo, depois um segundo, um terceiro, e então a corda silenciosa lançou-se sobre ela.

Por um instante, o laço pairou sobre sua cabeça como uma grande cobra, mas, quando ela olhou para cima para detectar a origem do som sibilante, ele se fechou em torno de seu pescoço. Com um tranco rápido, Tarzan apertou a forca na garganta brilhante, e largou um pouco da corda que ainda estava enrolada, para poder segurá-la com as duas mãos.

Sabor estava encurralada.

Com um salto, a fera assustada se voltou para a selva, mas Tarzan não queria perder mais uma corda pela mesma razão que havia perdido a primeira. Ele tinha aprendido com sua experiência. A leoa estava somente na metade de seu segundo salto, quando sentiu a corda apertar-se em torno de seu pescoço. Por causa disso, seu corpo girou completamente no ar e ela caiu com um baque pesado de costas. Tarzan tinha amarrado a ponta da corda com segurança ao tronco da grande árvore em que estava sentado.

Por enquanto, seu plano tinha funcionado com perfeição, mas, quando ele segurou a corda e se apoiou em uma forquilha, entendeu que arrastar uma massa forte de músculos de aço furiosos lutando, arranhando e mordendo até a árvore e enforcá-la eram propostas bem diferentes.

O peso da velha Sabor era imenso, e quando ela se apoiava em suas enormes patas, ninguém mais fraco que o próprio Tantor, o elefante, seria capaz de movê-la.

A leoa agora retornava para a trilha, de onde podia ver o autor da humilhação que havia sofrido. Ela urrou de raiva e atacou repentinamente, saltando alto no ar na direção de Tarzan, mas, quando seu enorme corpo bateu no galho em que ele deveria estar, o menino já tinha fugido de lá.

Em vez disso, pousou levemente em um galho menor, seis metros acima da presa irada. Por um momento, Sabor ficou pendurada no meio do galho, enquanto Tarzan zombava e jogava galhos e ramos na cara desprotegida dela.

Por fim, a fera desceu novamente ao chão e Tarzan correu para buscar a corda, porém Sabor tinha descoberto que apenas um fio a segurava. Portanto, agarrou-o em suas patas enormes e rasgou-o antes que Tarzan pudesse apertar a força estranguladora pela segunda vez.

Tarzan ficou muito chateado, pois seu plano bem pensado não teve êxito. Então, ficou lá sentado gritando com a criatura e fazendo caretas zombeteiras para ela, que rugia embaixo dele.

Sabor ficou rondando para lá e para cá em volta das árvores por horas. Quatro vezes, ela se agachou e saltou sobre o fantasma que dançava em cima dela, mas era o mesmo que tentar agarrar o vento fugidio que murmurava em meio aos ramos de folhas.

Por fim, Tarzan se cansou do jogo e, com um grito final desafiador e uma fruta madura bem mirada, que se espalhou molenga e grudenta pela cara raivosa de sua inimiga, ele se balançou rapidamente pelas árvores, trinta metros acima do chão, e em pouco tempo estava entre os membros de sua tribo novamente.

Lá, ele contou os detalhes de sua aventura, com o peito inchado e uma arrogância tão considerável que impressionou muito, até mesmo seus inimigos mais amargos, enquanto Kala dançava de alegria e orgulho.

HOMEM E HOMEM

Tarzan dos Macacos viveu sua existência primitiva na selva por muitos anos com pouquíssimas mudanças, exceto pelo fato de ficar mais forte e mais sábio, e aprendeu mais e mais com seus livros sobre os mundos estranhos que existiam fora de sua floresta.

Para ele, a vida nunca era monótona nem estável. Sempre havia Pisah, o peixe, para ser pescado nos muitos riachos e pequenos lagos, e Sabor, com seus primos ferozes para mantê-lo sempre alerta e dar tempero a cada instante passado no chão.

Com frequência, os animais o caçavam, mas, com mais frequência ainda, ele os caçava. Embora nunca chegassem perto de fato de colocar as garras cruéis e afiadas em Tarzan, muitas vezes mal seria possível colocar uma folha entre as unhas dos animais e a pele macia dele.

Sabor, a leoa, era muito rápida, assim como também eram Numa e Sheeta, mas Tarzan dos Macacos era um raio.

Com Tantor, o elefante, ele fez amizade. Como? Não me pergunte. No entanto, os cidadãos da selva dizem que, em muitas noites enluaradas, Tarzan dos Macacos e Tantor, o elefante, caminhavam juntos, e onde o caminho era aberto e nítido, Tarzan montava no alto das costas fortes de Tantor durante o passeio.

Muitos de seus dias, ele passou na cabana de seu pai, onde ainda repousavam, intocados, os ossos de seus progenitores e o esqueleto do bebê de Kala. Aos dezoito anos, ele lia fluentemente e entendia quase tudo o que o que estava escrito nos muitos e variados volumes das prateleiras.

Também sabia escrever com letras de forma, de modo rápido e claro, mas a letra cursiva era muito difícil de dominar, pois, embora houvesse vários livros de caligrafia entre seu tesouro, havia tão poucos exemplares escritos em inglês, com esse tipo de letra, que ele não via porque se importar com essa outra forma de escrita, ainda que fosse capaz de, com esforço, lê-la.

Portanto, aos dezoito anos, Tarzan era um lorde inglês, capaz de ler e escrever em sua língua nativa, mas que não sabia como falar. Nunca tinha visto um ser humano que não fosse ele mesmo, porque a pequena área ocupada por sua tribo não era regada por nenhum grande rio o qual atraísse os nativos do interior.

Os morros altos cortavam as terras de três lados, e o oceano, do quarto. A área era povoada de leões, leopardos e cobras venenosas. Os labirintos intocados de selva emaranhada ainda não tinham convidado nenhum pioneiro audacioso, dentre as feras humanas, a atravessar suas fronteiras.

Certo dia, quando Tarzan dos Macacos estava sentado no interior da cabana de seu pai, mergulhado nos mistérios de um novo livro, a antiga segurança de sua selva quebrou-se para sempre.

Nos confins do extremo Oeste, apareceu uma estranha procissão, em fila indiana, pela encosta de um morro baixo.

Na linha de frente, havia cinquenta guerreiros negros armados, com lanças de madeira esguias e de pontas endurecidas em fogo lento, e longos arcos e flechas envenenadas. Nas costas, eles traziam escudos ovais, em seu nariz, estavam pendurados enormes anéis e, da lã de sua cabeça, saíam tufos de penas coloridas.

Nas testas, três linhas paralelas coloridas estavam tatuadas, e em cada peito, três círculos concêntricos. Os dentes amarelados foram lixados até ficarem com pontas afiadas, e os lábios grandes e salientes completavam a sua aparência selvagem.

Atrás deles, vinham várias centenas de mulheres e crianças, as primeiras carregando na cabeça grandes cargas de panelas, utensílios domésticos e marfim. Logo na sequência, havia mais cem guerreiros, de todas as maneiras similares aos da linha de frente.

O fato de temerem mais um ataque pelas costas do que quaisquer inimigos desconhecidos, que encontrassem no caminho, durante a aproximação, era evidenciado pela formação da coluna de guerreiros. E a preocupação era real, pois o grupo fugia dos soldados do homem branco, que os perseguiram incansavelmente atrás de borracha e marfim. Então, certo dia, eles se voltaram contra seus conquistadores e massacraram um oficial branco e seu pequeno destacamento de suas tropas negras.

Por muitos dias, eles se fartaram de carne, mas, por fim, um corpo de tropas mais forte chegou e atacou a aldeia na calada da noite para vingar a morte de seus camaradas.

Naquela noite, os soldados negros que serviam o homem branco tiveram muita carne para se alimentar, e o pequeno remanescente de uma tribo, que já foi poderosa, havia se retirado para a selva melancólica, em direção ao desconhecido e à liberdade.

Mas o que significava liberdade e a busca da felicidade para aqueles negros selvagens, era sinônimo de consternação e morte para muitos dos cidadãos primitivos de seu novo lar.

Por três dias, o pequeno cortejo marchou lentamente pelo coração daquela floresta desconhecida e desmarcada, até finalmente, no início do quarto dia, chegarem a um pequeno local perto da margem de um riacho, que parecia ter menos vegetação do que todos os outros terrenos pelos quais haviam passado.

Ali, começaram a trabalhar para construir uma nova aldeia e, em um mês, uma grande clareira havia sido aberta, com espaço para barracas e paliçadas erguidas, banana-da-terra, inhame e milho plantados: eles retomaram sua antiga vida em seu novo lar. Aqui não havia homens brancos nem soldados, nem borracha ou marfim para explorar ou conquistar sob a força de capatazes cruéis e ingratos.

Várias luas se passaram antes de os negros se aventurarem território adentro ao redor de sua nova aldeia. Muitos deles já tinham sido pegos pela velha Sabor e, como a selva era infestada desses felinos ferozes e sedentos de sangue, como leões e leopardos, os guerreiros de ébano hesitaram em se expor fora da zona de segurança de suas paliçadas.

Mas um dia, Kulonga, filho do velho rei Mbonga, vagou para dentro dos densos labirintos a Oeste. Ele pisava com muito cuidado, e segurava uma lança esguia sempre pronta para enfrentar algum perigo. Carregava um escudo oval longo e firme na mão esquerda, próximo ao seu lustroso corpo de ébano.

Nas costas, estava seu arco e, na aljava em cima do escudo, exibia flechas finas e retas, cobertas pela grossa e escura camada de piche, que tornava letal qualquer pequeno furo.

A noite encontrou Kulonga longe das paliçadas da aldeia de seu pai, mas ainda assim ele continuou andando para Oeste. Então, subiu na bifurcação de uma grande árvore, construiu uma plataforma rudimentar e se enrolou para dormir.

Cinco quilômetros dali, a Oeste, dormia a tribo de Kerchak.

No início da manhã seguinte, os macacos estavam agitados, movendo-se pela selva em busca de comida. Como era de costume, Tarzan levou sua busca em direção à cabana, de modo que, caçando vagarosamente no caminho, seu estômago já estava cheio quando chegou à praia.

Os macacos espalhavam-se sozinhos, em duplas e trios por todas as direções, mas sempre em um limite seguro no qual fosse possível ouvir um grito alarmante.

Kala percorreu lentamente por um dos caminhos demarcados pelos elefantes, na direção Leste, e estava ocupada revirando galhos e troncos apodrecidos em busca de insetos e fungos suculentos, quando uma leve sombra de um barulho estranho chamou sua atenção.

Os cinquenta metros diante dela eram de trilha reta e, no fim desse túnel folhoso, ela viu a estranha e temerosa criatura que avançava mata adentro furtivamente.

Era Kulonga.

Kala não esperou para ver nitidamente. Virou-se e rapidamente voltou pela trilha. Ela não correu, mas, conforme era costume de sua espécie, se não fosse provocada, procurou evitar ter de fugir de um perigo.

Perto dela, porém, seguia Kulonga. Ali havia a carne de que precisava. Ele podia matá-la e se saciar bem neste dia. Em frente, ele seguiu, apressado, a lança apontada para seu alvo.

Em um atalho da trilha, ele avistou Kala de novo, em outro trecho reto. A mão que segurava a lança foi para trás, tomando distância para o lançamento, e seus músculos se movimentavam, como um raio, embaixo da pele lustrosa. A lança avançou pelo ar na direção de Kala.

Foi um péssimo tiro. Causou somente um pequeno arranhão.

Com um grito de raiva e dor, a macaca voltou-se para seu algoz. Em um instante, as árvores cediam sob o peso de seus companheiros apressados, que se balançavam rapidamente em direção à cena, em resposta ao grito de Kala.

Quando se lançava para atacá-lo, Kulonga pegou seu arco e encaixou uma flecha com uma rapidez quase impensável. Puxando a haste bem para trás, ele jogou o míssil venenoso direto no coração do grande antropoide.

Com um grito assustador, Kala caiu para a frente, diante dos membros atordoados de sua tribo.

Rugindo e berrando, os macacos se atiraram na direção de Kulonga, mas o selvagem precavido fugia pela trilha como um antílope assustado.

Ele conhecia um pouco da ferocidade desses homens selvagens e peludos, por isso, seu único desejo era se distanciar o máximo de quilômetros possível deles.

Os animais o seguiram, correndo pelas árvores, por uma longa distância; no entanto, por fim, um a um foi abandonando a perseguição e se voltou à cena da tragédia.

Nenhum deles jamais tinha visto um homem que não fosse Tarzan, portanto, perguntaram-se vagamente que tipo estranho de criatura seria aquele a invadir sua selva.

Na praia ao longe, onde ficava a pequena cabana, Tarzan ouviu os ecos fracos do conflito e, sabendo que algo estava seriamente errado em sua tribo, correu na direção do som.

Quando chegou, encontrou toda a tribo reunida conversavam ao redor do cadáver de sua mãe assassinada.

O luto e a raiva de Tarzan não conheciam fronteiras. Ele rugiu seu desafio horrível diversas vezes. Bateu em seu grande peito com punhos cerrados e caiu sobre o corpo de Kala, e soluçou a tristeza lamentável de seu coração solitário.

Perder a única criatura em todo o mundo que já tinha demonstrado amor e afeto por ele foi a maior tragédia que conheceu.

Não importava que Kala fosse uma macaca medonha e feroz! Para Tarzan, ela tinha sido gentil e linda.

Ele depositou, sem nem saber, toda a reverência, o respeito e o amor que um menino inglês convencional sente pela própria mãe. Nunca teve a oportunidade de conhecer outra, então a Kala foi dado, ainda que de forma muda, tudo o que teria pertencido à jovem e amável *lady* Alice, caso ela tivesse sobrevivido.

Depois da primeira explosão de luto, Tarzan controlou-se e, questionou os membros da tribo, que testemunharam a morte de Kala, para saber tudo o que seu pobre vocabulário era capaz de transmitir.

Era o suficiente para suas necessidades. Contaram-lhe de um estranho macaco preto e sem pelos, com penas crescendo da cabeça, que lançou a morte de um galho esguio e depois correu, com a velocidade de Bara, o veado, em direção ao sol nascente.

Tarzan não esperou mais e, saltando nos galhos das árvores, correu pela floresta. Ele conhecia as curvas da trilha dos elefantes, na qual tinha ocorrido o assassinato de Kala. Então, cortou caminho direto pela selva fechada para interceptar o guerreiro negro que evidentemente seguia pelos desvios tortuosos da trilha.

Junto dele, carregava a faca de caça de seu pai desconhecido, e atravessada em seus ombros, o rolo de sua longa corda. Em uma hora, ele voltou à trilha e, descendo ao solo, examinou-o minuciosamente.

Na lama fresca da margem de um minúsculo riacho, achou pegadas parecidas com as que seus pés faziam, porém muito maiores. Seu coração bateu rápido. Será que ele estava perseguindo um HOMEM? Seria alguém de sua espécie?

Havia dois conjuntos de pegadas apontando em direções opostas. Portanto, sua presa já tinha retornado para a trilha. Quando ele examinou o rastro mais novo, pequenas partículas de terra caíram da borda externa de uma das pegadas. Ah, o rastro era muito fresco! Com certeza, sua presa devia ter acabado de passar.

Mais uma vez, Tarzan se alçou às árvores e, com uma agilidade muda, subiu correndo por muitos metros acima da trilha.

Ele mal tinha percorrido um quilômetro, quando encontrou o guerreiro negro parado em um pequeno espaço aberto. Na mão dele, estava o pequeno arco no qual encaixou uma de suas flechas mortais.

Diante dele, na pequena clareira, estava Horta, o javali, com a cabeça baixa, caninos de fora e espumando, pronto para atacá-lo.

Tarzan olhou impressionado para a estranha criatura abaixo de si, tão parecida com ele em forma, mas tão diferente em rosto e cor. Seus livros tinham retratado o NEGRO; entretanto, como era diferente a impressão sem brilho e morta dessa figura lustrosa de ébano e pulsante de vida.

Enquanto o homem estava lá parado com o arco retesado, Tarzan o reconheceu não mais como a imagem do NEGRO, mas como a do ARQUEIRO, presente em seu livro ilustrado:

A é de arqueiro.

Que maravilha! Tarzan quase revelou sua presença, tamanha era a profunda animação dessa descoberta.

Mas as coisas começaram a acontecer lá embaixo. O braço preto e sinuoso tinha puxado a haste para trás, enquanto Horta, o javali, disparava. Então, o negro soltou a pequena flecha envenenada, e Tarzan viu a haste voar, com a rapidez do pensamento, e alojar-se no pescoço eriçado do animal.

Mal a flecha saíra de seu arco, Kulonga já tinha encaixado outra, mas Horta, o javali, atacou-o tão rapidamente que ele não teve tempo de disparar. Com um tranco, o negro saltou completamente por cima da fera que corria e, virando-se com agilidade incrível, plantou uma segunda flecha nas costas de Horta.

Então, Kulonga saltou em uma árvore próxima.

Horta virou-se para atacar de novo seu inimigo. Deu uma dúzia de passos, depois cambaleou e caiu de lado. Por um momento, seus músculos endureceram e relaxaram convulsivamente, e então ele ficou imóvel.

Kulonga desceu da árvore.

Com uma faca que trazia pendurada em seu corpo, cortou grandes pedaços do corpo do javali e, no centro da trilha, armou uma fogueira, cozinhando e comendo o quanto queria. O resto do corpo de Horta, ele largou onde tinha caído.

Tarzan era um espectador interessado. O desejo de matar queimava feroz em seu peito selvagem, mas o desejo de aprender era ainda maior. Para isso, ele seguiria aquela criatura selvagem por um tempo e descobriria qual era sua origem. Podia matá-lo com calma depois, quando o arco e as flechas mortais fossem deixados de lado.

Quando Kulonga terminou sua refeição e desapareceu atrás de uma curva no caminho, Tarzan desceu para o solo em silêncio. Com sua faca, cortou várias tiras de carne da carcaça de Horta, mas não as cozinhou.

Ele já tinha visto fogo, mas apenas quando Ara, o raio, destruía alguma grande árvore. O fato de qualquer criatura da selva ser capaz de produzir as chamas vermelhas e amarelas, que devoravam madeira e não deixavam nada, exceto cinzas finas, surpreendeu bastante Tarzan.

Ele não conseguia entender por que o guerreiro negro tinha estragado sua deliciosa refeição jogando-a no calor nocivo. Uma hipótese era a de que Ara fosse um amigo com quem o arqueiro estava dividindo sua comida.

De qualquer maneira, Tarzan não arruinaria uma carne tão boa com aquela tolice. Assim, engoliu uma grande quantidade de carne crua e enterrou o restante da carcaça ao lado da trilha, onde conseguisse encontrá-la na volta.

Por fim, lorde Greystoke limpou os dedos gordurosos em suas coxas nuas e retomou seu caminho seguindo o rastro de Kulonga, filho de Mbonga, o rei. Enquanto isso, na distante Londres outro lorde Greystoke, irmão mais jovem do pai do verdadeiro lorde Greystoke, devolvia suas costeletas ao *chef* do clube, porque estavam malpassadas e, ao terminar sua refeição, mergulhou as pontas dos dedos em uma tigela prateada de água de cheiro e as secou em um pedaço de tecido adamascado.

O dia inteiro, Tarzan seguiu Kulonga, pairando, nas árvores, acima dele como algum espírito maligno. Mais de duas vezes, viu suas flechas de destruição serem lançadas: uma vez em Dango, a hiena, e depois em Manu, o mico. Em ambas, o animal morreu quase instantaneamente, pois o veneno de Kulonga era muito fresco e letal.

Tarzan pensou muito sobre esse assombroso método de matar, enquanto se balançava lentamente a uma distância segura atrás de sua presa. Afinal, ele sabia que, sozinha, a minúscula pontada da flecha não podia, tão rapidamente, despachar os seres selvagens da floresta, pois, constantemente eles eram arranhados, furados e feridos de maneira terrível ao lutar com seus vizinhos da selva, porém, quase sempre se recuperavam totalmente.

Não, havia algo misterioso ligado a esses pequenos pedaços de madeira capazes de levar à morte em um mero arranhão. Ele precisava investigar essa questão.

Naquela noite, Kulonga dormiu na bifurcação de uma grande árvore e, bem para cima dele, agachou-se Tarzan dos Macacos.

Quando Kulonga acordou, descobriu que seu arco e suas flechas desapareceram. O guerreiro ficou furioso e assustado, mais assustado do que furioso, na verdade. Dessa maneira, ele iniciou sua busca no chão, abaixo da árvore, e na árvore, acima do chão. Entretanto, não havia pistas nem do arco, nem das flechas, nem do saqueador noturno.

Kulonga ficou em pânico. Ele estava sem a sua lança, que tinha jogado em Kala, mas não tinha recuperado e, agora, seu arco e flechas tinham desaparecido. O guerreiro estava praticamente indefeso, exceto pela faca que carrega consigo. Assim, sua única esperança existia somente se alcançasse a aldeia de Mbonga tão rápido quanto suas pernas o pudessem carregar.

Ele tinha certeza de que não estava longe de casa, então, foi pela trilha a passos largos.

De uma grande massa de folhagem impenetrável, a alguns metros de distância, emergiu Tarzan dos Macacos, balançando-se sem fazer barulho atrás dele.

O arco e as flechas de Kulonga foram presos com segurança no topo de uma árvore gigante da qual um pedaço de casca tinha sido removido por uma faca afiada, perto do chão, além de haver um galho cortado no meio e deixado pendurado a cerca de quinze metros do solo. Assim, Tarzan andava pelas trilhas da floresta e marcava a posição de seus tesouros.

Enquanto Kulonga seguia sua jornada, Tarzan se aproximava dele até estar quase em cima da cabeça do negro. Na mão direita, segurava sua corda enrolada: ele já estava pronto para atacar.

O momento foi postergado apenas porque Tarzan ficou ansioso para desvendar o destino do guerreiro, e logo foi recompensado, pois de repente avistou uma grande clareira na qual havia muitas tocas estranhas.

Tarzan estava literalmente parado galhos acima de Kulonga, quando fez a descoberta. A floresta terminava abruptamente e, para além dela, existiam quase duzentos metros de plantações, entre a selva e a aldeia.

Ele precisava agir rapidamente ou perderia sua presa, porém, o treinamento de sua vida deixava pouco espaço entre decisão e ação diante de uma emergência, que não havia nenhum intervalo para uma sombra de pensamento.

Foi assim que, quando Kulonga emergiu de uma sombra na floresta, uma corda esguia caiu sinuosamente sobre ele, vinda do galho mais baixo de uma enorme árvore exatamente na margem dos campos de Mbonga. Antes que o filho do rei pudesse dar meia-dúzia de passos em direção à clareira, um laço rápido se apertou em volta de seu pescoço.

Tarzan dos Macacos arrastou sua presa tão rápido que o grito de alarme de Kulonga não teve tempo de sair. Com uma mão em cima da outra, Tarzan puxou o negro, que se debatia, até pendurá-lo pelo pescoço no ar. Então, ele escalou um galho maior, arrastando a vítima, que ainda esperneava, para o abrigo verde da árvore.

Ao chegar lá, ele amarrou a corda firmemente em um galho robusto e, em seguida, enfiou sua faca de caça no coração de Kulonga. Então, Kala foi vingada.

Tarzan examinou o negro minuciosamente, pois era a primeira vez que via outro ser humano. A faca com bainha e cinto chamaram a atenção dele, que se apropriou dela. Uma tornozeleira de cobre também o atraiu, e, mais uma vez, ele a transferiu de dono.

Depois, examinou e admirou a tatuagem da testa e do peito. Olhou maravilhado para os dentes lixados afiados. Investigou e se apoderou do adereço de penas da cabeça, e então se preparou para o trabalho, pois ele estava faminto, e ali havia carne da caça, que a ética da selva permitia que comesse.

Como o julgaríamos, baseando-se em quais padrões esse homem-macaco com coração, cabeça e corpo de nobre inglês, mas treinamento de fera selvagem?

Tublat, que ele tinha odiado e que o odiava, ele matou durante uma luta justa, mas nunca sequer pensou em comer a carne dele. Para ele, seria tão revoltante quanto o canibalismo é para nós.

Mas o que era Kulonga, para ele não poder comê-lo de forma tão justa quanto comera Horta, o javali, ou Bara, o veado? Não era simplesmente mais uma das inúmeras coisas selvagens da selva, que caçavam umas às outras, para satisfazer às vontades da fome?

De repente, uma dúvida estranha paralisou sua mão. Os livros não o tinham ensinado que ele era um homem? Do mesmo modo, o Arqueiro também não era um homem?

Homens não ingeriam homens? Bem, essa resposta, ele não sabia. Por que, então, tal hesitação? Mais uma vez, tentou, mas uma onda de náusea o tomou. Ele não compreendia aquele fenômeno.

A única coisa que sabia era que não podia comer a carne daquele homem negro e, assim, o instinto hereditário de eras usurpou as funções de sua mente indouta e o impediu de transgredir uma lei mundial, cuja própria existência ele desconhecia.

Rapidamente, desceu o corpo de Kalunga ao chão, removeu a corda de seu pescoço e subiu de volta às árvores.

O FANTASMA DO MEDO

Do alto de árvore, Tarzan observou a aldeia de barracas de sapê através da plantação que os separava.

Viu que, em um determinado ponto, a floresta tocava na aldeia, e foi para lá que ele se encaminhou, ao ser atraído por uma febre de curiosidade de admirar animais da própria espécie e de aprender mais sobre seus costumes e as tocas estranhas em que moravam.

Sua vida selvagem, entre os animais irracionais ferozes da selva, não deixava abertura para qualquer pensamento de que eles pudessem ser algo diferente de inimigos. A similaridade de forma não o induzia a uma concepção errônea de que seria bem recebido, caso descoberto por eles, os primeiros de sua espécie que já viu.

Tarzan dos Macacos não era um sentimentalista, também não sabia nada sobre a irmandade dos homens. Todos fora de sua tribo eram seus inimigos mortais, com poucas exceções das quais Tantor, o elefante, era um bom exemplo.

E ele percebeu tudo isso sem malícia nem ódio. Matar era a lei do mundo selvagem que conhecia. Poucos eram seus prazeres primitivos, mas o maior deles era caçar e matar. Então, ele permitia aos outros o direito de cultivar os mesmos desejos, embora ele próprio pudesse ser o objeto da caça.

Sua estranha vida não o deixou nem moroso, nem sedento de sangue. O fato de gostar de matar e fazê-lo com uma risada alegre nos belos lábios não indicava nenhuma crueldade inata. Na maioria dos casos, era para comer, mas, sendo homem, às vezes o fazia por prazer. Afinal, cabe apenas aos homens, entre todas as criaturas, matar sem motivo e de forma vã, pelo mero prazer de infligir sofrimento e morte.

Quando ele matava por vingança ou autodefesa, também o fazia sem histeria, pois era um procedimento bastante burocrático que não admitia leviandade.

Era por causa disso que agora, conforme cuidadosamente se aproximava da aldeia de Mbonga, ele estava preparado para matar ou morrer se fosse descoberto. Prosseguiu com uma discrição incomum, pois Kulonga lhe tinha ensinado a respeitar as pequenas pontas de madeira afiadas das flechas, que levavam à morte de forma tão ágil e certeira.

Por fim, chegou a uma grande árvore pesada de uma folhagem densa e carregada de laços pendentes de enormes trepadeiras. Nesse mirante quase impenetrável, acima da aldeia, ele se agachou, olhando para a cena abaixo dele, maravilhado com cada característica dessa vida nova e estranha.

Havia crianças nuas correndo e brincando pela aldeia. Também havia mulheres amassando bananas-da-terra em pilões de pedra rudimentares, enquanto outras criavam bolos com farinha peneirada. Nos campos, ele conseguia avistar ainda outras mulheres capinando, arrancando ervas-daninhas e colhendo.

Todas vestiam estranhos cintos feitos de grama seca ao redor dos quadris e muitas penduravam tornozeleiras, pulseiras e braceletes de latão e cobre pelo corpo. Vários pescoços morenos curiosamente seguravam fios enrolados de ferro, em seu entorno, enquanto alguns rostos se enfeitavam com anéis enormes no nariz.

Tarzan dos Macacos olhou cada vez mais maravilhado para aquelas estranhas criaturas. Cochilando na sombra, ele viu diversos homens daquele grupo, enquanto, nas extremidades da clareira, ocasionalmente via um relance de soldados armados aparentemente guardando a aldeia contra a surpresa de um ataque inimigo.

Além desses aspectos, também notou que as mulheres trabalhavam sozinhas. Em lugar algum, havia evidência de um homem cuidando dos campos ou fazendo qualquer uma das tarefas domésticas na aldeia.

Finalmente, seus olhos caíram sobre uma mulher diretamente abaixo dele.

Diante dela, havia um pequeno caldeirão acomodado em cima de um fogo brando, e nele borbulhava uma massa de piche grosso e avermelhado. Em um dos lados dela, estava uma quantidade das flechas de madeira, cujas pontas ela mergulhava na substância fervilhante e depois descansava em um apoio estreito de ramos, que estava do outro lado.

Tarzan dos Macacos ficou fascinado. Ali estava o segredo da terrível destruição dos minúsculos mísseis do arqueiro. Ele notou o extremo cuidado com o qual a mulher manuseava o líquido, para que nada da substância tocasse em suas mãos. Contudo, quando uma partícula espirrou em um de seus dedos, ele a viu colocar a mão em uma vasilha de água e rapidamente esfregar a minúscula mancha com um punhado de folhas.

Ele não sabia nada sobre veneno, mas seu raciocínio astuto lhe disse que aquela mistura era letal, e não a pequena flecha, cuja função implicava apenas transportar o veneno até o corpo da vítima.

Como ele gostaria de ter mais daquelas hastes fatais! Se a mulher deixasse seu trabalho por um instante, seria possível descer, agarrar um punhado e retornar à árvore, antes de ela inspirar três vezes.

Enquanto ele tentava pensar em um plano para distrair a atenção dela, ouviu um grito desesperado do outro lado da clareira. Ao olhar, notou que havia um guerreiro negro parado sob a árvore, em que ele tinha matado o assassino de Kala uma hora antes.

O camarada gritava e balançava uma lança acima da cabeça. De vez em quando, apontava para algo no chão e à sua frente.

A aldeia instantaneamente se alvoroçou. Homens armados saíram às pressas do interior de várias barracas e rapidamente atravessam a clareira na direção do sentinela exaltado. Atrás deles, vinham os velhos, as mulheres e as crianças, até, em um momento, a aldeia estar deserta.

Tarzan dos Macacos sabia que eles tinham encontrado o corpo de sua vítima, mas isso o interessava muito menos do que o fato de que ninguém tinha permanecido na aldeia para impedi-lo de levar uma provisão das flechas logo abaixo dele.

Ágil e silenciosamente, ele desceu até o chão, ao lado do caldeirão de veneno. Por um momento, ficou imóvel, enquanto seus olhos rápidos e brilhantes examinavam o interior da paliçada.

Não havia ninguém à vista. Então, ele avistou a porta aberta de uma barraca próxima. Tarzan pensou em olhar o interior da habitação e, cuidadosamente, aproximou-se da construção baixa de sapê.

Por um momento, permaneceu do lado de fora, ouvindo atentamente. Como não havia som, ele deslizou para a semiescuridão do interior.

Armas estavam penduradas nas paredes, longas lanças, facas de formatos estranhos e alguns escudos estreitos. No centro da sala, havia uma panela e, no outro extremo, uma liteira de folhas secas coberta por colchões trançados, que, evidentemente, serviam aos proprietários como cama e coberta. Vários crânios humanos encontravam-se pelo chão.

Tarzan dos Macacos tateou cada um dos artigos, levantou as lanças, cheirou-as, pois "via" muito por meio de suas narinas sensíveis e altamente treinadas. Decidiu tomar posse de uma daquelas longas e pontudas lanças, mas não podia levar naquela viagem por causa das flechas que pretendia carregar.

Ao tirar cada um dos itens das paredes, ele o colocava em uma pilha no centro da sala. Em cima de tudo, pôs a panela, de cabeça para baixo, e, no topo dela, um dos crânios sorridentes, em cima do qual amarrou o enfeite de cabeça do falecido Kulonga.

Então, afastou-se, admirando seu trabalho e sorriu. Tarzan dos Macacos adorava uma piada.

No entanto, agora, ele ouvia, do lado de fora, o som de muitas vozes, longos uivos enlutados e lamentos potentes. Tarzan se assustou. Teria ficado por lá durante tempo demais? Rapidamente, alcançou a porta e mirou o olhar na direção do portão da aldeia.

Os nativos ainda não estavam à vista, embora ele pudesse ouvi-los claramente se aproximando pela plantação. Deviam estar muito perto.

Como um raio, ele correu pela porta até a pilha de flechas. Juntou tudo o que podia carregar embaixo de um braço, virou o caldeirão com um chute e desapareceu na folhagem acima, no momento em que o primeiro dos nativos que voltavam atravessou o portão na extremidade da aldeia. Então, voltou a observar os nativos, pousado como uma ave selvagem, pronta para decolar rapidamente ao primeiro sinal de perigo.

Os nativos estavam por todos os lugares da aldeia, quatro deles carregando o cadáver de Kulonga. Logo atrás, vinham as mulheres, urrando estranhos gritos e lamentos esquisitos. O grupo seguiu até os portais da barraca de Kulonga, aquela mesma que Tarzan tinha depredado.

Mal meia dúzia de pessoas entrou na construção, já saíram correndo em uma algazarra. Os outros se reuniram com pressa. Exaltados, gesticulavam bastante, e apontavam e debatiam sobre aquela situação. Então, vários dos guerreiros se aproximaram e espiaram dentro da choupana.

Finalmente, um velho senhor, com muitos ornamentos de metal nos braços e nas pernas, e um colar de mãos humanas pendurado no peito, entrou na barraca.

Era Mbonga, o rei, pai de Kulonga.

Por alguns momentos, tudo ficou em silêncio. Depois, Mbonga emergiu com um olhar de ira confusa e medo supersticioso em seu semblante horrendo. Falou algumas palavras aos guerreiros reunidos e, em um instante, os homens se espalhavam pela pequena aldeia, revistando minuciosamente cada barraca e canto dentro das paliçadas.

Mal a busca tinha começado e o caldeirão virado foi descoberto; além disso, também se percebeu o roubo das flechas envenenadas. Nada mais foi achado, e um grupo de selvagens, completamente assustado e chocado, rodeou, momentos depois, seu rei.

Mbonga não conseguia explicar nenhum daqueles estranhos acontecimentos. A descoberta do corpo de Kulonga, ainda quente, na beira de seus próprios campos e ao alcance da escuta da aldeia, esfaqueado e despido às portas da casa de seu pai, era por si só suficientemente misteriosa. Entretanto, aquelas últimas descobertas impressionantes dentro da aldeia, dentro da cabana do próprio falecido Kulonga, encheram o coração deles de consternação e conjuraram em seus pobres cérebros as explicações mais assustadoras ou supersticiosas.

Eles se dividiram em pequenos grupos, comunicando-se em voz baixa e lançando olhares nervosos para trás, com seus grandes olhos, a todo o momento.

Tarzan dos Macacos os observou por um tempo empoleirado em seu posto na grande árvore. Havia muitos traços no comportamento daquele povo que ele não conseguia entender, pois ignorava a superstição e tinha somente uma vaga concepção de qualquer tipo de medo.

O sol brilhava alto no céu. Tarzan não tinha quebrado seu jejum naquele dia, e estava a muitos quilômetros dos apetitosos restos de Horta, o javali.

Então, virou as costas para a aldeia de Mbonga e desapareceu na solidez frondosa da floresta.

"REI DOS MACACOS"

Ainda não estava escuro quando ele alcançou sua tribo, embora tivesse parado para exumar e devorar os restos do javali selvagem, que tinha escondido no dia anterior, e novamente para pegar o arco e as flechas de Kulonga do topo de árvore em que os tinha escondido.

Tarzan desceu cansado dos galhos em meio à tribo de Kerchak. Com o peito inchado, narrou suas gloriosas aventuras e exibiu os espólios da conquista.

Kerchak grunhiu e se afastou, pois sentia inveja daquele estranho membro de seu bando. Em seu pequeno cérebro mau, ele buscava alguma desculpa para punir Tarzan com seu ódio.

No dia seguinte, Tarzan praticava com seu arco e flecha, no primeiro raiar do dia. No início, errou quase todos os disparos, mas, no fim, aprendeu a guiar as pequenas hastes com alguma precisão. Assim, antes de um mês, tinha uma bela pontaria, em contrapartida, sua proficiência custou-lhe quase toda o seu armazém de flechas.

Sua tribo continuava a caçar na floresta em torno da praia. Sendo assim, Tarzan dos Macacos podia variar entre a prática de artilharia e a investigação do estoque seleto, embora pequeno, de livros do seu pai.

Foi durante esse período que o jovem lorde inglês descobriu, escondida nos fundos de um dos armários da cabana, uma pequena caixa de metal. A chave estava pendurada na fechadura, e alguns momentos de investigação e experimentação foram recompensados com a abertura bem-sucedida do receptáculo.

Dentro da caixa, encontrou uma fotografia desbotada de um jovem de pele macia, um medalhão cravejado de diamantes pendurado em uma pequena corrente de ouro, algumas cartas e um pequeno livro.

Tarzan examinou os objetos atentamente.

Ele gostou principalmente da fotografia, pois os olhos sorriam e a fisionomia era aberta e franca. Era seu pai.

O medalhão também chamou a atenção de Tarzan. Então, ele pendurou a corrente em torno de seu pescoço imitando a ornamentação tão comum entre os homens negros que tinha visitado. As pedras brilhantes reluziram estranhamente contra sua pele macia e morena.

As cartas, ele mal conseguia decifrar, pois tinha aprendido pouco ou quase nada de letra cursiva. Então, colocou-as de volta na caixa com a fotografia, e desviou sua atenção para o livro, que estava quase inteiramente preenchido com uma linda caligrafia. No entanto, embora os pequenos insetos fossem todos familiares a ele, a disposição e as combinações em que ocorriam eram estranhas e inteiramente incompreensíveis.

Tarzan, há muito tempo, tinha aprendido a usar o dicionário, no entanto, para sua tristeza e perplexidade, ele se provou inútil naquela emergência. Ele não conseguia achar nenhuma palavra escrita naquele livro, então, devolveu-o à caixa de metal, mas com a determinação de descobrir seus mistérios em outro momento.

Contudo, o que Tarzan não fazia ideia era de que, nas páginas daquele livro, estava guardada a chave de sua origem: a resposta ao estranho enigma de sua vida singular. Era o diário de John Clayton, lorde Greystoke, escrito em francês, como era seu hábito.

Tarzan guardou a caixa de volta no armário, mas, a partir daquele dia, carregou os traços do rosto forte e sorridente de seu pai no coração, e na cabeça uma fixação de resolver o mistério das palavras estranhas no livrinho preto.

No momento, ele tinha coisas mais importantes para resolver, pois sua provisão de flechas tinha acabado e precisava fazer a jornada de volta à aldeia dos homens negros e renová-la.

No início da manhã seguinte, ele se deslocou apressado em seu caminho e, viajando rápido, chegou antes do meio-dia à clareira. Mais uma vez, assumiu sua posição na grande árvore e, como antes, viu as mulheres, nos campos da aldeia, e o caldeirão de veneno borbulhante, bem abaixo de si.

Por horas, ficou esperando por uma oportunidade de descer sem ser visto e reunir as flechas pelas quais tinha vindo. No entanto, naquele momento, não acontecia nada que afastasse os aldeões de suas casas. O dia seguiu e Tarzan dos Macacos continuava agachado acima da mulher desavisada e de seu caldeirão.

Em seguida, as trabalhadoras do campo voltaram. Os caçadores emergiram da floresta e, quando todos estavam dentro da paliçada, os portões foram fechados e barrados.

Agora, muitas panelas eram vistas pela aldeia. Diante de cada barraca, uma mulher presidia um ensopado fervilhante, enquanto pequenos bolinhos de banana-da-terra e pudins de mandioca repousavam nas mãos de todos.

De repente, houve um chamado à beira da clareira.

Tarzan espiou.

Era um grupo de caçadores atrasados voltando do Norte, trazendo entre si, um animal que se contorcia em sofrimento.

Ao se aproximarem da aldeia, os portões foram abertos para acolhê-los e, enquanto as pessoas observavam a vítima da caçada, um grito selvagem subiu aos céus, pois a presa era um homem.

Enquanto ele era arrastado pela aldeia, tentando resistir ao seu destino, as mulheres e as crianças o atacaram com paus e pedras, e Tarzan dos Macacos, jovem fera da selva, impressionou-se com a cruel brutalidade de sua espécie.

Entre todos os povos da selva, somente Sheeta, o leopardo, torturava suas presas. A ética de todos os outros orientava que a morte deveria ser rápida e piedosa com suas vítimas.

Tarzan tinha aprendido em seus livros apenas fragmentos escassos dos hábitos dos seres humanos.

Quando seguia Kulonga pela floresta, ele esperava chegar a uma cidade de estranhas casas sobre rodas, nuvens de fumaça soprando de uma enorme árvore presa no telhado de uma delas. Ou, talvez, um mar coberto por enormes prédios flutuantes que se chamavam diversamente navios, barcos, vapores e embarcações, conforme ele tinha aprendido.

Tinha ficado amargamente decepcionado com a pobre aldeia, escondida em sua selva e sem uma única casa tão grande quanto sua própria cabana na praia.

Viu que aquelas pessoas eram mais maldosas que os macacos de sua tribo e tão selvagens e cruéis quanto a própria Sabor. Tarzan começou a ter desprezo pela própria espécie.

Agora, eles tinham amarrado a pobre vítima a um grande poste, perto do centro da aldeia, bem em frente à barraca de Mbonga. Ali, formaram um círculo, dançando e gritando em torno dela, animados com facas brilhantes e arpões ameaçadores.

Em um círculo maior, estavam agachadas as mulheres, bradando e batendo tambores. Tarzan lembrou-se do *Dum-Dum*, portanto, ele sabia o que esperar daquele ritual. Ele se perguntou se eles pulariam sobre sua caça enquanto ela ainda estava viva. Os macacos não faziam nada do tipo.

O círculo de guerreiros em torno do prisioneiro servil se fechava cada vez mais em torno da presa, deslocando-se em uma dança de entrega ensandecida e selvagem à música ensurdecedora dos tambores. Logo, uma lança foi disparada e furou a vítima. Foi o sinal para o disparo das outras cinquenta.

Olhos, orelhas, braços e pernas foram furados: cada centímetro de seu corpo se contorcia, pois não houve um órgão vital que não tivesse virado alvo dos lanceiros cruéis.

As mulheres e crianças gritavam em euforia.

Os guerreiros lambiam seus lábios horrendos, antecipando-se ao banquete que viria, e disputavam entre si a selvageria e a repugnância por causa das indignidades cruéis pelas quais torturavam o prisioneiro ainda consciente.

Foi aí que Tarzan dos Macacos viu sua chance. Todos os olhos prestavam atenção no empolgante espetáculo na estaca. A luz do dia tinha dado lugar à escuridão de uma noite sem luar, e apenas as fogueiras na vizinhança imediata da orgia foram mantidas acesas para jogar um brilho inquieto sobre a cena agitada.

Suavemente, o jovem ágil caiu em uma terra macia na extremidade da aldeia. Rapidamente, ele reuniu as flechas. Desta vez, levou todas, pois carregava uma grande quantidade de longas fibras para amarrá-las em uma trouxa.

Sem pressa, ele as amarrou com segurança e, então, antes de se virar para ir embora, o demônio do capricho tomou conta de seu coração. Assim, ele olhou ao redor em busca de uma maneira de pregar uma peça nas criaturas estranhas e grotescas, para que pudessem novamente ficar cientes de sua presença entre elas.

Jogando sua trouxa de flechas ao pé da árvore, Tarzan arrastou-se entre as sombras até chegar à mesma barraca onde tinha entrado durante a primeira visita.

Lá dentro, tudo estava escuro, mas suas mãos tatearam o local e encontraram o objeto que ele buscava e, sem mais demora, retornou à porta.

Andou um único passo, porém, e logo seus ouvidos captaram o som de passos se aproximando imediatamente do lado de fora. Em mais um instante, a figura de uma mulher escureceu a entrada da barraca.

Tarzan se retirou em silêncio para a parede oposta e sua mão encontrou a longa e afiada faca de caça de seu pai. A mulher rapidamente foi até o centro da sala, pausou por um instante, apalpando os objetos em busca do que queria. Evidentemente, não estava no lugar de sempre, pois ela explorou o espaço cada vez mais perto da parede em que Tarzan estava.

Agora, ela estava tão perto que o homem-macaco sentiu o calor animal de seu corpo nu. A faca de caça foi erguida, e então a mulher virou-se para o lado e logo um "ah" gutural soou de sua garganta, que anunciava o fim bem-sucedido de sua busca.

Imediatamente, ela se virou e saiu da barraca e, ao passar pela porta, Tarzan viu que a mulher carregava, nas mãos, uma panela.

Ele a seguiu de perto e, enquanto explorava as sombras da porta, viu que todas as mulheres da aldeia iam e vinham às pressas, das várias barracas, com potes e panelas. Elas estavam enchendo os recipientes com água e colocando-os em cima de várias fogueiras, perto da estaca onde estava agora pendurada a vítima moribunda: uma massa inerte e sangrenta de sofrimento.

Então, Tarzan escolheu um momento em que ninguém parecia estar perto, e se apressou até sua trouxa de flechas sob a grande árvore, na ponta da aldeia. Como na ocasião anterior, ele derrubou o caldeirão antes de saltar, sinuoso e felino, para os galhos mais altos do gigante da floresta.

Silenciosamente, escalou bastante até achar um ponto em que pudesse olhar para a cena lá embaixo em uma abertura de folhas.

As mulheres agora estavam preparando o prisioneiro para cozinhar em suas panelas, enquanto os homens descansavam, após a fadiga da festa. Um relativo silêncio reinava na aldeia.

Tarzan levantou o objeto surrupiado da barraca e, com a pontaria aguçada por anos jogando frutas e cocos, arremessou-a em direção ao grupo de selvagens. O objeto caiu bem no meio deles, e atingiu um dos guerreiros bem na cabeça, derrubando-o no chão. Em seguida, rolou entre as mulheres e parou ao lado do corpo massacrado que estavam preparando para o banquete.

Todos se entreolharam consternados por um instante e, em decisão unânime, espalharam-se correndo para suas barracas.

Era um crânio humano sorridente que olhava para eles do chão. A sua queda vinda do céu comunicava um milagre, um fenômeno que, com certeza, atiçaria os medos supersticiosos da aldeia.

Assim, Tarzan dos Macacos os deixou cheios de terror com essa nova manifestação da presença de algum poder malévolo escondido e sobrenatural, que espreitava na floresta ao redor da aldeia.

Depois, quando descobriram o caldeirão virado, e que mais uma vez as flechas tinham sido saqueadas, começaram a perceber que, certamente, ofenderam algum grande deus colocando sua aldeia naquela parte da selva sem oferendas a ele. Dali em diante, uma oferta de comida era colocada todos os dias sob a grande árvore de onde as flechas tinham desaparecido, em um esforço para conciliar-se com o todo-poderoso.

Mas a semente do medo foi plantada e, embora não soubesse, Tarzan dos Macacos edificou as bases de um futuro com muito sofrimento para si e sua tribo.

Naquela noite, ele dormiu na floresta não muito distante da aldeia e, no início da manhã seguinte, caminhou em marcha lenta para casa, caçando durante a viagem. No entanto, somente algumas frutas vermelhas e a ocasional minhoca recompensaram sua busca. Ele estava quase faminto quando, levantando os olhos a partir de um tronco em que fuçava, viu Sabor, a leoa, parada no centro da trilha a menos de vinte passos dele.

Seus grandes olhos amarelados se fixaram nela com um brilho malévolo e sinistro, e a língua avermelhada lambeu os lábios sedentos, ao mesmo tempo em que se agachava, Sabor foi se aproximando discretamente com a barriga achatada contra a terra.

Tarzan não tentou escapar. Ele recebeu com boas-vindas a oportunidade que, aliás, esperava há dias, visto que, agora, estava armado com mais do que uma corda de folhas.

Rapidamente, ele tirou seu arco e encaixou uma flecha bem coberta de veneno na arma e, quando Sabor pulou, o minúsculo míssil saltou para encontrá-la no ar. No mesmo instante, Tarzan dos Macacos pulou para o lado e, quando a grande felina caiu no chão atrás dele, outra flecha mortífera se afundou no lombo de Sabor.

Com um poderoso rugido, a fera se virou e atacou novamente, mas foi recebida por uma terceira flecha bem no olho. Desta vez, porém, ela ficou perto demais do homem-macaco, o que impediu de desviar do corpo que o atacava.

Tarzan dos Macacos estava preso embaixo do corpo robusto de seu inimigo, entretanto, com a faca brilhante empunhada, atingiu seu alvo. Por um momento, ambos ficaram paralisados ali, até Tarzan perceber que a massa inerte caída em cima dele não tinha mais o poder de machucar homem ou macaco de novo.

Com dificuldade, ele saiu debaixo do pesado animal e, ao colocar-se ereto e olhar para o troféu de sua habilidade, uma poderosa onda de exultação o tomou.

Com o peito inchado, colocou um pé sobre o corpo de seu poderoso inimigo e, jogando sua bela e jovem cabeça para trás, soltou o rugido do desafio temível do macaco macho vitorioso.

A floresta ecoou com o hino selvagem e triunfante. Pássaros ficaram imóveis e os predadores maiores se esquivaram furtivamente, pois poucos na selva buscavam problemas com os grandes antropoides.

Enquanto isso, em Londres, outro lorde Greystoke falava com sua própria espécie na Câmara dos Lordes, contudo ninguém tremeu ao som de sua voz suave.

Sabor se provou uma comida intragável até para Tarzan dos Macacos, mas a fome servia como um disfarce dos mais eficazes para a carne dura e o gosto ruim. Assim, em breve, com o estômago bem cheio, o homem-macaco estaria pronto para dormir de novo. Primeiro, porém, era necessário remover a pele do animal, pois tanto por isso quanto por qualquer outro motivo, ele desejava destruir Sabor.

Com habilidade, removeu o grande couro, habilidade adquirida pela frequência dessa prática em animais menores. Quando a tarefa terminou, ele carregou seu troféu para a bifurcação de uma árvore alta e, ali, enrolado seguramente, caiu em um sono profundo e sem sonhos.

O resultado de noites quase sem dormir, somado ao exercício árduo e a uma barriga cheia, fez Tarzan dos Macacos descansar até o dia seguinte depois de o sol nascer, e acordar em torno do meio-dia. Assim, foi direto à carcaça de Sabor, mas ficou irritado, pois ao chegar se deparou com os ossos do animal limpos por outros habitantes famintos da selva.

Meia hora de um progresso tranquilo pela floresta trouxe à vista um jovem veado e, antes que a pequena criatura soubesse que havia um inimigo próximo, uma flecha tinha se alojado em seu pescoço.

O vírus trabalhou com tanta rapidez que, no fim de uma dezena de saltos, o veado mergulhou de cabeça no chão, morto. Mais uma vez, Tarzan comeu bem, porém não cochilou como antes.

Em vez disso, continuou correndo até onde tinha deixado a tribo e, ao encontrá-la, exibiu orgulhosamente a pele de Sabor, a leoa.

– Vejam! – gritou. – Macacos de Kerchak. Vejam o que Tarzan, o poderoso matador, fez. Quem entre vocês já matou alguém do povo de Numa? Tarzan é o maior entre vocês, pois Tarzan não é um macaco. Tarzan é... – mas aqui, ele parou, porque, na língua dos antropoides, não havia uma palavra equivalente a homem, e Tarzan somente conseguia escrever a palavra em inglês, no entanto não sabia pronunciá-la.

A tribo se reuniu para olhar a prova de sua façanha incrível e ouvir suas palavras.

Apenas Kerchak ficou para trás, curtindo seu ódio e sua raiva.

De repente, algo estalou no pequeno cérebro malévolo do antropoide. Com um rugido assustador, a grande fera saltou no meio do grupo.

Mordendo e atacando com suas enormes mãos, ele matou e aleijou uma dúzia antes de o resto conseguir escapar para os terraços mais altos da floresta.

Espumando e berrando na insanidade de sua fúria, Kerchak buscou o objeto de seu maior ódio e, ali, em cima de um galho próximo, avistou-o sentado.

– Venha, Tarzan, grande matador – gritou Kerchak. – Desça e sinta as presas de um maior! Ou grandes lutadores fogem para as árvores à primeira aproximação do perigo? – e emitiu o desafio tenebroso de sua espécie.

Silenciosamente, Tarzan saltou para o chão. Sem respirar, a tribo observou do alto de poleiros, enquanto Kerchak, ainda rugindo, atacava a figura quase insignificante.

Kerchak, com suas pernas curtas, media mais de dois metros. Os ombros gigantes eram duros, redondos e muito musculosos. A nuca curta era um único monte de um tendão de aço inchado na base de seu crânio, de modo que sua cabeça parecia uma pequena bola protuberante em uma enorme montanha de carne.

Os lábios grossos que rosnavam expunham seus caninos enormes e ameaçadores, e os pequenos olhos embotados e maldosos brilhavam em um reflexo horrível de sua loucura.

Esperando-o, estava Tarzan, também musculoso e poderoso, entretanto seu um metro e oitenta de altura e seus grandes tendões ondulantes pareciam pateticamente inadequados à provação que o aguardava.

Seu arco e suas flechas estavam a alguma distância, onde ele os colocou antes de mostrar a pele de Sabor a seus companheiros macacos. Por causa disso, ele agora confrontava Kerchak apenas com sua faca de caça e seu intelecto superior para contrabalançar a força feroz de seu inimigo.

No momento em que seu antagonista veio rugindo em sua direção, lorde Greystoke desembainhou sua faca e, com um desafio de resposta tão terrível e horripilante quanto o da fera que enfrentava, correu ligeiramente para enfrentar o ataque. Tarzan era astuto demais para permitir que aqueles braços compridos e peludos o rodeassem e, quando seus corpos estavam prestes a se chocar, ele agarrou um dos enormes punhos de seu agressor e, saltando com leveza para um lado, enfiou a faca até o cabo no corpo de Kerchak, logo abaixo do coração.

Antes de conseguir liberar de novo a lâmina, o pulo rápido do macho, para agarrá-lo com os braços horrendos, fez a arma de Tarzan cair de suas mãos.

Kerchak tentou desferir um golpe terrível com a palma da mão na cabeça do homem-macaco, que, se o tivesse atingido, podia facilmente esmagar a lateral do crânio de Tarzan.

O homem era rápido demais e, abaixando-se, ele golpeou com força e punho fechado no estômago de Kerchak.

O macaco ficou desconcertado e, por causa da ferida mortal no lado do corpo, quase caiu quando, em um poderoso esforço, se recuperou por um instante, só o suficiente para poder soltar seu braço das mãos de Tarzan e entrar em um terrível corpo a corpo com o magro oponente.

Kerchak agarrava o homem-macaco contra si, e suas grandes mandíbulas buscavam a garganta do jovem, porém os dedos fortes de Tarzan já seguravam o pescoço de Kerchak, antes que os cruéis caninos da fera pudessem se fechar sobre sua pele morena lustrosa.

Assim, os dois lutaram, um para acabar com a vida de seu oponente, por meio das tenebrosas presas, e o outro para fechar definitivamente a traqueia em um aperto forte, enquanto mantinha a boca furiosa longe de si.

A força superior do macaco estava lentamente prevalecendo, e os dentes da fera, que se esforçava, chegavam a poucos centímetros da garganta de Tarzan quando, com um tremor, o grande corpo ficou rijo por um instante e, então, caiu frouxo no chão.

Kerchak estava morto.

Retirando a faca que tantas vezes o tornou superior a músculos muito mais fortes que os seus, Tarzan dos Macacos colocou o pé no pescoço de seu inimigo derrotado e, mais uma vez, fez soar alto pela floresta o grito feroz e selvagem do conquistador.

Foi assim que o jovem lorde Greystoke tornou-se o rei dos macacos.

A RAZÃO DO HOMEM

Havia um macaco na tribo de Tarzan que questionava sua autoridade: Terkoz, o filho de Tublat. Entretanto, ele tinha tanto medo da faca afiada e das flechas envenenadas de seu novo lorde que restringia a manifestação de suas objeções a desobediências bobas e manias irritantes. Tarzan sabia, porém, que ele estava somente esperando a oportunidade de arrancar dele o reinado em algum ataque repentino de traição. Portanto, mantinha-se sempre de guarda contra a surpresa.

Por meses, a vida do pequeno bando continuou como antes, exceto pelo fato de que a inteligência superior de Tarzan e sua habilidade como caçador eram meios para provê-los com mais abundância do que nunca. A maioria, portanto, ficou mais do que contente com a mudança de governante.

Tarzan os levava à noite aos campos dos homens negros e lá, alertados pela sabedoria superior do chefe, eles comiam apenas o que precisavam e nunca destruíam o que não podiam comer, diferentemente do hábito de Manu, o mico, e da maioria das outras raças de macacos.

Assim, embora os negros estivessem indignados com a contínua pilhagem de seus campos, não ficavam desencorajados em seus esforços de cultivar a terra, como teria sido, caso Tarzan permitisse que seu povo destruísse a plantação deliberadamente.

Durante esse período, o jovem fez diversas visitas noturnas à aldeia, onde frequentemente renovava sua provisão de flechas. Logo, notou a comida sempre ao pé da árvore que dava acesso à paliçada e, depois de um tempo, começou a comer o que os negros colocassem ali.

Quando os apavorados selvagens viram que a comida desaparecia à noite, encheram-se de consternação e terror, pois uma coisa era colocar comida para aplacar um deus ou demônio, outra bem diferente era o espírito realmente ir à aldeia comê-la. Algo assim era inédito e nublou suas mentes supersticiosas com todo tipo de medo vago.

E esse não era o único mistério. Também o desaparecimento periódico de suas flechas e as estranhas peças pregadas, por mãos nunca vistas, os levaram a tal estado que a vida em seu novo lar se tornou um verdadeiro peso. Agora, Mbonga e seus homens começavam a falar em abandonar a aldeia e encontrar um local mais afastado na floresta.

Logo, os guerreiros negros começaram a explorar o coração da floresta cada vez mais ao Sul, quando iam caçar, em busca de um espaço para uma nova aldeia.

A tribo de Tarzan começou a ser perturbada com mais frequência por aqueles caçadores vagantes. Agora, a silenciosa e imponente solidão da floresta primitiva era quebrada por novos e estranhos sons. Já não havia mais segurança para ave ou fera. O homem havia chegado.

Outros animais subiam e desciam a selva dia e noite (bestas cruéis, ferozes), mas seus vizinhos mais fracos se afastavam até o perigo passar e poderem retornar.

Com o homem ali, tudo era diferente. Quando ele vinha, muitos dos animais maiores instintivamente saíam totalmente do distrito, para raramente ou nunca mais voltar e assim sempre aconteceu com os grandes antropoides. Eles fogem do homem da mesma maneira como o homem foge da peste.

Por um curto tempo, a tribo de Tarzan permaneceu nos arredores da praia, pois seu novo chefe detestava a ideia de abandonar para sempre os conteúdos estimados da pequena cabana. Contudo, quando certo dia um membro da tribo descobriu inúmeros negros às margens de um pequeno riacho, que era o bebedouro deles há gerações, os macacos não puderam mais ficar por lá. Os homens estavam ocupados em limpar um espaço na selva e construir diversas barracas. Assim, Tarzan teve de os liderar terra adentro por muitas marchas, até um local ainda incontaminado pelos pés de um ser humano.

Uma vez a cada lua cheia, Tarzan voltava se balançando rapidamente pelos galhos para passar um dia com seus livros e reabastecer sua provisão de flechas. Essa última tarefa estava ficando cada vez mais difícil, pois os negros começaram a esconder seu estoque em celeiros e tendas durante a noite.

Isso exigia de Tarzan uma observação no decorrer do dia, para descobrir onde as flechas seriam guardadas.

Duas vezes, ele entrou em barracas à noite, enquanto os habitantes dormiam em seus colchões e roubou as flechas bem do lado dos guerreiros. Entretanto, percebeu que esse método era perigoso demais, então, passou a pegar caçadores solitários com seu laço longo e mortal, e a arrancar suas armas e ornamentos. Depois, jogava os corpos de uma árvore alta na aldeia durante a vigilância da noite.

Essas várias escapadas de novo aterrorizaram tanto os negros que, se não fosse pela trégua mensal entre as visitas de Tarzan, nas quais tinham a oportunidade de renovar a esperança de que cada nova incursão seria a última, teriam logo abandonado sua nova vila.

Os negros ainda não tinham encontrado a cabana de Tarzan na praia, mas o homem-macaco vivia no terror constante de que, enquanto estava longe com a tribo, eles descobririam e despojariam seu tesouro. Foi assim que começou a passar mais e mais tempo nos arredores da última casa de seu pai, e muito menos com a tribo. Logo, os membros de sua pequena comunidade começaram a sofrer com sua negligência, pois disputas e rixas surgiam constantemente, e somente o rei podia resolvê-las pacificamente.

Por fim, alguns dos macacos mais velhos falaram com Tarzan sobre o assunto e, por um mês depois disso, ele permaneceu constantemente com a tribo.

Os deveres de um rei entre os antropoides não são muitos tampouco são árduos.

À tarde, vem Thaka, possivelmente para reclamar que o velho Mungo roubou sua nova esposa. Então, Tarzan deve convocar todos e, se achar que a esposa prefere seu novo senhor, ordena que as coisas fiquem como estão ou talvez que Mungo dê uma de suas filhas para Thaka em troca.

Qualquer que seja sua decisão, os macacos vão aceitar como final e voltar satisfeitos às suas ocupações.

Em seguida, vem Tana, gritando e segurando um dos lados do corpo, de onde está correndo sangue. Gunto, seu marido, a mordeu cruelmente! Ele, ao ser convocado, diz que Tana é preguiçosa e não lhe leva nozes e besouros nem coça as costas dele.

Então, Tarzan repreende os dois e ameaça Gunto com uma das flechas da morte caso ele volte a agredir Tana, e ela, por sua vez, é compelida a prometer dar mais atenção a seus deveres maritais.

E assim por diante, pequenas diferenças familiares na maior parte, que, se não resolvidas, resultariam em uma grande disputa de facções e, por fim, no desmembramento da tribo.

No entanto, Tarzan se cansou disso, por achar que o reinado era um cerceamento de sua liberdade. Ansiava constantemente pela pequena cabana e pelo mar banhado de sol, e também pelo interior fresco da casa bem-construída e pelas maravilhas infinitas dos muitos livros.

Conforme envelhecia, ele percebia que tinha se afastado de seu povo. Seus interesses e os dele eram muito distantes. Sua tribo não o acompanhava nem conseguia entender nada dos muitos estranhos e maravilhosos sonhos que percorriam o cérebro ativo de seu rei humano. Eles tinham um vocabulário tão limitado que Tarzan não conseguia falar a eles das inúmeras novas realidades e dos grandes campos de pensamento que suas leituras tinham aberto diante de seus olhos desejosos, nem tornar conhecidas as ambições que animavam sua alma.

Entre a tribo, ele não tinha mais amigos como antes. Uma criança pode achar companhia em muitas criaturas estranhas e simples, mas, para um homem adulto, deve haver alguma aparência de igualdade de intelecto como base para uma associação agradável.

Se Kala ainda estivesse viva, Tarzan sacrificaria todas as suas ambições para permanecer perto dela. Contudo, agora que estava morta, e que os amigos divertidos de sua infância tinham se transformado em brutos ferozes e carrancudos, ele sentia que preferia a paz e a tranquilidade de sua cabana aos deveres aborrecidos da liderança entre uma horda de feras selvagens.

O ódio e a inveja de Terkoz, filho de Tublat, ajudou bastante a contrabalançar o desejo de Tarzan de renunciar ao seu posto entre os macacos, afinal, jovem inglês teimoso que era, não conseguia se convencer da renúncia frente a um inimigo tão maligno.

Ele sabia muito bem que Terkoz seria escolhido como líder em seu lugar, pois várias vezes o animal estabeleceu seu direito à supremacia física sobre os poucos machos que ousavam reclamar de sua perseguição selvagem.

Tarzan gostaria de subjugar a grosseira fera sem ter de recorrer a facas ou a flechas. Sua grande força e sua enorme agilidade cresceram tanto no período após sua maturidade, que ele passou a acreditar ser capaz de dominar o temível Terkoz em uma luta corpo a corpo, se não fosse pela terrível vantagem que os caninos enormes do antropoide sobre um Tarzan pouco armado.

Toda a questão foi tirada das mãos de Tarzan certo dia, por força das circunstâncias, e seu futuro ficou aberto para escolhas, de tal modo que ele podia ir ou ficar sem manchar seu escudo selvagem.

Foi assim que tudo aconteceu. A tribo fazia sua refeição tranquilamente, espalhada por uma área considerável, quando, de repente, um grito alto pairou no ar vindo de algum lugar a Leste de onde Tarzan se deitou de barriga para baixo, ao lado de um riacho límpido, enquanto tentava pegar um peixe fugidio com suas rápidas mãos morenas.

Em perfeita sintonia, a tribo se balançou imediatamente na direção dos gritos assustados e lá achou Terkoz segurando uma velha fêmea pelo cabelo e batendo nela, sem dó com suas gigantescas mãos.

Quando Tarzan se aproximou, levantou a mão para Terkoz parar, pois a fêmea não era dele. Ela pertencia a um pobre macaco velho cujos dias de luta estavam há muito terminados e que, portanto, não podia proteger sua família.

Terkoz sabia que era contra as leis de sua espécie bater na fêmea de outro, mas, sendo um valentão, aproveitou-se da fraqueza de seu marido para castigá-la por ter se recusado a entregar a ele um pequeno roedor tenro, o qual tinha capturado.

Quando Terkoz viu Tarzan se aproximar sem suas flechas, continuou a ridicularizar a pobre mulher, em um esforço calculado de afrontar seu odiado cacique.

Tarzan não repetiu seu aviso de alerta e, em vez disso, jogou-se contra Terkoz, que o aguardava.

Nunca o homem-macaco tinha lutado uma batalha tão terrível, desde o dia em que Bolgani, o enorme rei gorila, o destruiu violentamente até a faca recém-encontrada, por acidente, furar o coração do selvagem.

Nesta ocasião, a faca de Tarzan mal se contrapunha aos caninos brilhantes de Terkoz, então, a pouca vantagem que o macaco tinha sobre o homem, em força bruta, era quase equilibrada pela incrível rapidez e agilidade do homem.

No total de pontos, porém, o antropoide tinha uma ligeira superioridade na batalha, e se não houvesse outro atributo pessoal para influenciar o resultado, Tarzan dos Macacos, o jovem lorde Greystoke, teria morrido do mesmo modo como viveu: uma fera selvagem e desconhecida na África equatorial.

Mas havia aquilo que o elevava muito acima de seus companheiros de selva, uma pequena faísca responsável por toda a vasta diferença entre homem e animal irracional: a Razão. Foi isso que o salvou de morrer sob os músculos de ferro e os caninos dilacerantes de Terkoz.

Mal tinham lutado por doze segundos e já rolavam no chão, entre socos e arranhões: duas grandes feras selvagens batalhavam até a morte.

Terkoz estava com uma dúzia de facadas na cabeça e no peito, e Tarzan rasgado e sangrando. O couro cabeludo dele, em um ponto, tinha sido arrancado de sua cabeça, de modo que um enorme pedaço estava pendurado na frente de um de seus olhos, obstruindo sua visão.

No entanto, até aquele momento, o jovem inglês tinha conseguido manter aqueles caninos horrendos longe de sua jugular e, agora, enquanto lutavam de forma menos feroz, por um rápido momento, para recuperar o fôlego, Tarzan criou um plano astuto. Ele iria para as costas do outro e, agarrando-se ali com unhas e dentes, enfiaria sua faca até Terkoz estar acabado.

A manobra foi executada com mais facilidade do que ele esperava, pois a fera estúpida, sem saber o plano de Tarzan, não fez nenhum esforço especial para evitar seu sucesso.

Contudo, quando finalmente percebeu que seu antagonista estava grudado nele, em um lugar no qual seus dentes e punhos seriam inúteis, Terkoz se jogou no chão, de forma tão violenta, que Tarzan apenas pôde se segurar desesperadamente ao corpo que pulava, rodopiava e se debatia. Antes que pudesse golpear o macaco, a faca foi jogada de sua mão por um impacto pesado na terra, e Tarzan viu-se indefeso.

Com o animal se contorcendo e estrebuchando nos minutos seguintes, o centro de apoio de Tarzan desequilibrou-se uma dezena de vezes até, finalmente, uma circunstância acidental, daquelas evoluções rápidas e constantes, sustentá-lo em um novo apoio com a mão direita, que ele percebeu ser absolutamente inatacável.

Seu braço estava passando por baixo do braço de Terkoz, e sua mão e antebraço envolviam a nuca dele. Era a chave de braço da luta livre moderna que o homem-macaco, não instruído, descobriu por acaso, porém sua inteligência o fez compreender em um instante o valor daquele golpe. Era, para ele, o limite entre vida e morte.

Assim, ele lutou para encaixar uma chave similar com a mão esquerda e, em poucos momentos, o enorme pescoço de Terkoz estalava sob uma imobilização completa.

Não se sacudiam mais. Os dois ficaram perfeitamente imóveis no chão, com Tarzan nas costas de Terkoz. Lentamente, a cabeça oval do macaco foi forçada cada vez mais para perto do peito.

Tarzan sabia qual seria o resultado. Em um instante, o pescoço quebraria. Então, veio ao socorro de Terkoz, a mesma coisa que o tinha colocado naquela situação difícil: o poder de raciocínio do ser humano.

"Se eu o matar", pensou Tarzan, "que vantagem levarei? Isso não privará a tribo de um grande lutador? E se Terkoz estiver morto, não vai conhecer minha supremacia, enquanto vivo será sempre um exemplo aos outros macacos".

– *Ka-goda*? – sibilou Tarzan no ouvido de Terkoz, o que, na língua dos macacos, quer dizer, em tradução livre "você se rende?".

Por um momento, não houve resposta, e Tarzan adicionou um pouco mais de pressão, suscitando um berro horrorizado de dor da grande fera.

– *Ka-goda*? – repetiu Tarzan.

– *Ka-goda*! – gritou Terkoz.

– Ouça – disse Tarzan, aliviando um pouco, mas sem soltar. – Sou Tarzan, rei dos macacos, poderoso caçador, poderoso lutador. Em toda a selva, não há ninguém tão grande quanto eu sou. Você me disse "*Ka-goda*". A tribo inteira ouviu. Não lute mais com seu rei nem com seu povo, pois da próxima vez, vou matá-lo. Entendeu?

– *Huh* – assentiu Terkoz.

– E está satisfeito?

– *Huh* – disse o macaco.

Tarzan o soltou e, em alguns minutos, todos retornavam às suas ocupações, como se nada tivesse acontecido para atribular a tranquilidade daquele refúgio florestal primitivo.

Mas, no fundo da mente dos macacos, estava enraizada a convicção de que Tarzan era um lutador poderoso, além, é claro, de uma estranha criatura. Estranha porque teve o poder de matar seu inimigo nas mãos, mas tinha permitido que vivesse e ileso.

Naquela tarde, quando a tribo se reuniu, como era seu costume, antes de a escuridão cair sobre a selva, Tarzan, com as feridas lavadas nas águas do riacho, chamou os machos mais velhos ao seu redor.

– Viram de novo hoje que Tarzan dos Macacos é o maior dentre vocês.

– *Huh* – replicaram em uníssono –, Tarzan é grande.

– Tarzan – continuou ele – não é um macaco. Ele não é como seu povo. Suas maneiras não são as maneiras deles, e por isso Tarzan vai voltar à toca de sua própria espécie, à beira do grande lago que não tem outra margem. Devem escolher outro para governá-los, pois Tarzan não voltará.

E assim, o jovem lorde Greystoke deu o primeiro passo em direção ao objetivo que tinha traçado: encontrar outros homens brancos como ele.

A PRÓPRIA ESPÉCIE

Na manhã seguinte, Tarzan, manco e dolorido das feridas de sua batalha com Terkoz, dirigiu-se para Oeste, para a costa.

Viajou bem devagar, dormindo na selva, à noite, e chegando à sua cabana, no fim da manhã seguinte.

Por vários dias, mexeu-se muito pouco, apenas o necessário para conseguir coletar frutas e castanhas suficientes para satisfazer as exigências de sua fome.

Em dez dias, estava saudável de novo, exceto por uma ferida horrível e mal cicatrizada que começava acima de seu olho esquerdo e percorria desde o topo de sua cabeça até sua orelha direita. Era a marca deixada por Terkoz ao arrancar seu couro cabeludo.

Durante sua convalescência, Tarzan tentou confeccionar um manto com a pele de Sabor, que esteve esse tempo todo guardada na cabana. Entretanto, descobriu que a pele secou e ficou dura como uma tábua, assim, como não sabia nada de curtimento, foi forçado a abandonar seu desejado plano.

Então, estava determinado a furtar as poucas vestimentas que conseguisse de um dos negros da aldeia de Mbonga. Tarzan dos Macacos tinha decidido marcar sua evolução das ordens inferiores de todas as maneiras possíveis e, para ele, nada parecia um selo de humanidade mais distinto do que enfeites e roupas.

Com esse fim, portanto, reuniu os vários ornamentos de braço e perna que havia coletado dos guerreiros negros que sucumbiram, por causa de seu laço ágil e silencioso, e vestiu todos da forma como viu serem usados.

Em torno de seu pescoço, colocou a corrente dourada da qual pendia o medalhão encrustado de diamantes de sua mãe, *lady* Alice. Em suas costas, uma aljava de flechas pendurava-se em uma correia de ombro feita de couro, outra peça saqueada de algum negro derrotado.

Em sua cintura, havia um cinto de pequenas faixas de couro cru, feito por ele mesmo, como apoio para a bainha improvisada, em que pendurava a faca de caça de seu pai. O longo arco, que havia sido de Kulonga, estava, agora, em seu ombro esquerdo.

O jovem lorde Greystoke era de fato uma figura estranha de guerra, com um cabelo preto volumoso caindo para trás dos ombros e uma franja cortada com a faca de caça na altura da testa, para não cair nos olhos.

Sua imagem ereta e perfeita, musculosa como os melhores antigos gladiadores romanos devem ter sido, mas com curvas macias e sinuosas de um Deus grego, demonstrava, à primeira vista, a maravilhosa combinação de enorme força com flexibilidade e agilidade.

Tarzan dos Macacos era a personificação do homem primitivo, do caçador, do guerreiro.

Com a nobre postura de sua bela cabeça sobre os ombros largos, e o fogo da vida e da inteligência nos bonitos olhos claros, ele podia facilmente encarnar algum semideus de um povo selvagem e guerreiro de sua antiga floresta.

Mas, sobre essas coisas, Tarzan não pensava. Ele estava preocupado porque não tinha roupas para indicar aos seres da floresta que era um homem, não um macaco, e passou a duvidar seriamente se não seria possível ainda se tornar macaco.

Afinal, os pelos não começaram a crescer em seu rosto? Todos os macacos tinham pelos na cara, mas os homens negros eram inteiramente pelados, com poucas exceções.

É verdade que ele chegou a ver em seus livros imagens de homens com grandes volumes de pelo acima do lábio, na bochecha e no queixo, mas, mesmo assim, Tarzan tinha receio. Quase diariamente, amolava sua faca afiada e aparava sua jovem barba para erradicar esse emblema degradante de sua linhagem de macaco.

Assim, ele aprendeu a barbear-se, de forma rudimentar e dolorosa, é certo, porém, bastante eficaz.

Quando se sentiu forte de novo, após sua sangrenta batalha com Terkoz, ele saiu certa manhã em direção à aldeia de Mbonga. Ele se movia com cuidado por uma trilha sinuosa, em vez de fazer progresso pelas árvores, quando, de repente, se deparou com um valente guerreiro negro.

O olhar de surpresa no rosto do selvagem era quase cômico e, antes de Tarzan conseguir soltar seu arco, o homem tinha se virado e fugido pelo caminho, gritando em alerta para os outros mais adiante.

Tarzan subiu nas árvores em perseguição e, em poucos segundos, avistou os homens da aldeia tentando desesperadamente escapar.

Três deles corriam loucamente, em fila única, pela densa vegetação rasteira.

Com facilidade, Tarzan se distanciou deles, os quais também não viram sua passagem leve e silenciosa acima de suas cabeças nem notaram a figura agachada em um galho baixo logo à frente, sob a trilha que os guiava.

Tarzan deixou os dois primeiros passarem, mas, quando o terceiro chegou perto, o laço silencioso caiu em torno do pescoço dele. Um puxão ágil o tencionou.

Um grito agonizado da vítima propagou pela floresta, e seus companheiros se viraram para ver seu corpo se debatendo, ao mesmo tempo em que era levantado, como por mágica, para a densa folhagem das árvores acima.

Com guinchos assustados, eles deram meia volta novamente e se atiraram na trilha, em um esforço de escapar.

Tarzan liquidou seu prisioneiro de forma rápida e silenciosa. Depois, removeu as armas e os ornamentos e, a maior alegria de todas, uma linda tanga de camurça, que ele rapidamente transferiu para si.

Agora, de fato, se vestia como um autêntico homem. Não havia ninguém que pudesse duvidar de sua origem superior. Como ele gostaria de voltar à tribo para desfilar, diante dos olhos invejosos, aquela incrível elegância.

Colocando o corpo de sua vítima em cima do ombro, moveu-se lentamente pelas árvores em direção à pequena aldeia, pois precisava de flechas, mais uma vez.

Ao se aproximar da cerca, avistou um grupo exaltado, em torno dos dois fugitivos, que tremiam de medo e exaustão, e mal conseguiam contar os detalhes extraordinários de sua aventura.

Eles contaram que Mirando, o qual, por pouco tempo, andava à frente deles, de repente veio gritando em direção aos dois, falando sobre a perseguição que sofreu por um terrível guerreiro branco e nu. Os três correram para a aldeia o mais rápido que suas pernas conseguiam carregar.

Na sequência, o berro de terror agudo e mortal de Mirando os tinha feito olhar para trás, de novo, e eles tiveram uma terrível visão: o corpo de seu companheiro voando para as árvores, enquanto seus braços e pernas estavam batendo no ar e sua língua saltou para fora da boca. Nenhum outro som ele fez, mas também não havia qualquer criatura visível acima dele.

Os aldeões estavam em um estado de medo próximo do pânico, porém, o sábio velho Mbonga fingiu um considerável ceticismo em relação à história, e atribuiu toda aquela invenção ao medo deles frente a um perigo real.

– Vocês nos contam essa grande história – disse – porque não ousam dizer a verdade. Não ousam admitir que, quando o leão saltou sobre Mirando, fugiram e o deixaram para trás. São covardes.

Mbonga mal tinha terminado de falar, quando um grande colidir de galhos, nas árvores sob eles, fez os negros olharem para cima com um terror renovado. A visão que seus olhos encontraram fez até o sábio velho Mbonga tremer, pois ali, girando no ar, vinha o cadáver de Mirando, que se espatifou com uma reverberação repugnante no chão aos pés deles.

Todos correram de uma vez e não pararam, até o último deles estar perdido nas densas sombras da selva ao redor.

De novo, Tarzan desceu para a aldeia e renovou seu estoque de flechas, além de comer a grande oferta de alimentos que os negros fizeram para aplacar sua ira.

Antes de sair, ele carregou o corpo de Mirando até o portão da aldeia e o apoiou contra a paliçada, de tal forma que o rosto morto parecesse estar mirando a trilha que levava à selva.

Então, Tarzan voltou, caçando, sempre caçando, até a cabana de seu pai na praia.

Foi preciso uma dúzia de tentativas, por parte dos negros totalmente assustados, para finalmente entrarem de volta na aldeia, passando pelo rosto horrível e sorridente de seu companheiro morto. Quando viram a comida e as flechas desaparecidas, souberam, como há muito temiam, que Mirando tinha visto o espírito maligno da selva.

Essa parecia a explicação lógica. Apenas aqueles que se encontraram com o terrível deus da selva morreram. Afinal, não era verdade que não havia nenhum integrante vivo da aldeia que o tivesse mirado? Portanto, os que morriam em suas mãos deviam tê-lo visto e pagado o preço com a vida.

Desde que o estocassem com flechas e comida, ele não os machucaria, a não ser que o olhassem. Então, Mbonga ordenou que, além da oferta de alimentos, também deveria haver uma oferta de flechas para esse *Munan-go-Keewati*, e assim foi feito a partir daquele momento.

Se você um dia passar por aquela distante aldeia africana, ainda verá, diante de uma minúscula barraca de sapê, construída bem do lado de fora, uma pequena panela de ferro com um pouco de comida e, ao lado, uma aljava com flechas bem cobertas.

Quando Tarzan chegou à praia onde ficava sua cabana, seus olhos encontraram um espetáculo estranho e incomum.

Nas águas plácidas do porto sem litoral, um grande navio flutuava, e na praia, um pequeno bote tinha sido lançado.

No entanto, o mais impressionante de tudo eram os vários homens brancos como ele andando entre a praia e sua cabana.

Tarzan notou que, de muitas formas, eram iguais aos homens de seus livros ilustrados. Assim, ele engatinhou para mais perto, por entre as árvores, até estar quase em cima deles.

Havia dez homens morenos, bronzeados de sol, com a aparência vil. Agora, reuniram-se próximos ao barco e falando em voz alta e irritada, com muitos gestos e os punhos cerrado.

Logo, um deles, um pequeno homem de barba preta e rosto mau, com um semblante que levava Tarzan a se lembrar de Pamba, o rato, colocou a mão no ombro de um gigante parado ao seu lado, com quem todos os outros discutiam e brigavam.

Então, o homem apontou para o continente, de modo que o gigante foi forçado a se virar de costas para os outros e olhar na direção indicada. Quando o fez, o pequeno homem de rosto mau sacou um revólver do cinto e atirou nas costas do gigante.

O grandão jogou as mãos em cima da cabeça, os joelhos dobraram embaixo dele e, sem som, ele tombou para a frente morto.

O ruído da arma, o primeiro que Tarzan ouviu em sua vida, encheu-o de espanto, mas nem aquele som, ao qual estava desacostumado, era capaz de jogar os nervos saudáveis dele em nada parecido com pânico.

O comportamento dos brancos estranhos foi tal que lhe causou a maior perturbação. Ele franziu as sobrancelhas em uma careta de pensamento profundo. "Era bom não ter cedido ao primeiro impulso de correr para receber aqueles homens brancos como irmãos", pensou.

Eles evidentemente não eram diferentes dos homens negros, nem mais civilizados que os macacos, nem menos cruéis que Sabor.

Por um momento, os outros homens brancos ficaram paralisados olhando para o pequeno homem de rosto mau e o gigante morto na areia.

Então, um deles riu e bateu nas costas do pequenino, a fim de fazer uma saudação. Houve muito mais falatório e gestos, mas menos discussões.

Logo, eles levaram o barco para a água, pularam todos dentro dele e remaram em direção ao grande navio, onde Tarzan conseguia ver outras figuras se movendo no deque.

Quando todos subiram a bordo, Tarzan saltou para o chão atrás de uma grande árvore e rastejou para sua cabana, mantendo-a sempre entre ele e o navio.

Passando pela porta, ele viu que sua cabana tinha sido saqueada. Seus livros e lápis estavam espalhados pelo chão. Suas armas e escudos e outros pequenos tesouros estavam jogados por todo lado.

Quando viu o que tinha acontecido, uma grande onda de raiva o dominou, e a cicatriz recente em sua testa de repente se destacou: uma faixa vermelha inflamada contra sua pele fulva.

Rapidamente, ele correu ao armário e buscou as saliências do fundo da prateleira mais baixa. Ah! Suspirou de alívio ao encontrar a pequena caixa de metal e, abri-la e ver seus maiores tesouros intactos: a fotografia do jovem de rosto forte e sorrindo, e o livrinho preto enigmático estavam seguros.

O que era aquilo?

Seu ouvido aguçado tinha captado um som fraco, porém nada familiar.

Correndo para a janela, Tarzan olhou em direção ao porto e viu um barco sendo baixado do grande navio, ao lado de um outro que já flutuava na água. Logo, avistou várias pessoas descendo pelos lados da grande embarcação e caindo nos barcos. Eles estavam trazendo reforços.

Por mais um instante, Tarzan observou a movimentação, enquanto uma série de caixas e trouxas era baixada para os botes à espera. Então, à medida que se afastavam da lateral do navio, o homem-macaco, com um pedaço de papel e um lápis nas mãos, escrevia por alguns momentos até que houvesse várias linhas de caracteres fortes e bem-compostos, quase perfeitos.

Ele fixou o papel com o aviso na porta usando uma lasca afiada de madeira. Então, reunindo sua preciosa caixa de metal, suas flechas e o máximo de arcos e lanças que conseguia carregar, saiu pela porta e desapareceu na floresta.

Quando os dois barcos foram atracados na areia prateada, o grupo de humanos estranhos desembarcou na margem da praia.

Cerca de vinte pessoas se reuniam ali, quinze delas, marinheiros rudes e de aparência vil.

Os outros integrantes do grupo eram de uma estirpe diferente.

Um deles era um homem idoso de cabelo branco e óculos com aro grande. Os ombros, levemente curvados, estavam envoltos em um fraque mal-ajambrado e desajeitado, embora imaculado. Na cabeça, um chapéu de seda brilhante completava a incongruência de seu traje em uma selva africana.

O segundo membro do grupo a desembarcar foi um jovem alto com uma roupa branca de algodão, e imediatamente atrás, vinha outro idoso, com uma testa muita alta e uma atitude nervosa e excitável.

Depois deles, veio uma enorme negra vestida com as cores do rei Salomão. Seus grandes olhos giravam em um evidente terror, primeiro na direção da selva e depois na direção do bando de marinheiros que removiam as caixas e trouxas dos barcos.

O último membro do grupo a desembarcar foi uma garota de cerca de dezenove anos de idade, e o jovem, parado na proa do barco, a levantou e a colocou em terra seca. Ela deu um sorriso de agradecimento bonito e corajoso para ele, mas não trocaram palavras.

Em silêncio, o grupo avançou em direção à cabana. Era evidente que, independentemente de suas intenções, tudo tinha sido decidido antes de saírem do navio. Assim, chegarem até a porta, os marinheiros carregando as caixas e trouxas, seguidos pelos cinco de outra classe tão diferente. Os homens depositaram a carga e, então, um deles leu o aviso que Tarzan havia postado.

– Oi, camaradas! – gritou. – O que é isso? Essa placa não estava aí há uma hora, não mesmo.

Todo o restante se juntou, esticando o pescoço por cima do ombro dos que estavam à frente, mas, como poucos sabiam ler e, mesmo assim, somente do modo mais trabalhoso, um deles finalmente se virou ao pequeno homem de cartola e fraque.

– Ô, *fessor* – chamou –, vem pra cá ler esse diabo desse bilhete.

Desse modo, ao ser chamado, o velho veio lentamente para onde os outros membros de seu grupo se encontravam. Ajustando seus óculos, olhou por um momento para o bilhete e, virando-se, zanzou um pouco, murmurando para si:

– Muito impressionante... Muito impressionante!

– Ei, fóssil velho! – gritou o homem que tinha pedido a ajuda dele. – Achou que era pra ler o diabo do bilhete *procê* mesmo? Volta aqui e lê em voz alta, craca velha.

O velho parou e, voltando-se, disse:

– Ah, sim, caro senhor, mil perdões. Isso foi bastante desatencioso de minha parte, sim, bastante desatencioso. Muito impressionante... Muito impressionante!

De novo, ele parou em frente ao aviso e o leu inteiro, e sem dúvida teria saído mais uma vez para ruminar sobre aquilo, se o marinheiro não o tivesse agarrado pelo colarinho e berrado no ouvido dele:

– Lê em voz alta, ô, velho idiota!

– Ah, sim, claro, sim, claro! – respondeu o professor em voz baixa e, ajustando de novo seus óculos, leu: *"Esta é a casa de Tarzan, o matador de feras e de muitos homens negros. Não toquem nas coisas que são de Tarzan. Tarzan observa. Tarzan dos Macacos"*.

– Quem diabos é Tarzan? – gritou o marinheiro que tinha falado anteriormente.

– Ele obviamente fala inglês – constatou o jovem.

– Mas o que quer dizer "Tarzan dos Macacos"? – perguntou a garota.

– Não sei, senhorita Porter – respondeu o jovem –, a não ser que tenhamos descoberto um símio fugitivo do zoológico de Londres, que trouxe uma educação europeia para sua casa na selva. O que acha, professor Porter? – completou, dirigindo-se ao velho.

O professor Archimedes Q. Porter ajustou seus óculos.

– Ah, sim, claro; sim, claro... Muito impressionante, muito impressionante! – disse o professor. – Entretanto, não consigo adicionar nada mais ao que já comentei para elucidar esta ocorrência momentosa – e o professor virou-se lentamente na direção da selva.

– Mas, papai – chamou a garota –, você ainda não disse nada.

– Shh, criança, shh – respondeu o professor Porter, em um tom gentil e indulgente –, não preocupe sua linda cabecinha com problemas tão pesados e abstrusos – e de novo, foi vagar lentamente em outra direção, com os olhos voltados para os pés e as mãos fechadas atrás de si, sob a cauda flutuante de seu fraque.

– Acho que esse salafrário não sabe nada mais que a gente – resmungou o marinheiro com cara de rato.

– Fique com essa boca de civil fechada! – gritou o jovem, com o rosto pálido de raiva pelo tom de insulto do marinheiro. – Você assassinou nossos oficiais e nos roubou. Estamos absolutamente sob seu poder, mesmo assim vai tratar o professor e a senhorita Porter com respeito ou vou quebrar esse seu pescoço vil com minhas próprias mãos, tenham ou não tenham armas!

O jovem camarada deu um passo, e ficou tão perto do marinheiro com cara de rato que ele, embora tivesse dois revólveres e uma faca abominável no cinto, afastou-se perplexo.

– Seu diabo covarde! – gritou o jovem. – Você nunca ousaria atirar em um homem até ele estar de costas. Não ousaria atirar em mim nem assim! – e deliberadamente virou as costas para o marinheiro e caminhou indiferente, como se para testá-lo.

A mão do marinheiro deslizou maliciosamente para o cabo de um de seus revólveres. Seus olhos maldosos brilharam vingativamente para o jovem inglês se afastando. O olhar de seus companheiros pairou sobre ele, que ainda hesitava. No fundo do coração, era um covarde ainda maior do que o senhor William Cecil Clayton imaginava.

Dois olhos aguçados observavam cada movimento do grupo, entre a folhagem de uma árvore próxima. Tarzan tinha visto a surpresa causada pelo seu aviso e, embora não conseguisse entender nada da língua falada por essas pessoas estranhas, seus gestos e expressões faciais diziam muito a ele.

O ato do pequeno marinheiro com cara de rato, matando um de seus colegas, tinha causado em Tarzan um forte desgosto, e agora que ele o via brigando com o jovem elegante, sua animosidade piorou.

Tarzan nunca tinha testemunhado antes os efeitos de uma arma de fogo, embora seus livros tivessem lhe ensinado algo sobre elas. No entanto, quando ele olhou o homem com cara de rato mexendo no cano de seu revólver, pensou na cena que tinha visto poucas horas antes. Assim, naturalmente esperava ver o jovem sendo assassinado da mesma maneira como o enorme marinheiro foi mais cedo.

Por isso, Tarzan encaixou uma flecha envenenada em seu arco e mirou no marinheiro com cara de rato, mas a folhagem era muito densa. Logo, ele percebeu que a flecha seria desviada pelas folhas ou por algum pequeno galho e, em vez disso, jogou uma lança pesada do alto de seu poleiro.

Clayton mal tinha andado alguns passos. O marinheiro havia descido até a metade do caminho para sacar seu revólver. Os outros marinheiros observavam a cena atentamente.

Nesse momento, o professor Porter tinha desaparecido na selva a um bom tempo, seguido de perto pelo nervoso Samuel T. Philander, seu secretário e assistente.

Esmeralda, a negra, ficou ocupada selecionando a bagagem de sua senhora, em meio às pilhas de caixas e trouxas, ao lado da cabana, e a senhora Porter estava se afastando para seguir Clayton, quando algo a fez virar de novo em direção ao marinheiro.

E, então, três coisas aconteceram quase simultaneamente: o marinheiro sacou sua arma e a apontou para as costas de Clayton, a senhorita Porter gritou um alerta e uma longa lança, com ponta de metal, disparou como um raio vindo dos céus e atravessou o ombro direito do homem com cara de rato.

O revólver explodiu inofensivo no ar, e os marinheiros se agacharam com um grito de dor e medo.

Clayton se virou e correu de volta à cena. Os marinheiros compunham um grupo assustado, com as armas sacadas, e olhando para a selva. O homem ferido se contorcia e guinchava no chão.

Clayton, sem ser visto por ninguém, recolheu a arma caída e deslizou-a para dentro de sua camisa, pouco antes de se unir aos marinheiros para olhar, perplexo, em direção à selva.

– Quem poderia ter sido? – sussurrou Jane Porter.

O jovem se virou e a viu parada, perto dele, com os olhos arregalados, e pensativa.

– Ouso dizer que Tarzan dos Macacos está mesmo nos observando – respondeu ele, em um tom duvidoso. – Imagino, agora, para quem se destinava aquela lança. Se era para Snipes, então nosso amigo macaco é mesmo um amigo. Por deus, onde seu pai e o senhor Philander estão? Alguém, ou o que seja, está armado naquela selva. Ei! Professor! Senhor Philander! – gritou o jovem Clayton.

Não houve resposta.

– O que vamos fazer, senhorita Porter? – continuou o jovem, com o rosto nebuloso por um semblante preocupado e indeciso. – Não posso deixá-la aqui sozinha com esses mercenários, e a senhorita certamente não pode aventurar-se na selva comigo, porém alguém precisa ir em busca de seu pai. Ele tem a tendência de vagar sem rumo, independentemente de haver perigo ou direção traçada, e o senhor Philander é apenas um pouco mais pragmático que ele. Perdoe minha aspereza, mas nossa vida está correndo risco aqui e, quando recuperarmos seu pai, algo precisa ser feito para explicar-lhe sobre os perigos aos quais ele expõe a si e à senhorita com sua distração.

– Concordo bastante – respondeu a garota, – e não fico nem um pouco ofendida. Meu querido velho papai sacrificaria sua vida por mim, sem hesitar um instante, desde que fosse possível manter a mente dele ocupada com um assunto tão frívolo por um segundo inteiro.

Há apenas uma forma de deixá-lo em segurança, que é amarrá-lo a uma árvore. O pobrezinho é tão insensato.

– Já sei! – exclamou Clayton, de repente. – Sabe usar um revólver, não?

– Sim. Por quê?

– Eu tenho um. Com ele, a senhorita e a Esmeralda ficarão relativamente seguras nesta cabana enquanto estou procurando seu pai e o senhor Philander. Venha, chame a mulher e eu me apressarei. Eles não podem ter ido tão longe.

Jane fez como ele sugeriu e, quando Clayton viu a porta fechar-se em segurança atrás delas, lançou-se para a selva.

Alguns dos marinheiros arrancavam a lança de seu camarada ferido e, ao se aproximar, Clayton perguntou se podia carregar um revólver deles consigo, durante sua tentativa de achar o professor na selva.

O homem com cara de rato, ao descobrir que não estava morto, recuperou a compostura e, com uma saraivada de xingamentos dirigidos a Clayton, recusou-se, em nome de seus companheiros, a permitir que o jovem tivesse qualquer arma.

Esse homem, Snipes, assumiu o papel de chefe, visto que ele havia matado o antigo líder, e tão pouco tempo se passou, desde esse evento, que nenhum de seus companheiros tinha questionado ainda sua autoridade.

Diante disso, a única reação de Clayton foi dar de ombros; entretanto, ao deixá-los, apanhou a lança que tinha atravessado Snipes e, primitivamente armado, o filho do então lorde Greystoke adentrou na selva densa.

De tempos em tempos, ele chamava bem alto o nome dos sumidos. As observadoras na cabana da praia ouviam o som de sua voz ficando cada vez mais distante, até finalmente ser engolida por uma miríade de barulhos da floresta primitiva.

Quando o professor Archimedes Q. Porter e seu assistente, Samuel T. Philander, após muita insistência por parte do último, finalmente decidiram voltar para o acampamento, ambos estavam tão perdidos, no labirinto feroz e confuso da selva emaranhada, quanto dois seres humanos podiam estar, embora não soubessem.

Por mero capricho do destino, eles iam sentido à costa Oeste da África, em vez de a Zanzibar, na direção oposta do continente escuro.

Quando, em pouco tempo, chegaram à praia, sem o acampamento à vista, Philander teve certeza de que eles chegaram a Norte do destino certo, enquanto, na realidade, estavam cento e oitenta metros a Sul.

Nunca ocorreu a nenhum desses teóricos, nada pragmáticos, gritar para chamar a atenção de seus amigos. Em vez disso, com toda a garantia induzida pelo raciocínio lógico, com base em uma premissa incorreta, o senhor Samuel T. Philander agarrou firmemente o braço do professor Archimedes Q. Porter e conduziu o velho cavalheiro, que protestava de maneira fraca, na direção da Cidade do Cabo, que ficava dois mil e quatrocentos quilômetros ao Sul.

Quando Jane e Esmeralda se viram seguras atrás da porta da cabana, o primeiro pensamento da negra foi fazer uma barricada do lado de dentro da cabana, atrás da porta. Com essa ideia em mente, virou-se para buscar algum meio de executá-la, mas sua primeira vista do interior da habitação levou um grito de terror a seus lábios e, como uma criança assustada, a enorme mulher correu para enterrar o rosto no ombro da senhorita.

Jane, virando-se com o grito, viu a causa dele jazida de costas no chão diante delas: o esqueleto embranquecido de um homem. Um segundo olhar revelou outro esqueleto em cima da cama.

– Em que horrível lugar estamos? – murmurou a jovem, chocada. Contudo, não havia pânico em seu alarme.

Por fim, soltando-se do aperto frenético de Esmeralda, que gemia, Jane atravessou o cômodo para olhar o bercinho, sabendo o que veria ali antes mesmo de o minúsculo esqueleto se revelar em toda a sua fragilidade triste e patética.

Que terrível tragédia aqueles pobres ossos mudos proclamavam! A jovem tremeu ao pensar nos acontecimentos que podiam esperar por ela e seus amigos nesta malfadada cabana: lar de seres misteriosos, e talvez hostis.

Rapidamente, tomada pela impaciência ao bater seu pezinho no chão, ela dedicou-se a se livrar dos maus agouros e, virando-se para Esmeralda, obrigou que cessassem os lamentos.

– Pare, Esmeralda, pare agora mesmo! – ordenou. – Você só está piorando tudo.

Terminou o pedido com a voz fraca, tremendo um pouco ao pensar nos três homens dos quais dependia para proteção, vagando pelas profundezas daquela terrível floresta.

Logo, ela viu que a porta era equipada com uma pesada barra de ferro por dentro e, após vários esforços e a força combinada das duas conseguiram deslizá-la para o lugar certo, pela primeira vez em vinte anos.

Então, sentaram-se em um banco abraçadas e esperaram.

À MERCÊ DA SELVA

Depois de Clayton mergulhar na selva, os marinheiros, amotinados do *Arrow*, caíram em uma discussão sobre seus próximos passos. No entanto, sobre um assunto todos concordavam: deviam apressar-se para levantar a âncora do navio, onde, pelo menos, estariam seguros contra as lanças de seu inimigo invisível. E assim, enquanto Jane Porter e Esmeralda estavam barricadas dentro da cabana, a equipe de sanguinários covardes fugia rápido para seu navio, remando os dois barcos que os levaram à praia.

Tarzan tinha testemunhado tantos acontecimentos naquele dia que sua cabeça girava maravilhada. No entanto, a visão mais impressionante, para ele era o rosto da linda moça.

Enfim, encontrou alguém de sua própria espécie: disso, ele tinha certeza. Também o jovem e os dois velhos eram exatamente como ele tinha imaginado seu próprio povo.

Mas, sem dúvida, eram tão ferozes e cruéis quanto os outros homens que viu. O fato de apenas eles, dentre todo o grupo, não estarem armados podia explicar o motivo pelo qual não mataram ninguém. Talvez a atitude fosse muito diferente, caso recebessem armas.

Tarzan fitou o jovem pegando o revólver caído de Snipes e escondê-lo no peito, além de o ver entregar a arma furtivamente à garota, quando ela entrou pela porta da cabana.

Não entendia nenhum dos motivos por trás de tudo o que tinha visto; entretanto, de alguma forma, intuitivamente, gostava do jovem e dos dois velhos, e pela moça sentia um estranho desejo que não compreendia totalmente. Quanto à mulher negra, evidentemente era conectada de alguma forma à jovem, então, ele gostava dela também.

Pelos marinheiros, e especialmente por Snipes, Tarzan desenvolveu um grande ódio. Ele sabia, por seus gestos ameaçadores e pela expressão em seus rostos malvados, que eram inimigos dos outros do grupo e, por causa disso, decidiu observá-los de perto.

Tarzan se perguntava por que os homens entraram na selva, e nunca lhe ocorreu que seria possível perder-se naquele labirinto de vegetação rasteira, pois, para ele, era tão simples quanto a rua principal de sua cidade natal é para você.

Quando viu os marinheiros remando em direção ao navio e soube que a jovem e sua companheira estavam seguras em sua cabana, ele decidiu seguir o jovem selva adentro para entender qual seria sua missão. Ele se balançou rapidamente na mesma direção de Clayton e, em pouco tempo, ouviu à distância os chamados, agora apenas ocasionais, do inglês para seus amigos.

Logo, Tarzan encontrou o homem branco que, quase exausto, se apoiou contra uma árvore e limpou o suor da testa. O homem-macaco, escondido atrás das folhagens, sentou-se para observar, com atenção, esse novo espécime de sua raça.

Com alguns intervalos, Clayton gritava pelos amigos e, nesse momento, ocorreu a Tarzan, finalmente, que ele buscava o velho e seu assistente.

Tarzan estava a ponto de ir procurá-los, por sua conta e risco, quando viu de relance o brilho amarelo de uma pele lustrosa movendo-se cuidadosamente pela selva, na direção de Clayton.

Era Sheeta, o leopardo. Agora, ele ouvia o farfalhar da grama e se perguntava por que o jovem branco não estava alarmado. Seria possível que não tinha conseguido ouvir um alerta tão alto? Tarzan nunca tinha visto Sheeta ser tão desastrado.

Não, o homem branco não ouviu. Sheeta se agachou para dar o bote e, então, elevou-se da quietude da selva, penetrante e horrível, o temeroso grito de desafio do macaco, e o leopardo se virou, batendo na vegetação rasteira.

Clayton se levantou assustado. Seu sangue esfriou. Nunca, em toda a sua vida, um som mais temível que aquele tinha atingido seus ouvidos. Ele não era nenhum covarde, porém, se algum dia um homem sentiu os dedos gelados do medo em seu coração, foi William Cecil Clayton, filho mais velho de lorde Greystoke da Inglaterra, naquele dia em meio à solidez da selva africana.

O ruído de algum grande corpo caindo na vegetação tão perto dele somado ao som daquele guincho horripilante vindo de cima, levou a coragem de Clayton ao limite. Contudo, ele não sabia que devia a própria vida àquela voz nem que a criatura que a emitira era o próprio primo: o verdadeiro lorde Greystoke.

A tarde chegava ao fim e Clayton, desanimado e desencorajado, ficou em um dilema terrível sobre qual caminho seria mais adequado seguir: continuar na busca do professor Porter, correndo o risco quase certo de morrer na selva à noite, ou retornar à cabana onde, pelo menos, podia servir para proteger Jane dos perigos que a confrontavam por todos os lados.

Não o agradava a ideia de voltar ao acampamento sem o professor, detestava ainda mais a ideia de deixá-la sozinha e desprotegida nas mãos dos amotinados do *Arrow*, ou das centenas de perigos desconhecidos da floresta.

Ele pensou que, possivelmente, o professor e Philander podiam ter retornado ao acampamento. Sim, isso era mais do que provável. Pelo menos, ele voltaria para conferir, antes de continuar com o que parecia uma busca mais que infrutífera. Assim, começou a voltar, trôpego pela vegetação rasteira grossa e emaranhada, na direção em que ele achava ficar a cabana.

Entretanto, para a surpresa de Tarzan, o jovem se entranhava mais ainda na selva, mais ou menos na direção da aldeia de Mbonga. O homem-macaco se convenceu de que Clayton estava perdido.

Para Tarzan, aquilo era quase incompreensível. Seu julgamento lhe dizia que nenhum homem se aventuraria na aldeia dos negros cruéis armado somente com uma lança que, pela forma desajeitada com que a carregava, evidentemente, a arma era estranha ao homem branco. Além disso, ele não seguia mais os passos do velho, que já tinha cruzado e se perdido deles há muito tempo, embora estivesse óbvio e fresco aos olhos de Tarzan.

Ele ficou perplexo. A selva feroz transformaria o estranho desprotegido em uma presa fácil em um curtíssimo tempo, caso não fosse guiado de volta à praia.

Sim, lá estava Numa, o leão, agora mesmo, seguindo o homem branco uma dúzia de passos à direita.

Clayton ouviu o grande corpo paralelo a si e, então, surgiu no ar da noite o rugido trovejante da fera. O homem parou, ergueu a lança e enfrentou o arbusto de onde ouviu o som terrível. As sombras se aprofundaram, a escuridão se instaurava.

Deus! Morrer aqui, sozinho, sob as presas de feras selvagens. Ser rasgado e despedaçado. Sentir a respiração quente do animal no rosto, enquanto uma enorme pata esmaga seu peito!

Por um momento, tudo ficou imóvel. Os músculos de Clayton enrijeceram, ao segurar a lança no alto. Logo, um débil farfalhar do arbusto denunciou a ele a aproximação furtiva da coisa atrás dele. Ela se preparava para o salto. Por fim, ele viu, a menos de seis metros de distância, o corpo longo, esguio, musculoso e a cabeça fulva de um enorme leão de juba preta.

A fera apoiava a barriga no chão, avançando bem lentamente. Quando seus olhos encontraram os de Clayton, ela parou e, deliberadamente, colocou as patas traseiras com cuidado embaixo do corpo.

Em agonia, o homem observou, com medo de lançar sua espada, e ao mesmo tempo impotente para fugir.

Ele ouviu um barulho na árvore acima e pensou ser algum novo perigo, mas não ousou tirar os olhos das órbitas amarelo-esverdeadas diante de si. De repente, houve um ressoar agudo, como o de uma corda de banjo quebrada e, instantaneamente, uma flecha apareceu na pele amarela do leão.

Com um rugido de dor e ira, a fera saltou, porém, de alguma forma, Clayton pulou para um lado e, ao virar-se de novo para enfrentar o furioso rei das feras, ficou chocado com o que viu. Quase simultaneamente à virada do leão, a fim de renovar o ataque, um gigante seminu caiu da árvore bem nas costas do animal.

Com a velocidade de um raio, um braço feito de músculos de ferro enredou o enorme pescoço e a grande fera foi levantada por trás, rugindo e arranhando o ar. Tarzan ergueu o leão tão facilmente quanto Clayton teria pegado um cachorro de estimação.

A cena que ele testemunhou, ali nas profundezas crepusculares da selva africana, ficou gravada para sempre no cérebro do inglês.

O homem diante dele era a encarnação da perfeição física e força gigantesca. Apesar disso, não eram em suas habilidades que ele confiava em sua batalha com o grande felino, afinal, por mais poderosos que fossem seus músculos, não significavam nada comparados com os de Numa. Sua agilidade, seu cérebro e sua longa faca afiada atribuíam a ele supremacia.

Seu braço direito circundava o pescoço do leão, enquanto a mão esquerda enfiava a faca repetidamente no lado desprotegido do animal, logo atrás do ombro esquerdo. A besta furiosa pulou para cima e para trás até ficar apoiada nas patas traseiras. Ela lutava, impotente, nessa posição pouco natural.

Se a batalha tivesse durado poucos segundos mais, o resultado, provavelmente, seria diferente, mas tudo terminou tão rápido que o leão mal teve tempo de se recuperar da confusão da surpresa antes de desabar sem vida no chão.

Então, a estranha figura que o derrotou ficou ereta por cima da carcaça do leão e, jogando para trás sua cabeça bela e selvagem, deu o temível grito que, alguns momentos antes, tinha assustado tanto Clayton.

Diante dele, via a figura de um jovem nu, exceto por uma tanga e alguns ornamentos bárbaros nos braços e nas pernas. No peito, havia um medalhão de diamante inestimável brilhando contra a pele macia e morena do jovem.

A faca de caça foi guardada de volta na bainha, e o homem pegava seu arco e as flechas de onde os tinha jogado, ao pular para atacar o leão.

Clayton falou com o estranho em inglês, a fim de agradecê-lo por seu corajoso resgate. Ele também o elogiou pela impressionante força e destreza demonstradas, contudo, a única resposta que obteve foi um olhar fixo e um leve encolher dos ombros poderosos, os quais poderiam ser entendidos tanto como menosprezo pelo serviço prestado quanto como desconhecimento do idioma de Clayton.

Quando o arco e as flechas foram pendurados nas costas, o selvagem, pois era assim que Clayton agora pensava nele, desembainhou de novo sua faca e, com habilidade, cortou alguns pedaços grandes de carne da carcaça do leão. Então, agachou-se e começou a comê-los, depois de fazer um gesto para Clayton se juntar a ele.

Os dentes brancos e fortes fecharam-se na carne crua e sangrenta, em um aparente deleite com a refeição, porém Clayton não conseguiu se convencer de compartilhar da carne fresca com seu estranho anfitrião. Em vez disso, observou-o e logo estava convicto de que aquele homem era Tarzan dos Macacos, cujo aviso foi postado na porta da cabana naquela manhã.

Se era este o caso, então ele deveria falar inglês.

Assim, mais uma vez, Clayton insistiu em uma conversa com o homem-macaco, entretanto as respostas, agora vocais, eram em uma língua estranha, que lembrava o falatório de macaquinhos misturado com o grunhido de alguma besta selvagem.

Não, esse não podia ser Tarzan dos Macacos, pois era bem evidente que ele era um completo estranho ao inglês.

Quando terminou sua refeição, Tarzan se levantou e, apontando para uma direção bem diferente daquela que Clayton estava seguindo, começou a entrar pela selva e se encaminhar ao ponto que tinha indicado.

Clayton, perplexo e confuso, hesitou em segui-lo, porque achou estar sendo conduzido ainda mais para fundo nos labirintos da floresta. Contudo, o homem-macaco, vendo que ele não estava inclinado a segui-lo, voltou e agarrando-o pelo casaco, arrastou-o até ter certeza de que Clayton entendia o que precisava fazer. Então, deixou-o seguir voluntariamente.

O inglês, finalmente concluindo que era um prisioneiro, não viu alternativa que não seguir seu captor. Desse modo, os dois viajaram lentamente pela selva enquanto o manto negro da noite impenetrável da floresta caía sobre eles, e as pegadas furtivas de patas acolchoadas se misturavam ao som dos galhos quebrando e aos chamados da vida selvagem que Clayton sentia se aproximar.

De repente, Clayton ouviu o disparar de uma arma de fogo ao longe: um único tiro e, depois, o silêncio.

Na cabana da praia, duas mulheres completamente aterrorizadas se agarravam uma à outra abaixadas no banco baixo em meio à escuridão.

A negra soluçava histericamente, lamentando o dia terrível de sua partida da querida Maryland[8], enquanto a garota branca, de olhos secos e calma por fora, estava tomada de medos e maus agouros internos. Ela não temia tanto por si mesma quanto temia pelos três homens que sabia estarem vagando nas profundezas abismais da selva bárbara, de onde, agora, ouvia urros e rugidos quase incessantes, latidos e rosnados de seus cidadãos aterrorizadores em busca de suas presas.

---

8   Um estado, dentre os cinquenta que compõe os Estados Unidos da América, localizado na região Nordeste do país. (N.T.)

Nessa hora, o som de um corpo pesado roçando nas paredes da habitação ecoava no interior da cabana. Jane conseguia ouvir as grandes patas acolchoadas golpearem o chão do lado de fora. Por um instante, tudo ficou em silêncio, inclusive o caos da floresta virou um murmúrio débil. Então, ela ouviu claramente a besta farejando a porta, a mais ou menos sessenta centímetros de onde se agachou. Instintivamente, a garota se tremeu e encolheu-se para mais perto de Esmeralda.

– Silêncio! – sussurrou. – Silêncio, Esmeralda –, pois os soluços e gemidos da mulher pareciam ter atraído o animal que as espreitava logo atrás da fina parede.

Um som suave de arranhões foi ouvido na porta. A fera tentava forçar a entrada, porém desistiu logo e novamente ela ouviu as grandes patas se arrastando de maneira furtiva em torno da cabana. Mais uma vez, pararam, agora embaixo da janela à qual os olhos aterrorizados da garota estavam grudados.

– Meu Deus! – murmurou ela, pois, recortada contra o céu enluarado, ela pôde enxergar, emoldurada no minúsculo quadrado da janela entrelaçada, a cabeça de uma enorme leoa.

Os olhos brilhantes do animal se fixaram nela com uma ferocidade muito intensa.

– Olhe, Esmeralda! – sussurrou. – Pelo amor de Deus, o que vamos fazer? Olhe! Rápido! A janela!

Esmeralda, encolhendo-se ainda mais para perto de sua senhora, deu um olhar assustado para o pequeno quadrado iluminado pela lua, no mesmo instante em que a leoa emitiu um rugido profundo e selvagem.

A figura que os olhos da pobre encontraram foi demais para seus nervos tão sobrecarregados.

– Ah, meu anjo Gabriel! – gritou, e despencou no chão, uma massa inerte e sem sentidos.

Pelo que parecia ser uma eternidade, o grande animal ficou parado com as patas dianteiras no peitoril, olhando com raiva para o pequeno cômodo. Em seguida, testou, com as enormes garras, a força das treliças gastas pelo tempo.

A moça tinha quase parado de respirar quando, para seu alívio, a cabeça desapareceu e ela ouviu os passos do animal se afastando da janela. Então, eles voltaram à porta e mais uma vez os arranhões recomeçaram. Desta vez, com muito mais força, até a grande besta rasgar os primeiros painéis em um perfeito frenesi de ansiedade, a fim de capturar suas vítimas indefesas.

Se Jane conhecesse a imensa força daquela porta, construída peça por peça, teria sentido menos medo de ser alcançada pela leoa por essa passagem.

Mal sabia John Clayton, quando construiu aquele portal rudimentar, mas poderoso, que um dia, depois de vinte anos, ele serviria de proteção para uma jovem americana, até então ainda não nascida, contra os dentes e as garras de um animal comedor de homens.

Por vinte minutos inteiros, o bicho alternava entre farejar e arranhar a porta, às vezes, dando voz a um grito selvagem, bárbaro e frustrado de raiva confusa. Por fim, porém, ela desistiu, e Jane ouviu-a voltando à janela, sobre a qual pausou por um instante antes de lançar seu grande peso contra a treliça gasta pelo tempo.

A jovem ouviu as hastes de madeira rangerem com o impacto, sem saírem do lugar, e o enorme corpo cair de volta ao chão.

Incansável, a leoa repetia essas táticas até finalmente a prisioneira horrorizada ver uma parte da treliça ceder. Em um instante, a enorme pata e a aterrorizante cabeça do animal estavam dentro do cômodo.

Lentamente, o pescoço e os ombros poderosos afastaram as barras, abrindo espaço para o corpo ágil se projetar cada vez mais.

Como em um transe, Jane se levantou, com a mão no peito, os olhos arregalados mirando com horror o rosto da besta que rosnava a menos de trinta centímetros dela. A seus pés, estava a forma prostrada de Esmeralda. Se conseguisse ao menos acordá-la, seus esforços combinados podiam talvez afastar a intrusa feroz e sedenta de sangue.

Jane parou para agarrar o ombro da mulher e chacoalhou-a com força.

– Esmeralda! Esmeralda! – gritou. – Ajude-me ou estamos perdidas! Esmeralda abriu os olhos. A primeira imagem que viu foram as presas da leoa faminta pingando.

Com um grito horrorizado, a pobre mulher caiu apoiada em joelhos e mãos e, nessa posição, engatinhou pela sala, gritando a plenos pulmões:

– Ah, meu anjo Gabriel! Ah, meu anjo Gabriel!

Esmeralda pesava mais ou menos cento e trinta quilos e sua extrema pressa, adicionada à sua extrema corpulência, produziu um resultado impressionante ao passo em que ela decidiu engatinhar.

Por um momento, a leoa ficou quieta, com um olhar intenso dirigido à rápida Esmeralda, cujo objetivo parecia ser chegar até o armário, no qual tentou enfiar sua enorme massa, mas como as prateleiras estavam dispostas a vinte ou vinte e cinco centímetros uma da outra, ela só conseguiu colocar a cabeça. Ali, em um último grito, que tornou insignificantes os ruídos da selva, ela desmaiou de novo.

Com a precipitação de Esmeralda, a leoa renovou seus esforços de comprimir todo o seu volume através das treliças enfraquecidas.

A moça, pálida e rígida, contra a parede oposta, buscou com cada vez mais terror algum meio para escapar. De repente, sua mão, apertada contra o peito, sentiu o contorno rígido do revólver que Clayton deixou com ela mais cedo.

Rapidamente, ela o arrancou de seu esconderijo e, apontando diretamente na cara da leoa, puxou o gatilho.

Houve uma explosão de luz, o estrondo do disparo e uma resposta de dor e raiva da fera.

Jane Porter fitou a grande forma desaparecer da janela e depois desmaiou, com o revólver caído ao seu lado.

Porém a leoa não estava morta. A bala tinha apenas aberto uma ferida dolorosa em um dos grandes ombros. Foram a surpresa do raio de luz ofuscante e o ruído ensurdecedor que causaram o retiro apressado, porém temporário do animal.

Em mais um instante, ela estava de volta à treliça e, com a fúria renovada, arranhava a abertura, com menos força, visto que o membro ferido estava quase inútil.

A leoa observou suas presas: as duas mulheres caídas sem sentido no chão. Já não havia mais resistência a superar. Entretanto, seu alimento prostrava-se diante dela, que precisava somente conseguir entrar pela treliça para pegá-lo.

Lentamente, forçou seu enorme corpo, centímetro por centímetro, pela abertura. Agora, sua cabeça tinha atravessado, depois, um grande antebraço e ombro.

Com cuidado, ela levantou o membro ferido para insinuá-lo suavemente pelas barras apertadas.

Mais alguns momentos e os dois ombros para dentro, o longo corpo sinuoso e os quadris estreitos deslizariam logo atrás.

Foi para ter essa visão que Jane Porter abriu seu os olhos novamente.

O DEUS DA FLORESTA

Quando Clayton ouviu o disparo da arma, caiu em uma agonia de medo e apreensão. Ele sabia que um dos marinheiros podia ser o autor; entretanto, o fato de ter deixado o revólver com Jane, associado à condição extenuada de seus nervos, o tornaram morbidamente convencido de que ela estava ameaçada por algum grande perigo. Talvez agora mesmo estivesse tentando se defender de algum homem ou fera selvagem.

Quais eram os pensamentos de seu estranho captor ou guia, Clayton só podia conjecturar vagamente. No entanto, o fato de Tarzan ter ouvido o tiro e ter sido afetado por aquilo de alguma forma era bastante evidente, visto que apertou tanto seu passo que Clayton, tropeçando cegamente atrás dele, caiu uma dezena de vezes nessa mesma quantidade de minutos, em um esforço vão para seguir o ritmo dele, e logo ficou irremediavelmente para trás.

Temendo perder-se de novo, ele chamou o selvagem à frente e, em um momento, sentiu-se aliviado de vê-lo cair dos galhos acima.

Por um instante, Tarzan olhou o jovem de perto, como sem saber a melhor atitude. Então, agachando-se diante de Clayton, fez um gesto para que ele o agarrasse pelo pescoço e, com o homem branco nas costas, subiu para as árvores.

Os minutos seguintes nunca foram esquecidos pelo inglês. Pelos altos galhos que se dobravam, ele balançava nas costas de Tarzan, cuja agilidade lhe parecia incrível, enquanto Tarzan se irritava com a lentidão de seu próprio progresso.

De um galho alto, a criatura ágil se pendurou com Clayton em um arco vertiginoso até uma árvore vizinha. Então, por cem metros, mais ou menos, os pés seguros costuraram um labirinto de galhos entrelaçados, balançando-se como em uma corda-bamba bem acima das profundezas negras da vegetação rasteira.

Depois da primeira sensação de medo congelante, Clayton passou a ter uma admiração total, e também inveja daqueles músculos gigantes e daquele instinto espetacular e conhecimento, que guiavam esse deus da floresta pela escuridão total da noite com mesma a facilidade e a segurança com a qual Clayton teria passeado por uma rua de Londres ao meio-dia.

Ocasionalmente, entravam em um lugar onde a folhagem era menos densa, e os raios brilhantes do luar iluminavam, diante dos olhos maravilhados de Clayton, o estranho caminho que atravessavam.

Nessas horas, ele ficava sem fôlego por causa da visão das profundezas horríveis da floresta, pois Tarzan percorria pelo caminho mais fácil e, portanto, frequentemente estava a trinta metros acima da terra.

Entretanto, apesar de toda a sua aparente velocidade, Tarzan, na realidade, avançava com relativa lentidão, o tempo todo em busca de galhos de força adequada para segurar o peso duplo.

Logo, chegaram à clareira diante da praia. Os ouvidos rápidos de Tarzan tinham escutado os sons estranhos dos esforços da leoa para forçar a entrada pelas treliças. Tarzan desceu com tanta pressa, que a Clayton pareceu uma queda de trinta metros direto para o chão e, quando pousaram no solo, quase não houve impacto. Enquanto Clayton soltava-se do homem-macaco, viu-o disparar como um esquilo até a cabana.

O inglês correu atrás dele, bem a tempo de ver as patas traseiras de um enorme animal prestes a desaparecer pela janela da habitação.

Quando Jane abriu os olhos e percebeu o perigo iminente que a ameaçava, seu bravo coração desistiu do último vestígio de esperança.

Então, para sua surpresa, ela viu a fera lentamente ser arrastada de volta para fora e, sob a luz do luar, enxergou a cabeça e os ombros de dois homens do lado de fora.

Assim, Clayton contornou a cabana para observar o animal desaparecer através da janela, porém, viu também o homem-macaco agarrando a longa cauda da leoa e, com os pés apoiados contra a lateral da cabana, puxou-a fazendo muita força na tentativa de arrancar a fera lá de dentro.

Clayton foi rápido em oferecer ajuda, mas Tarzan grasnou com ele em um tom peremptório de comando que Clayton reconhecia como ordens, embora não fosse capaz de entendê-las.

Finalmente, com os esforços de ambos combinados, o grande corpo foi lentamente arrastado de forma gradativa para fora da janela, e então veio à mente de Clayton uma concepção nova sobre a bravura precipitada do ato de seu companheiro.

Um homem nu arrancar, de uma janela, um animal devorador de humanos, puxando pela cauda a fim de salvar uma desconhecida garota branca, era de fato a última palavra de heroísmo.

No que dizia respeito a Clayton, a questão era bem diferente, porque ela não apenas pertencia a sua própria espécie e raça, mas também se tratava da mulher que ele mais amava em todo o mundo.

Mesmo com a certeza de que a leoa logo daria cabo deles dois, puxou-a com vontade para afastá-la de Jane Porter. Nesse momento, ele se lembrou da batalha, que tinha testemunhado pouco antes, entre aquele homem e o grande leão de juba preta e, por isso, começou a se sentir mais seguro.

Tarzan ainda emitia ordens que Clayton não compreendia.

Ele estava tentando dizer para o estúpido homem branco lançar as flechas envenenadas nas costas e na lateral da leoa, e para atingir o coração da fera com a fina e longa faca de caça pendurada em seu quadril, mas o homem não entendia. Apesar disso, Tarzan não ousaria soltar o animal para fazer aquilo ele mesmo, pois sabia que o homem branco fracote nunca seria capaz de segurar a leoa sozinho nem por um instante sequer.

Lentamente, a fera emergia da janela. Por fim, seus ombros saíram.

Então, Clayton viu algo inacreditável. Tarzan, em um esforço para achar em seu cérebro algum meio de lidar sozinho com a besta furiosa, lembrou-se de repente de sua batalha com Terkoz. Dessa maneira, quando os grandes ombros do animal saíram da janela da habitação, de modo que ele ficou pendurado no peitoral somente com as patas dianteiras, Tarzan soltou-o.

Com a rapidez de uma cascavel atacando, ele se lançou sobre as costas da leoa, e com os braços, jovens e fortes, conseguiu aplicar uma chave de pescoço completa na fera, conforme aprendeu durante sua vitória na luta sangrenta com Terkoz.

Com um rugido, a leoa virou-se completamente de costas para baixo, caindo em cima de seu inimigo, e o gigante de cabelos pretos pôde intensificar seu golpe.

Tentando se agarrar a alguma coisa e rasgando o ar, a leoa rolou no chão e se jogou de um lado e para o outro, em uma tentativa de deslocar aquele estranho antagonista, praticamente sem sucesso, pois as bandas de aço, que forçavam sua cabeça mais e mais para a direção de seu peito fulvo, ficavam cada vez mais apertadas.

Os antebraços de ferro do homem-macaco subiram mais para a nuca da fera. Assim, os esforços da leoa tornaram-se mais e mais fracos.

Por fim, Clayton viu os imensos músculos dos ombros e dos bíceps de Tarzan saltarem como nós de corda sob a luz do luar. Houve um esforço extenso e supremo por parte do homem-macaco, até a vértebra do pescoço do animal se partir com um estalo agudo.

Em um instante, Tarzan estava de pé e, pela segunda vez naquele dia, Clayton ouviu o rugido selvagem de vitória de um macaco macho. Logo depois, escutou o grito agonizado de Jane:

– Cecil... senhor Clayton! Ah, o que foi? O que foi?

Correndo com pressa em direção à porta da cabana, Clayton avisou que tudo estava bem e pediu para que abrisse a porta. O mais rápido que pôde, ela levantou a grande barra e puxou Clayton para dentro.

– O que foi aquele barulho terrível? – sussurrou ela, encolhendo-se para perto dele.

– Foi o grito da morte vindo da garganta do homem que acabou de salvar sua vida, senhorita Porter. Espere, vou buscá-lo para que possa agradecer-lhe.

A garota, assustada, não queria ficar sozinha, portanto, acompanhou Clayton até o lado da cabana onde se encontrava o cadáver da leoa.

No entanto, Tarzan dos Macacos tinha sumido.

Clayton chamou-o várias vezes, porém não houve resposta. Diante disso, os dois voltaram à maior segurança do interior.

– Que som assustador! – comentou Jane. – Só de pensar nele, já começo a tremer. Não me diga que uma garganta humana vociferou aquele grito horrendo e temível.

– Mas foi, senhorita Porter – respondeu Clayton –, ou pelo menos, se não uma garganta humana, com certeza, a de um deus da floresta.

E, então, ele contou a ela sobre suas experiências com aquela estranha criatura, como nas duas ocasiões em que o selvagem tinha salvado sua vida, e também sobre sua força, agilidade e coragem incríveis, além de sua pele morena e do lindo rosto.

– Não consigo entender de forma alguma – concluiu. – No início, pensei que pudesse ser Tarzan dos Macacos, mas ele não fala nem entende inglês. Logo, essa teoria é insustentável.

– Bem, o que quer que ele seja – falou a garota –, nós devemos nossa vida a ele. Que Deus o abençoe e o mantenha seguro nesta floresta selvagem e cruel!

– Amém – disse Clayton, com fervor.

– Pelo amor de Deus, não estou morta?

Os dois se viraram e perceberam Esmeralda sentada no chão, virando seus grandes olhos de um lado para o outro, como se não acreditasse onde estava.

Finalmente, Jane Porter reagiu àquela situação, jogando-se em cima do banco e gargalhando histericamente.

"MUITO IMPRESSIONANTE"

Há muitos quilômetros ao Sul da cabana, em uma faixa de areia da praia, encontravam-se os dois velhos, discutindo.

Diante deles, espalhava-se o amplo Atlântico e, atrás, o continente negro. Ao seu redor, pairava a escuridão impenetrável da selva.

As feras selvagens rugiam e grunhiam. Os ruídos odiosos e estranhos assaltavam seus ouvidos. Vagaram por quilômetros em busca de seu acampamento, mas sempre na direção errada. Eles estavam tão irremediavelmente perdidos, como se de repente tivessem sido transportados a outro mundo.

Naquele momento, de fato, cada fibra de seus intelectos combinados devia estar concentrada na questão vital do momento: retraçarem seus passos de volta ao acampamento.

Samuel T. Philander estava falando:

– Mas, meu caro professor – dizia ele –, ainda defendo que, se não fossem as vitórias de Ferdinando e Isabela sobre os mouros na Espanha no século XV, o mundo hoje estaria mil anos avançado em relação ao ponto onde nos encontramos atualmente. Os mouros eram essencialmente uma raça tolerante, de mente aberta e liberal composta de agricultores, artesãos e mercadores, exatamente o tipo de pessoa que tornou possível a civilização que hoje vemos na América e na Europa, enquanto os espanhóis...

– Shh, shh, caro senhor Philander – interrompeu o professor Porter –, a religião deles exclui completamente as possibilidades que o senhor sugere. O islamismo era, é e sempre será uma chaga no progresso científico que marcou...

– Meu Deus! Professor – interveio senhor Porter –, parece haver alguém se aproximando.

O professor Archimedes Q. Porter virou-se na direção indicada pelo míope senhor Philander.

– Shh, shh, senhor Philander! – repreendeu. – Quantas vezes devo pedir que busque concentração absoluta de suas faculdades mentais, a qual sozinha permitiria que o senhor usasse os maiores poderes da intelectualidade em problemas momentosos, que naturalmente são responsabilidade de grandes mentes? E, agora, descubro que é culpado de uma flagrante quebra de cortesia ao interromper meu culto discurso para chamar atenção a um mero quadrúpede do gênero Felis. Como eu ia dizendo, senhor...

– Minha nossa, professor, um leão? – gritou o senhor Philander, esticando seus olhos fracos na direção de um vulto destacado contra a vegetação rasteira escura dos trópicos.

– Sim, sim, senhor Philander, se insiste em usar gírias em seu discurso, um "leão". Mas, como eu ia dizendo...

– Perdoe-me, professor – interrompeu novamente o senhor Philander –, mas permita-me sugerir que, sem dúvida, os mouros que foram conquistados no século XV continuarão nessa condição lamentável pelo menos por enquanto, ainda que adiemos a discussão sobre essa calamidade mundial até podermos ter a vista encantadora de quão distante de nós está esse Felis carnívora.

Nesse meio-tempo, o leão havia se aproximado com uma dignidade silenciosa a dez passos dos dois homens, e lá observava com curiosidade.

A luz do luar inundava a praia, e o estranho grupo se destacava em relevo contra a areia amarela.

– Muito repreensível, muito repreensível – exclamou o professor Porter, com um fraco traço de irritação na voz. – Nunca, senhor

Philander, nunca em minha vida soube de um animal desses ter permissão de andar livre, fora de sua jaula. Certamente relatarei essa ultrajante quebra de ética aos diretores do jardim zoológico adjacente.

– Corretíssimo, professor – concordou o senhor Philander –, e quanto antes, melhor. Vamos começar agora.

Segurando o braço do professor, o senhor Philander saiu em uma direção que colocaria mais distância entre eles e o leão.

Percorreram uma curta distância quando um olhar de relance para trás revelou ao olhar horrorizado do senhor Philander que o leão os seguia. Ele segurou com mais força o professor, que protestava, e aumentou a velocidade.

– Como eu ia dizendo, senhor Philander – repetiu o professor Porter, com calma.

O senhor Philander deu outro olhar apressado para trás. O leão também tinha apertado o passo e estava obstinadamente mantendo uma distância invariável atrás deles.

– Ele está nos seguindo! – O senhor Philander arquejou, começando a correr.

– Shh, shh, senhor Philander – repreendeu o professor –, esta pressa indecorosa é muito deselegante para homens de letras. O que nossos amigos pensarão de nós, que por acaso podem estar na rua e testemunhar nosso comportamento frívolo? Por favor, vamos proceder com mais decoro.

O senhor Philander deu mais um olhar furtivo para trás. O leão estava saltando tranquilamente cinco passos atrás.

Então, o senhor Philander soltou o braço do professor e caiu em uma orgia louca de velocidade que teria sido um orgulho em qualquer equipe de corrida universitária.

– Como eu ia dizendo, senhor Philander – gritou o professor Porter, enquanto, metaforicamente, colocava-se em "marcha alta". Ele também espiou os olhos amarelos cruéis e a boca meio aberta atrás dele, em proximidade alarmante de sua pessoa.

Com o fraque voando pelo atrito do vento e o chapéu de seda brilhante, o professor Archimedes Q. Porter fugiu à luz do luar, na rabeira do senhor Samuel T. Philander.

Diante deles, uma parte da selva era direcionada a um promontório estreito, e foi sob o abrigo das árvores que o senhor Samuel T. Philander conduziu seus saltos prodigiosos. Nas sombras desse mesmo lugar, dois olhos aguçados espiavam interessados a corrida.

Era Tarzan dos Macacos, sorrindo, quem observava aquele esquisito jogo de siga o líder.

Ele sabia que os dois homens estavam seguros do ataque, pelo menos quanto ao do leão. Afinal, o simples fato da fera ter deixado escapar presas tão fáceis, convencia Tarzan, com base na sabedoria da floresta, de que a barriga do leão já estava cheia.

Ele podia persegui-los até ter fome de novo, entretanto, o mais provável era que, se não fosse provocado, logo se cansaria do esporte e se esquivaria para sua toca na selva.

Na verdade, o único perigo evidente era se um dos homens tropeçasse e caísse, então, o demônio loiro estaria em cima deles em um instante. Nesse caso, a alegria de matar seria uma tentação grande demais para resistir.

Portanto, Tarzan se balançou rapidamente até um galho mais baixo, paralelamente à rota dos fugitivos que se aproximavam. Enquanto o senhor Samuel T. Philander caminhava ofegante, arquejando logo abaixo dele, em uma batalha para conseguir subir em um galho, Tarzan esticou as mãos e, agarrando-o pelo colarinho do casaco, trouxe o homem para seu lado.

Mais um momento, alcançou o professor e o segurou em uma pegada amigável. Logo, foi puxado para a segurança no instante em que Numa, com um rugido, pulou para tentar recuperar sua presa desaparecida.

Por algum tempo, os dois homens se agarraram, ofegantes, ao grande galho, enquanto Tarzan se agachava, apoiado ao tronco da árvore, e observava os dois, em um misto de sensações de curiosidade e diversão.

Foi o professor quem quebrou o silêncio primeiro.

– Dói-me profundamente, senhor Philander, que tenha demonstrado tal escassez de coragem viril na presença de alguém das classes mais baixas e, por sua timidez crassa, ter-me feito exaurir-me a tal ponto que agora preciso retomar meu discurso. Como eu ia dizendo, senhor Philander, até ser interrompido, os mouros...

– Professor Archimedes Q. Porter – interrompeu o senhor Philander, friamente –, chegou o momento no qual a paciência se tornou um crime e o caos apareceu vestido com o manto da virtude. Acusa-me de covardia. Insinuou que correu apenas para me alcançar, não para escapar das garras do leão. Tenha cuidado, professor Archimedes Q. Porter! Sou um homem desesperado. Até mesmo os vermes se reviram se provocados.

– Shh, shh, senhor Philander, shh, shh! – alertou o professor Porter. – Está esquecendo seu lugar.

– Ainda não estou me esquecendo de nada, professor Archimedes Q. Porter, mas, acredite, estou à beira de esquecer-me de sua posição exaltada no mundo da ciência, e também de seus cabelos grisalhos.

O professor sentou-se em silêncio por alguns minutos, e a escuridão escondeu o sorriso que cingiu seu semblante enrugado. Logo, ele falou.

– Olhe aqui, Philander, seu magrelo – disse ele, em um tom beligerante –, se está procurando uma briga, tire o casaco e desça ao chão, que vou socar sua cabeça como fiz há sessenta anos naquele beco no celeiro de Porky Evan.

– Ark! – o atônito senhor Philander arquejou. – Meu Deus, como isso é bom! Quando é humano, Ark, eu o amo. Contudo, por algum motivo, parece ter se esquecido de como é ser um humano nos últimos vinte anos.

O professor esticou uma mão magra e trêmula pela escuridão até encontrar o ombro de seu velho amigo.

– Perdoe-me, Magrelo – disse, em voz baixa. – Faz quase vinte anos, e só Deus sabe como tentei ser "humano" pelo bem de Jane, e também pelo senhor, já que Ele levou embora a minha outra Jane.

Outra velha mão se ergueu da lateral do senhor Philander para segurar a que repousava em seu ombro, e mais nenhuma outra mensagem poderia traduzir melhor um coração ao outro.

Eles não falaram por alguns minutos.

O leão lá embaixo andava nervoso para lá e para cá. A terceira figura na árvore se escondia atrás das densas sombras perto do tronco. Também estava em silêncio e imóvel como uma escultura.

– Certamente, puxou-me para esta árvore bem a tempo – disse, enfim, o professor. – Gostaria de agradecer-lhe por salvar minha vida.

– Mas não fui eu quem o puxei, professor – disse o senhor Philander. – Imagine! O caos do momento fez que eu praticamente esquecesse que fui trazido até aqui por alguma força externa. Deve haver alguém ou algo aqui nesta árvore conosco.

– Ahn? – proferiu o professor Porter. – Tem certeza, senhor Philander?

– Absoluta, professor – respondeu o senhor Philander. – E acho que devemos agradecer a essa pessoa. Ela pode estar agora bem ao seu lado – completou.

– O quê? Como assim? Shh, shh, senhor Philander, shh, shh! – disse o professor Porter, aproximando-se com cuidado do senhor Philander.

Então, ocorreu a Tarzan dos Macacos que Numa rondava a árvore há tempo demais, por isso, levantou sua jovem cabeça para os céus e soou, nos ouvidos aterrorizados dos anciões, o terrível desafio dos antropoides.

Os dois amigos, juntos e tremendo em sua posição precária no galho, viram o grande leão parar seu andar quando o arrepiante grito atingiu seus ouvidos. Em seguida, a fera esquivou-se rapidamente para a selva, e sumiu da vista no mesmo instante.

– Até o leão treme de medo – sussurrou o senhor Philander.

– Muito impressionante, muito impressionante – murmurou o professor Porter, agarrando-se freneticamente ao senhor Philander para recuperar o equilíbrio que o susto tinha colocado em perigo.

Infelizmente, o centro de equilíbrio do senhor Philander, naquele exato momento, estava à beira do fim e precisava somente de um suave ímpeto, fornecido pelo peso adicional do corpo do professor Porter, para derrubar o dedicado secretário do galho.

Por um momento, balançaram-se de forma incerta e então, com gritos misturados e nada acadêmicos, despencaram da árvore, presos em um abraço frenético.

Levou alguns momentos antes de qualquer um dos dois se mexer, pois ambos estavam certos de que tal tentativa revelaria as fraturas e as lesões e, portanto, o progresso seria impossível.

Por fim, o professor Porter fez uma tentativa de mexer a perna. Para sua surpresa, ela respondeu a seu comando tão bem quanto em dias passados. Depois, ele pegou a outra perna e a esticou.

– Muito impressionante, muito impressionante – murmurou.

– Graças a Deus, professor! – sussurrou o senhor Philander, com fervor. – Então, o senhor não está morto?

– Shh, shh, senhor Philander, shh, shh – alertou o professor Porter –, ainda não sei com precisão.

Com uma solicitude infinita, o professor Porter balançou o braço direito, muito bom! Estava intacto. Sem respirar, acenou com o braço esquerdo acima de seu corpo prostrado, ele reagiu!

– Muito impressionante, muito impressionante – disse.

– A quem está sinalizando, professor? – perguntou o senhor Philander, em um tom animado.

O professor Porter não se dignou a responder àquela pergunta pueril. Em vez disso, levantou a cabeça lentamente do chão, acenando-a para a frente e para trás meia dúzia de vezes.

– Muito impressionante – ele respirou. – Permanece intacta!
– O senhor Philander não tinha se movido do lugar onde caíra. Ele não ousava sequer tentar se mexer. Como, de fato, seria possível deslocar-se com braços, pernas e coluna quebrados?

Um olho estava enterrado na lama mole, enquanto o outro, virado para o lado, fixava-se em choque nos estranhos movimentos do professor Porter.

– Que triste! – exclamou o senhor Philander, em meia-voz. – Concussão do cérebro, superinduzindo a aberração mental completa. Muito triste, mesmo! E ainda é tão jovem!

O professor Porter virou-se de barriga para baixo, timidamente, e arqueou as costas até estar parecendo um enorme gato diante de um cachorro que se aproxima latindo. Então, ele se sentou e sentiu várias partes de sua anatomia.

– Ainda estão todas aqui – exclamou. – Muito impressionante!

Ao se levantar, e dando um olhar mordaz à forma prostrada do senhor Samuel T. Philander, ele disse:

– Shh, shh, senhor Philander, não é hora de entregar-se à preguiça. Precisamos levantar e nos colocar a caminho.

O senhor Philander tirou seu olho da lama e fitou o professor Porter com uma ira silenciosa. Então, ele tentou se levantar e, para sua surpresa, concluiu que seus esforços foram coroados por um sucesso.

No entanto, ele ainda estava queimando de raiva com a injustiça cruel da insinuação do professor Porter. No momento em que quase soltou uma réplica, sua atenção foi atraída para uma estranha figura parada a alguns passos dali, perscrutando-os com demasiado interesse.

O professor Porter tinha recuperado seu chapéu de seda brilhante, que limpou com cuidado na manga de seu casaco e o recolocou na cabeça. Quando viu o senhor Philander apontando para algo atrás de si, virou-se para ver um gigante nu, exceto por uma tanga e alguns ornamentos de metal, imóvel diante deles.

– Boa noite, senhor! – disse o professor, levantando o chapéu para cumprimentá-lo.

Como resposta, o gigante fez um gesto para eles o seguirem e partiu em direção à praia, de onde tinham recentemente vindo.

– Acho que seria inteligente segui-lo – disse o senhor Philander.

– Shh, shh, senhor Philander – devolveu o professor. – Há pouco tempo, o senhor apresentava um argumento bastante lógico de sua teoria de que o acampamento estava diretamente ao Sul. Eu estava cético, entretanto, finalmente, fui convencido. Então, agora, tenho certeza de que é ao Sul que devemos ir para alcançar nossos amigos. Portanto, continuarei ao Sul.

– Mas, professor Porter, esse homem deve saber melhor do que qualquer um de nós o caminho que devemos percorrer. Ele parece nativo desta parte do mundo. Vamos pelo menos segui-lo por uma curta distância.

– Shh, shh, senhor Philander – repetiu o professor. – Sou um homem difícil de convencer, contudo, quando estou convencido, minha decisão é inalterável. Continuarei na direção certa, mesmo que tenha de circundar todo o continente da África para alcançar meu destino.

Outros argumentos foram interrompidos por Tarzan, que, vendo que aqueles homens estranhos não o seguiam, juntou-se a eles.

Mais uma vez, chamou-os, mas eles continuaram discutindo.

Logo, o homem-macaco perdeu a paciência com a ignorância estúpida dos dois. Assim, agarrou o assustado senhor Philander pelo ombro e, antes de o cavalheiro nobre saber se estava sendo morto ou simplesmente aleijado, Tarzan tinha amarrado uma ponta de sua corda firmemente no pescoço do senhor Philander.

– Shh, shh, senhor Philander – repreendeu o professor Porter –, é muito impróprio de sua parte submeter-se a tais indignidades.

Mal as palavras saíram de sua boca, e ele também tinha sido capturado e seguramente amarrado com a mesma corda. Então, Tarzan partiu para o Norte, liderando professor e seu secretário, completamente assustados.

No silêncio mortal, eles prosseguiram pelo que parecia, aos dois velhos cansados e desanimados, ter durado horas. Em seguida, subiram uma pequena elevação do terreno e ficaram cheios de satisfação ao ver a cabana diante deles, a menos de cem metros de distância.

Nessa hora, Tarzan os libertou e, apontando para a pequena construção, desapareceu na selva atrás deles.

– Muito impressionante, muito impressionante! – o professor arquejou. – Mas veja, senhor Philander, que eu estava bastante certo, como sempre. Se não fosse sua obstinação teimosa, teríamos escapado de uma série de acidentes muito humilhantes, para não dizer perigosos. Por favor, permita-se ser guiado por uma mente mais madura e prática daqui em diante, quando precisar de conselhos sábios.

O senhor Samuel T. Philander ficou muito aliviado com o resultado feliz de sua aventura para ressentir-se com a invectiva cruel do professor. Em vez disso, agarrou o braço de seu amigo e o apressou em direção à cabana.

Um grupo muito aliviado de náufragos se viu mais uma vez unido. O nascer do sol os encontrou ainda acordados, em meio a relatos de suas inúmeras aventuras e especulações sobre a identidade do estranho guardião e protetor que tinham encontrado naquele litoral selvagem.

Esmeralda tinha certeza de que não era ninguém menos que o anjo do Senhor, enviado especialmente para protegê-los.

– Se o tivesse visto devorar a carne crua do leão, Esmeralda – Clayton riu –, teria achado que ele é um anjo bastante material.

– Não havia nenhum traço celestial na voz dele – disse Jane Porter, com um pequeno tremor ao se lembrar do terrível rugido proferido após a morte do leão.

– Também não se encaixou precisamente em minhas ideias preconcebidas da dignidade dos mensageiros divinos – comentou o professor Porter –, quando o... ah... *cavalheiro* amarrou dois acadêmicos altamente respeitáveis e eruditos pelo pescoço e os arrastou pela selva como se fossem vacas.

SEPULTAMENTOS

Como o amanhecer, com bastante claridade, o grupo, em que ninguém tinha comido ou dormido desde a manhã anterior, começou a se movimentar para preparar comida.

Os amotinados do *Arrow* desembarcaram um pequeno suprimento de carnes secas, sopas e vegetais enlatados, biscoitos, farinha, chá e café para os cinco sujeitos que tinham abandonado. Tudo isso foi usado rapidamente para satisfazer a ânsia de apetites há muito acordados.

A próxima tarefa era tornar a cabana habitável e, com esse fim, decidiu-se imediatamente remover as relíquias macabras de uma tragédia ocorrida ali, em alguma era passada.

O professor Porter e o senhor Philander estavam profundamente interessados em examinar os esqueletos. Os dois maiores, afirmaram, pertenceram a um homem e uma mulher brancos de uma estirpe alta, eles concluíram.

O esqueleto menor recebeu apenas uma atenção passageira, visto que sua localização, no berço, não deixava dúvida de ter sido uma cria infante do casal infeliz.

Quando preparavam o esqueleto do homem para o enterro, Clayton descobriu um enorme anel que, evidentemente, encontrava-se em torno do dedo do homem na hora da morte, afinal um dos ossos esguios da mão ainda atravessava o aro dourado.

Ao segurá-lo, para examinar, Clayton deu um grito de espanto, pois o anel trazia o brasão da casa Greystoke.

Ao mesmo tempo, Jane descobriu os livros na prateleira e, ao abrir a guarda de um deles, viu o nome "John Clayton, Londres". Em um segundo livro, que investigou às pressas, constava apenas o nome "Greystoke".

– Ora, senhor Greystoke, o que significa isto? – disse ela. – Os nomes de pessoas de sua própria família estão escritos nestes livros.

– E aqui – respondeu ele, com gravidade – está o grande anel da casa Greystoke, perdido desde que meu tio, John Clayton, antigo lorde Greystoke, desapareceu, presumivelmente perdido no mar.

– Mas como se explicam essas coisas aqui, nesta selva africana? – perguntou a menina.

– Só há um motivo para esses objetos estarem aqui, senhorita Porter – disse Clayton. – O falecido lorde Greystoke não se afogou, mas, sim, morreu aqui nesta cabana. Estamos olhando seus restos mortais jazidos no chão.

– Então, esta deve ter sido *lady* Greystoke – falou Jane, com reverência, indicando a pobre massa de ossos na cama.

– A linda *lady* Alice – respondeu Clayton –, cujas muitas virtudes e impressionante charme pessoal ouvi muitas vezes minha mãe e meu pai contarem. Pobrezinha! – ele murmurou, triste.

Com profundo respeito e solenidade, os corpos dos falecidos de lorde e *lady* Greystoke foram enterrados ao lado de sua pequena cabana africana e, entre eles, foi colocado o minúsculo esqueleto do bebê de Kala, o macaco.

No momento em que o senhor Philander colocava os ossos frágeis do bebê em um pedaço de pano de lona, examinou com atenção os ossos do crânio. Então, chamou professor Porter ao seu lado, e os dois discutiram em voz baixa por vários minutos.

– Muito impressionante, muito impressionante – disse o professor Porter, abismado.

— Minha nossa — falou o senhor Philander —, precisamos informar o senhor Clayton de nossa descoberta imediatamente!

— Shh, shh, senhor Philander, shh, shh! — repreendeu o professor Archimedes Q. Porter. — "Deixe aos mortos o sepultar de seus mortos[9]".

E assim, o homem grisalho repetiu a missa fúnebre em volta daquele estranho túmulo, enquanto seus quatro companheiros baixavam as cabeças descobertas em seu entorno.

Das árvores, Tarzan dos Macacos observava a cerimônia solene e, principalmente, o rosto doce e a figura graciosa de Jane Porter.

Em seu peito selvagem e inculto, novas emoções nasciam. Ele não conseguia compreendê-las e, por isso, perguntava-se por que sentia um interesse tão grande naquelas pessoas, por que tinha ido tão longe para salvar os três homens. Entretanto, não se perguntava por qual motivo arrancou da leoa, a carne tenra da estranha garota.

Certamente, os homens eram estúpidos, ridículos e covardes. Até Manu, o mico, era mais inteligente que eles. Se eram criaturas de sua própria espécie, então, ele tinha dúvidas se era possível ter orgulho de seus antepassados.

Mas a garota, ah! Era outra coisa. Aqui, ele não encontrou razões para criticar. Sabia que ela tinha sido criada para ser protegida, e que ele tinha sido criado para protegê-la.

Ele se perguntava qual teria sido a razão de cavar um grande buraco no chão meramente para enterrar ossos secos. Com certeza, não fazia nenhum sentido, afinal, ninguém iria querer roubar ossos secos.

Se houvessem carnes neles, faria algum sentido, porque somente assim seria possível esconder a carne da mira de Dango, a hiena, e de outros ladrões da selva.

Quando o túmulo estava cheio de terra, o pequeno grupo voltou-se para a cabana, e Esmeralda, ainda chorando copiosamente pelas duas pessoas de quem nunca tinha ouvido falar antes daquele dia, e que estavam mortos há vinte anos, ousou olhar na direção do porto. Instantaneamente, suas lágrimas secaram.

---

9 Paráfrase de um trecho do evangelho de São Lucas (capítulo IX: versículo 60). (N. T.)

– Olha aqueles lixos brancos lá! – gritou, apontando para o *Arrow*. – Eles tão fazendo pouco da gente, abandonados bem aqui nesta ilha pervertida.

E, de fato, o *Arrow* flutuava em direção ao mar aberto, lentamente, pela entrada do porto.

– Eles prometeram nos deixar armas de fogo e munição – disse Clayton. – Aqueles animais cruéis!

– É coisa daquele homem que chamam de Snipes, tenho certeza – falou Jane. – King era salafrário, mas tinha um pouco de humanidade. Se não o tivessem matado, sei que ele teria nos garantido o mínimo necessário antes de nos largar a nosso destino.

– Sinto muito que não tenham vindo nos visitar antes de zarpar – comentou o professor Porter. – Eu tinha proposto pedir-lhes para deixar o tesouro conosco, pois serei um homem arruinado caso ele se perca.

Jane olhou com tristeza para o pai.

– Deixe para lá, querido – disse ela. – Não teria adiantado, porque é apenas por causa do tesouro que eles mataram seus oficiais e nos colocaram neste litoral terrível.

– Shh, shh, criança, shh, shh – respondeu o professor Porter. – É uma boa menina, contudo sem experiência com questões práticas.

Em seguida, virou-se e caminhou lentamente na direção da selva, com as mãos fechadas atrás das longas caudas do fraque e os olhos voltados ao chão.

Sua filha o observou com um sorriso patético nos lábios e, dirigindo-se para o senhor Philander, sussurrou:

– Por favor, não deixe que ele vague de novo como fez ontem. Confiamos no senhor para ficar de olho nele, o senhor sabe.

– Ele está ficando mais difícil de lidar a cada dia que passa – respondeu o senhor Philander, com um suspiro e balançando a cabeça. – Imagino que agora esteja indo relatar aos diretores do zoológico que um de seus leões estava à solta ontem. Ah, senhorita Jane, não sabe as coisas com que tenho de conviver.

– Sei, sim, senhor Philander. Embora todos o amemos, apenas o senhor tem o necessário para lidar com ele, pois, independentemente do que diga a ele, meu pai respeita seu grande conhecimento e, portanto, tem imensa confiança em seu julgamento. O pobrezinho não sabe diferenciar erudição e sabedoria.

O senhor Philander, com uma expressão de leve confusão no rosto, virou-se para seguir o professor Porter e, em sua mente, revirava a questão: se deveria se sentir elogiado ou insultado pelo comentário duvidoso da senhorita Porter.

Tarzan tinha visto a consternação no rosto do pequeno grupo que testemunhava a partida do *Arrow*. Desse modo, como o navio era uma novidade maravilhosa para ele, decidiu correr para o ponto de terra a Norte, na boca do porto, e obter uma visão mais perto possível da embarcação, além de tentar descobrir seu rumo.

Balançando-se pelas árvores em alta velocidade, ele chegou a este ponto apenas um momento depois de o navio ter passado pelo porto, e pôde enxergar, de maneira excepcional, as maravilhas daquela estranha casa flutuante.

Eram cerca de vinte homens correndo para lá e para cá no deque, puxando e se dependurando em cordas.

Uma leve brisa soprava do continente, o navio passou pela boca do porto com poucas velas. No entanto, agora que tinham saído daquele ponto, cada centímetro disponível de tecido foi içado para que o navio pudesse se jogar no mar aberto com facilidade.

Tarzan observou os movimentos graciosos do navio em uma admiração arrebatada, desejando estar nele. Logo, seus olhos aguçados viram uma leve e suspeita fumaça, ao longe, no horizonte Norte, e ele se perguntou qual seria a causa do fogo em pleno oceano.

Mais ou menos ao mesmo tempo, o vigia do *Arrow* deve ter notado a mesma fumaça, pois, em poucos minutos, Tarzan viu as velas sendo movimentadas e recolhidas. O navio parou e, logo, ele percebeu que a embarcação retornava à terra.

Um homem na proa lançava constantemente no mar uma corda, na qual havia um pequeno objeto amarrado na ponta[10]. Tarzan se perguntou qual seria o propósito daquela ação.

---

10 Provavelmente, o objeto lançado ao mar era barquilha, aparelho preso ao navio e usado para medir sua velocidade. (N.T.)

Por fim, o navio se aproximou do porto. A âncora foi abaixada e as velas desceram. Houve grande correria no deque.

No entanto, um bote com um grande baú foi colocado no mar. Então, uma dúzia de marinheiros dobraram-se sobre os remos rapidamente em direção ao ponto onde Tarzan estava agachado, nos galhos de uma árvore alta.

À medida que o barco que se aproximava, Tarzan podia enxergar o homem com cara de rato cada vez mais perto.

Levou apenas alguns minutos para o barco tocar a praia. Os homens desembarcaram e levaram o grande baú até a areia. Como estavam no lado Norte, a presença deles não poderia ser notada por aqueles abrigados na cabana.

Os marinheiros discutiram raivosamente por um momento. Depois, aquele com cara de rato e vários companheiros subiram a pequena elevação, na qual ficava a árvore em que Tarzan se escondia. Investigaram o local por alguns minutos.

– Aqui é um bom lugar – disse o marinheiro com cara de rato, indicando um ponto sob a árvore de Tarzan.

– Tão bom como qualquer outro lugar – respondeu um de seus companheiros. – Se nos pegarem com o tesouro a bordo, vai ser tudo confiscado mesmo. Melhor enterrar aqui, para, se um de nós escapar da forca, poder voltar e aproveitar depois.

O homem com cara de rato chamou os demais que não tinham desembarcado ainda. Eles subiram, bem lentamente, carregando pás e picaretas.

– Andem logo! – gritou Snipes.

– Vá com calma! – retorquiu um dos homens, de mau humor. – Você não é almirante, seu maldito.

– Mas sou o capitão aqui e você precisa entender isso, seu inútil – gritou Snipes, com uma saraivada de xingamentos assustadores.

– Calma, colegas – apaziguou um dos homens que ainda não tinha falado. – Não vai adiantar a gente ficar brigando um com o outro.

– É, sim – respondeu o marinheiro que se ressentiu com o tom de Snipes –, mas também não adianta ninguém se fazer de chefe deste diabo de companhia aqui.

– Vocês, cavem aqui – disse Snipes, indicando um ponto sob a árvore. – E enquanto estão cavando, Peter pode ir fazendo um mapa de onde *tá* enterrado pra gente poder achar de novo depois. Você, Tom e Bill, pega mais uns homens e traz o baú.

– O que *cê* vai fazer? – perguntou aquele homem da briga anterior. – Só mandar?

– Começa a cavar aí – grunhiu Snipes. – *Cê* não acha que seu capitão vai pegar uma pá e cavar, né?

Todos os homens olharam com raiva. Nenhum deles gostava de Snipes, e aquela demonstração de autoridade desagradável, desde que ele tinha matado King, o verdadeiro chefe e líder dos amotinados, apenas alimentava as chamas do ódio.

– Quer dizer que você não pretende pegar uma pá e ajudar com este trabalho? Seu ombro não está tão machucado assim – disse Tarrant, o marinheiro que tinha falado antes.

– De jeito nenhum – respondeu Snipes, mexendo nervoso no cabo de seu revólver.

– Então, por Deus – replicou Tarrant –, se não vai pegar uma pá, pegue uma picareta.

Com essas palavras, ele levantou a picareta acima da cabeça e, com um golpe forte, enfiou a ponta da ferramenta na cabeça de Snipes.

Por um momento, os homens ficaram parados, olhando em silêncio para o resultado do humor sombrio de seu companheiro. Em seguida, um deles falou:

– Bem-feito para aquele gambá.

Um dos marinheiros começou cavar o chão com a picareta. O solo estava macio, por isso, ele jogou de lado a ferramenta e pegou uma pá. Logo, os outros se juntaram a ele. Não houve mais comentário sobre a morte. Os homens trabalharam com um estado de espírito melhor do que aquele que pairava sobre eles, desde que Snipes tinha assumido o comando do navio.

Quando obtiveram uma ampla trincheira para enterrar o baú, Tarrant sugeriu que a aumentassem para que fosse possível enterrar o corpo de Snipes em cima do baú.

– Pode ajudar alguém que acabe cavando por aqui – explicou.

Os outros viram a astúcia da sugestão e, assim, a vala foi ficando maior para acomodar o corpo. No centro, havia um buraco mais fundo para alojar o baú, que primeiro foi embrulhado em tecido de vela de navio e depois encaixado no lugar. Há mais ou menos trinta centímetros da superfície do baú ficaria o cadáver. A terra foi jogada e pisoteada até o buraco estar nivelado e uniforme.

Dois dos homens rolaram o cadáver sem cerimônia no túmulo, mas não sem antes arrancar as armas dele e vários outros artigos que diversos membros do grupo cobiçavam para si.

Então, eles encheram o túmulo de terra e o pisotearam, deixando o chão plano.

A terra que sobrou foi espalhada no entorno, e uma massa de vegetação morta foi distribuída da maneira mais natural possível, por cima do túmulo recém-escavado, para não deixar sinais de que a terra tinha sido remexida.

Com o trabalho finalizado, os marinheiros voltaram ao pequeno barco e remaram com pressa em direção ao *Arrow*.

A brisa tinha aumentado consideravelmente e, como a fumaça era plenamente visível no horizonte, os amotinados não perderam tempo em levantar as velas e direcioná-lo para o Sudoeste.

Tarzan, um espectador interessado em tudo o que acontecia, sentou-se e começou a especular sobre as estranhas ações daquelas criaturas peculiares.

Os homens de fato eram mais tolos e cruéis do que as feras da selva! Que sorte ele tinha de ter vivido na paz e segurança da grande floresta!

Tarzan se perguntava qual conteúdo o baú guardava. Se eles não o queriam, por que simplesmente não jogaram na água? Teria sido muito mais fácil.

"Ah, mas eles querem" – pensou o homem-macaco. "Está escondido aqui porque eles pretendem voltar para buscar depois".

Tarzan foi ao chão e começou a examinar a terra ao redor da escavação. Ele procurava por objetos, que talvez as criaturas tivessem derrubado, e que fossem úteis para si. Logo, descobriu uma pá escondida em meio à vegetação, colocada sobre o túmulo.

Ele a segurou e tentou usá-la da mesma maneira que viu os marinheiros fazerem. Era um trabalho desajeitado, e seus pés descalços doíam, porém, ele perseverou até ter parcialmente descoberto o corpo. Então, arrastou-o para fora do túmulo e o colocou em um dos lados da cova.

Então, continuou cavando até achar o baú. Arrastou-o também para junto do cadáver. Em seguida, tapou o buraco menor sob o túmulo, recolocou o corpo e a terra ao redor e acima dele, cobriu com vegetação rasteira e se dirigiu para o baú.

Quatro marinheiros tinham suado ao carregar aquele peso. Já Tarzan dos Macacos levantou o baú como se fosse uma caixa vazia e, com a pá pendurada nas costas, em um pedaço de corda, transportou-o até a parte mais densa da selva.

Ele não conseguia percorrer pelas árvores com esse peso desajeitado, mas manteve-se nas trilhas e, assim, adquiriu uma boa velocidade.

Por várias horas, viajou para Noroeste até chegar a uma parede impenetrável de vegetação emaranhada. Pulou para os galhos mais baixos e, em apenas quinze minutos, emergiu no anfiteatro dos macacos, onde eles se encontravam para conselhos ou para celebrar os ritos do *Dum-Dum*.

Perto do centro da clareira, não muito longe do tambor ou do altar, começou a cavar. Era um trabalho mais difícil do que abrir aquela terra recém-escavada no túmulo, entretanto, Tarzan dos Macacos era perseverante e, portanto, continuou trabalhando até ser recompensado com um buraco suficientemente fundo para receber o baú e de fato escondê-lo de vista.

Por que tinha se dado a tal trabalho sem saber o valor dos conteúdos do baú?

Tarzan era dono de um corpo e um cérebro de ser humano, mas ele era macaco por causa ambiente e do estilo de sua vida na selva. O cérebro dizia a ele que o baú continha algo de valor, senão, os homens não o teriam escondido. Seu treinamento tinha lhe ensinado a imitar qualquer comportamento novo e incomum, e a curiosidade natural, tão comum aos homens quanto aos macacos, o levou a abrir o baú e a examinar seu conteúdo.

Contudo, a tranca pesada e as enormes dobradiças de ferro desconcertaram tanto sua astúcia, quanto sua imensa força e, por isso, ele foi obrigado a enterrar o baú sem satisfazer sua curiosidade.

Enquanto Tarzan caçava o caminho de volta às vizinhanças da cabana, buscava comer pelo trajeto, que já estava bem escuro.

Dentro da pequena construção, havia uma luz acesa, pois Clayton encontrou uma lata de óleo fechada e intacta há vinte anos, uma parte das provisões deixadas por Black Michael para os Clayton. As lamparinas ainda tinham utilidade e, logo, o interior da cabana parecia claro como o dia aos olhos espantados de Tarzan.

Muitas vezes, ele se perguntava o exato propósito das lamparinas. As leituras e as imagens lhe explicaram o que eram, mas ele não tinha ideia de como podiam reproduzir a maravilhosa luz solar, que algumas das imagens mostraram, que se propagava sobre todos os objetos ao redor.

Quando se aproximou da janela mais próxima à porta, viu que a cabana tinha sido dividida em dois cômodos por uma divisória rudimentar de galhos e tecido de vela de navio.

No cômodo da frente, havia três homens: os dois mais velhos embalados em uma discussão profunda, enquanto o mais jovem, apoiado contra a parede sentado em um banco improvisado, imergia na leitura de um dos livros de Tarzan.

Ele não estava particularmente interessado nos homens, por isso, buscou olhar para outra janela. Lá estava a garota. Que traços lindos! Que delicada pele branca como neve!

Ela escrevia apoiada sobre a mesa de Tarzan, embaixo da janela. Sob uma pilha de gramas, no lado oposto do cômodo, a negra estava dormindo sossegada.

Por uma hora, Tarzan deleitou seus olhos com Jane, enquanto ela escrevia. Ele desejava muito conversar com ela, mas não ousava tentar, pois estava convencido de que, assim como o jovem, ela não o entenderia, além de temer assustá-la.

Finalmente, ela se levantou, deixando seu manuscrito na mesa. Então, dirigiu-se para a cama, sobre a qual foram espalhadas várias camadas de folhagem macia, que ela rearranjou.

Em seguida, soltou o volume suave do cabelo dourado que coroava sua cabeça. Como uma cascata brilhante transformada em metal fundido por um sol moribundo, os fios caíram em volta de seu rosto oval. As linhas ondulantes tombaram até abaixo de sua cintura.

Tarzan ficou enfeitiçado. Depois, ela apagou a lamparina e tudo na cabana foi envolvido por uma escuridão ciméria.

O homem-macaco ainda observava a habitação. Aproximando-se da janela, ele esperou abaixado por meia hora, prestando atenção em qualquer ruído. Por fim, foi recompensado com sons da respiração regular de Jane, que denotavam o sono.

Com bastante cuidado, Tarzan introduziu a mão entre as malhas da treliça, até todo seu braço estar dentro da cabine. Discretamente, tateou a mesa e agarrou o manuscrito que Jane Porter escrevia. Lentamente, puxou o braço e a mão, segurando o precioso tesouro.

Então, ele dobrou as folhas formando um pequeno pacote, que guardou dentro da aljava com as flechas. Logo, mergulhou na selva, tão suavemente e sem ruído quanto uma sombra.

O PREÇO DA FLORESTA

No início da manhã seguinte, Tarzan acordou, e seu primeiro pensamento no novo dia, como o último do anterior, foi sobre os maravilhosos escritos escondidos em sua aljava.

Com pressa, ele os pegou, esperando de todo o coração ser capaz de ler o que a linda garota tinha escrito ali na noite anterior.

À primeira vista, ficou amargamente desapontado. Ele nunca tinha desejado algo tanto quanto agora ter a habilidade de interpretar uma mensagem daquela divindade de cabelos dourados que chegou em sua vida de forma tão repentina e inesperada.

O que importava se a mensagem não fosse para ele? Era uma expressão dos pensamentos dela, e isso era suficiente para Tarzan dos Macacos. No entanto, eram caracteres estranhos e indoutos, os quais nunca tinha visto antes! Ora, eles até se inclinavam para a direção oposta de tudo o que ele já havia examinado, seja em livros impressos ou nas difíceis cartas com escrita cursiva encontradas na cabana.

Até os pequenos insetos do livro preto eram amigos familiares, embora seu arranjo não significasse nada para ele. Contudo, esses insetos eram novos e desconhecidos.

Por vinte minutos, dedicou-se a eles, quando, de repente, começaram a assumir formas familiares, embora distorcidas. Ah, eram seus velhos amigos, mas muito aleijados.

Então, começou a distinguir uma palavra aqui, outra ali. Seu coração pulou de alegria. Ele conseguia ler e o faria.

Em mais meia hora, progrediu rapidamente e, exceto por uma ou outra palavra excepcional de vez em quando, achou tudo muito simples.

Isto foi o que ele leu:

Costa Oeste da África, cerca de 10º de latitude ao Sul. (É o que diz o senhor Clayton.).

3 de fevereiro (?) de 1909.

Querida Hazel:

Parece tolo escrever-lhe uma carta que talvez você nunca veja, mas simplesmente preciso contar a alguém nossas terríveis experiências desde que saímos da Europa no malfadado Arrow.

Se nunca voltarmos à civilização, como agora parece muito provável, isto ao menos se provará um breve registro dos acontecimentos que levaram a nosso destino, qualquer que seja.

Como sabe, era para termos embarcado em uma expedição científica no Congo. Papai queria investigar alguma teoria surpreendente sobre uma civilização inconcebivelmente antiga, cujos restos estavam enterrados em algum lugar do vale do Congo. Contudo, depois de estarmos navegando, a verdade apareceu.

Parece que um velho rato de biblioteca que tem uma livraria e um antiquário em Baltimore descobriu, entre as folhas de um manuscrito espanhol muito antigo, uma carta escrita em 1550, detalhando as aventuras de uma tripulação de amotinados de um galeão que ia da Espanha à América do Sul com um vasto tesouro de 'dobrões' e 'moedas de prata', suponho, pois certamente essas coisas soam estranhas e vindas do mundo de piratas.

A pessoa que escreveu era alguém da tripulação e a carta era para seu filho, que, na época do manuscrito, era mestre de um mercador espanhol.

Muitos anos se passaram desde os acontecimentos narrados na carta, e, durante esse período, o velho se tornou um cidadão respeitável de uma obscura cidade espanhola, porém seu amor ao ouro ainda continuava tão forte que ele arriscou tudo para deixar seu filho familiarizado com o caminho para encontrar a fabulosa riqueza para os dois.

O escritor contou como em apenas uma semana, após saírem da Espanha, a tripulação fez um motim e assassinou todos os oficiais e os homens que se opuseram à rebelião. No entanto, eles assinaram a própria sentença, pois não havia mais ninguém competente para navegar no mar.

Os homens foram soprados para lá e para cá por dois meses, até que, doentes e morrendo de escorbuto, fome e sede, naufragarem em uma ilhota.

O galeão foi levado para a praia, onde se despedaçou, mas não antes de os sobreviventes, apenas dez almas, terem resgatado um dos grandes baús do tesouro.

Assim, eles o enterraram na praia e, por três anos, viveram ali na esperança de serem resgatados.

Um por um, adoeceram e morreram, até sobrar apenas um homem, o escritor da carta.

Eles tinham construído um barco com os destroços do galeão, mas, sem ter ideia de onde estava localizada a ilha, não ousavam colocá-lo no mar.

Entretanto, quando todos, exceto ele, morreram, a terrível solidão pesou tanto na mente daquele sobrevivente solitário que ele não conseguiu mais aguentar ficar na ilha. Então, escolhendo arriscar a vida no mar aberto à loucura da solidão, içou as velas de seu pequeno barco após quase um ano de isolamento.

Por sorte, o homem velejou corretamente para o Norte e, dentro de uma semana, alcançou o rastro dos mercadores espanhóis que operavam entre as Índias Ocidentais e a Espanha, e foi pego por uma das embarcações e levado para casa.

A história que ele contou relatava apenas um naufrágio, do qual poucos conseguiram escapar, exceto por ele, e mais alguns que acabaram morrendo depois de desembarcarem na ilha. Ele não mencionou o motim nem o baú de tesouro enterrado.

Entretanto, o mestre do mercador assegurou-lhe que, pela posição em que foi pego e, de acordo com os ventos prevalentes da semana anterior, ele apenas podia estar em uma das ilhas do grupo de Cabo Verde, perto da Costa Oeste da África, a cerca de 16º ou 17º de latitude Norte.

Sua carta descrevia a ilha com detalhes, bem como a localização do tesouro, e era acompanhada pelo mapa mais engraçado e rudimentar que já se viu: as árvores e as pedras marcadas com um 'X' para mostrar o ponto exato em que o tesouro tinha sido enterrado.

Assim, quando papai explicou a verdadeira natureza da expedição, meu coração despencou, pois sei muito bem como o pobrezinho sempre foi visionário e nada pragmático e, portanto, temi que ele tivesse sido enganado novamente, em especial quando me disse que a carta e o mapa custaram-lhe mil dólares.

Para piorar meu sofrimento, fiquei sabendo que ele pediu emprestado mais dez mil dólares para Robert Canler, por meio de uma nota promissória em troca do valor.

O senhor Canler não pediu garantia, e você sabe, minha querida, o que isso significará para mim, caso papai não consiga liquidá-las. Ah, como detesto aquele homem!

Todos tentamos olhar o lado bom das coisas, mas o senhor Philander e o senhor Clayton, que se juntou a nós em Londres somente para a aventura, estavam tão céticos quanto eu.

Bem, para resumir a história, encontramos a ilha e o tesouro: um enorme baú de carvalho folheado de aço, embrulhado em muitas camadas de tecido de vela lubrificado, e forte e firme como quando foi enterrado, há quase cem anos.

Estava simplesmente cheio de moedas de ouro, e era tão pesado que quatro homens se dobraram diante de seu peso.

Aquela coisa horrenda parecia trazer apenas morte e azar para quem tivesse qualquer coisa a ver com isso, afinal, três dias depois de sairmos das ilhas de Cabo Verde, nossa própria equipe se amotinou e matou todos os seus oficiais.

Ah! Foi a experiência mais terrível que se pode imaginar, tanto que mal não consigo escrever.

Eles também iam nos matar, mas um deles, o líder, chamado King, não deixou. Assim, velejaram para o Sul, pela costa, até um ponto isolado onde acharam um bom porto, e então ali atracaram e nos deixaram.

Partiram com o tesouro hoje. Contudo o senhor Clayton disse que eles terão um destino similar aos amotinados do antigo galeão, porque King, o único homem a bordo que sabia qualquer coisa de navegação, foi assassinado na praia por um de seus homens no dia em que desembarcamos.

Gostaria de que conhecesse o senhor Clayton; ele é o homem mais querido que se pode imaginar e, a não ser que eu esteja enganada, apaixonou-se muito por mim.

Ele é filho único de lorde Greystoke, e um dia herdará os títulos e as propriedades da família. Além disso, já é rico por si próprio, porém, o fato de que vai ser um lorde inglês me deixa muito triste, você sabe quais sempre foram meus sentimentos em relação a garotas americanas que se casam com nobres estrangeiros. Ah, quem dera ele fosse um apenas um simples cavalheiro americano!

Enfim, não é culpa dele, pobrezinho, e em tudo, exceto pelo nascimento, ele traria muito crédito a meu país, e esse é o maior elogio que sei fazer a qualquer homem.

Tivemos as experiências mais estranhas desde que atracamos aqui. Papai e senhor Philander se perderam na selva e foram perseguidos por um leão de verdade.

O senhor Clayton também se perdeu e foi atacado duas vezes por feras selvagens. Esmeralda e eu fomos encurraladas por uma horrível leoa devoradora de gente. Ah, foi simplesmente 'terrífico[11]', como diria Esmeralda.

Entretanto, a parte mais estranha de tudo isso é a criatura maravilhosa que nos resgatou. Eu não a vi, mas o senhor Clayton, papai e o senhor Philander, sim, e dizem que é um homem branco bronzeado, parecido com um deus, e com a força de um elefante selvagem, a agilidade de um macaco e a coragem de um leão.

Entretanto, ele não fala inglês e desaparece rápida e misteriosamente depois de fazer alguma façanha valiosa, como se fosse um espírito desencarnado.

Temos também outro estranho vizinho, que escreveu um bilhete em inglês, com letra impecável, e prendeu-a na porta de sua cabana, que ocupamos. O aviso nos dizia para não destruir nenhum de seus pertences, e estava assinado por 'Tarzan dos Macacos'.

Nunca o vimos, embora achemos que ele está por perto, visto que um dos marinheiros, o qual pretendia atirar nas costas do senhor Clayton, recebeu uma lança no ombro de alguma mão invisível na selva.

Os marinheiros nos deixaram apenas uma provisão magra de comida, então, como temos um único revólver com apenas três cartuchos, não sabemos como conseguir carne, embora o senhor Philander diga que podemos sobreviver indefinidamente de frutas e castanhas selvagens, que são abundantes na selva.

Estou muito cansada agora, portanto, vou para minha esquisita cama de folhagens que o senhor Clayton reuniu para mim, mas continuarei escrevendo aqui dia a dia, conforme as coisas aconteçam.

Com amor,
Jane Porter.

A Hazel Strong, Baltimore, MD.

---

11 No original em inglês, consta *terrifical*. Segundo o dicionário Lexico (Oxford), o vocábulo é um arcaísmo presente no século XVII. No entanto, é possível que também seja um dialeto para *terrific* (em português, pode significar terrível ou maravilhoso). (N.T.)

Tarzan imergiu em seus pensamentos por muito tempo, depois de terminar de ler a carta. Havia coisas novas e maravilhosas naquelas linhas que seu cérebro rodopiava, enquanto ele tentava digerir tudo.

Então, eles não sabiam que ele era o Tarzan dos Macacos. Sendo assim, ele lhes contaria.

Em sua árvore, ele tinha construído um abrigo rudimentar de folhas e galhos, sob os quais, protegidos da chuva, colocou os poucos tesouros que trouxe da cabana. Entre eles, havia alguns lápis.

Assim, segurando um deles e, sob a assinatura de Jane Porter, escreveu:

Eu sou Tarzan dos Macacos.

Ele achou que apenas essas poucas palavras seriam suficientes. Mais tarde, devolveria a carta para a mesa da cabana.

"Acerca da questão da comida não precisavam se preocupar", pensou Tarzan, "porque ele forneceria", e assim o fez.

Na manhã seguinte, Jane encontrou sua carta no lugar exato onde tinha desaparecido duas noites antes. Ficou perplexa, mas, quando viu as palavras escritas sob sua assinatura, sentiu um frio pegajoso na espinha. Mostrou a carta, ou melhor, a última folha com a assinatura, para Clayton.

– E pensar – disse ela – que aquela coisa misteriosa provavelmente estava me observando o tempo todo em que eu estava escrevendo. Ai! Tremo só de pensar nisso.

– Mas ele deve ser amigo – garantiu Clayton –, pois devolveu sua carta e não lhe ofereceu nenhum mal e, a não ser que eu esteja enganado, deixou uma demonstração bem substancial de sua amizade, em frente à porta da cabana ontem à noite, pois encontrei a carcaça de um javali selvagem na hora em que saí.

Dali em diante, não se passava um dia inteiro sem oferendas de caça ou outro alimento. Às vezes, era um jovem veado, depois, uma quantidade de comida estranha e cozida, bolos de mandioca da aldeia de Mbonga ou, ainda, um javali, um leopardo e, certa vez, um leão.

O maior prazer da vida de Tarzan era caçar para aqueles estranhos. Para ele, parecia que nenhum prazer no mundo poderia se comparar a trabalhar pelo bem-estar e a proteção da linda garota.

Algum dia, ele se aventuraria no acampamento à luz do dia e conversaria com aquelas pessoas por meio dos pequenos insetos, familiares a elas e a Tarzan.

Contudo, achava difícil superar sua timidez de selvagem da floresta. Portanto, dia após dia, não cumpria com suas boas intenções.

O pequeno grupo, que habitava a cabana, encorajado pela familiaridade, arriscava-se cada vez mais longe na selva para buscar frutas e castanhas.

Quase não se passava um dia sem o professor Porter vagar, com sua indiferença preocupante, em direção às garras da morte. O senhor Samuel T. Philander, que não poderia ser chamado exatamente de robusto, estava um caco devido à preocupação infinda e confusão mental resultantes de seus esforços hercúleos de proteger o professor.

Um mês se passou. Tarzan finalmente decidiu visitar o acampamento à luz do dia.

Era início da tarde. Clayton tinha andado até um ponto na boca do porto, procurando por embarcações que pudessem passar por ali. Nesse local, ele mantinha um grande volume de madeira empilhado, pronto para acender e sinalizar a posição em que estavam, caso um vapor ou vela aparecessem no horizonte.

Enquanto isso, o professor Porter estava vagando pela praia, ao Sul do acampamento, na companhia do senhor Philander, implorando-lhe constantemente para voltar antes de os dois virarem novamente caça de alguma fera selvagem.

Com os outros longe, Jane e Esmeralda adentraram a selva em busca de frutas e, por causa disso, foram levadas cada vez mais para longe da cabana.

Tarzan esperou em silêncio, perto da porta da habitação, até todos voltarem. Seus pensamentos estavam na linda garota. Agora, eram sempre sobre ela. Ele se perguntava se Jane teria medo dele, e o pensamento quase o fez desistir do plano.

Ele estava ficando impaciente pela volta dela, porque queria deleitar seus olhos e ficar perto dela, talvez até tocá-la. O homem-macaco não conhecia deus algum, mas estava tão perto de adorar aquela divindade como qualquer homem mortal faria com um ser divino. Enquanto esperava, passou o tempo escrevendo uma mensagem para ela. Tarzan não tinha certeza se entregaria, mas sentia um prazer infinito em ver seus pensamentos impressos em letras. Neste ponto, ele não era, afinal, tão incivilizado. Ele escreveu:

Sou Tarzan dos Macacos. Desejo você. Sou seu. Você é minha. Viveremos aqui para sempre na minha casa. Trarei para você as melhores frutas, o veado mais macio e as melhores carnes que andam pela selva. Vou caçar por você. Sou o maior lutador da selva. Vou lutar por você. Sou o mais poderoso dos lutadores da selva. Você é Jane Porter, eu vi em sua carta. Quando ler isto, saberá que é para você, e que Tarzan dos Macacos a ama.

Enquanto ele estava diante da porta, parado com uma postura corporal ereta, igual a um jovem índio, esperando, após terminar sua mensagem, chegou aos seus ouvidos aguçados um som familiar. Era um grande macaco percorrendo os galhos mais baixos da floresta.

Por um instante, ele ouviu com atenção até que, do interior da selva, veio o grito agonizado de uma mulher. Imediatamente, Tarzan dos Macacos, largando sua carta de amor no chão, disparou como uma pantera para a floresta.

Clayton também ouviu o grito, bem como o professor Porter e o senhor Philander. Em poucos minutos, chegaram ofegantes à cabana, disparando uma saraivada de perguntas exaltadas uns aos outros enquanto se aproximavam. Um olhar para a cabana confirmou seus piores medos: Jane e Esmeralda não estavam lá dentro.

Instantaneamente, Clayton, seguido pelos dois velhos, mergulhou na selva, chamando em voz alta o nome da moça. Por meia hora, caminharam sem direção, até Clayton, por mero acaso, encontrar a forma prostrada de Esmeralda.

Ele se abaixou ao lado dela, sentiu seu pulso e ouviu as batidas de seu coração: ela estava viva. Assim, ele a chacoalhou.

– Esmeralda! – berrou no ouvido dela. – Esmeralda! Deus do céu, onde está a senhorita Porter? O que aconteceu? Esmeralda!

Esmeralda abriu os olhos. Viu Clayton e a selva ao seu redor.

– Ah, meu anjo Gabriel! – gritou e desmaiou de novo.

Neste momento, chegaram o professor Porter e o senhor Philander.

– O que vamos fazer, senhor Clayton? – perguntou o velho professor. – Onde devemos procurar? Deus não pode ter sido tão cruel de me tirar minha menininha justo agora.

– Precisamos acordar Esmeralda primeiro – respondeu Clayton. – Ela pode nos dizer o que houve. Esmeralda! – ele gritou mais uma vez, sacodindo a negra violentamente pelo ombro.

– Ah, meu anjo Gabriel, quero morrer! – lamentou-se a pobre mulher, mas de olhos bem fechados. – Deixe-me morrer, Senhor, não me deixe ver aquela cara horrível de novo.

– Vamos, Esmeralda, vamos! – chamou Clayton. – Deus não está aqui. Sou o senhor Clayton. Abra os olhos! – Esmeralda fez conforme foi pedido.

– Ah, meu anjo Gabriel! Graças a Deus! – disse.

– Onde está a senhorita Porter? O que aconteceu? – questionou Clayton, alarmado.

– A sinhá Jane não tá aqui? – gritou Esmeralda, sentando-se com bastante rapidez para alguém com seu porte. – Ah, Deus, agora me lembro! Deve ter levado ela. – E começou a soluçar e soar suas lamentações.

– O que a levou? – gritou o professor Porter.

– Um enorme gigante todo coberto de pelos.

– Um gorila, Esmeralda? – questionou o senhor Philander.

Os três homens mal respiravam quando ele tinha dado voz ao horrível pensamento.

– Achei que fosse o diabo, mas acho que deve ter sido um desses "gorilefantes". Ah, minha pobre menina, minha queridinha! – E de novo Esmeralda caiu em um soluço incontrolável.

Clayton imediatamente começou a buscar as pegadas do animal; entretanto, não conseguia encontrar nada, exceto uma confusão de grama pisoteada nas proximidades, e sua habilidade na selva era pequena demais para traduzir o que estava vendo.

Durante o restante do dia, procuraram Jane pela selva; porém, quando a noite se aproximou, foram obrigados a desistir aflitos e sem esperança, porque não sabiam nem em que direção foi a coisa que a capturou.

Logo após o sol se pôr, o grupo chegou à cabana. Tristes e enlutados, eles se sentaram em silêncio dentro da pequena habitação.

O professor Porter finalmente quebrou o silêncio. Seu tom não era mais aquele do erudito pedante teorizando sobre o abstrato e o desconhecido, mas, sim, aquele do homem de ação: determinado, e também tingido de uma desesperança e luto indescritíveis, que suscitavam uma fisgada de dor no coração de Clayton.

– Preciso me deitar agora – disse o velho – e tentar dormir. Amanhã cedo, assim que estiver claro, vou levar toda a comida que conseguir carregar e continuar a busca até encontrar Jane. Não vou voltar sem ela.

Seus companheiros não responderam imediatamente. Cada um ficou imerso nos próprios pensamentos tristes. Todos sabiam, do mesmo modo como o velho professor, o que significavam as últimas palavras: o senhor Porter nunca mais voltaria da selva.

Por fim, Clayton se levantou e colocou a mão gentilmente no velho ombro caído do professor Porter.

– Irei com o senhor, é claro – disse.

– Sabia que se ofereceria e que desejaria ir, senhor Clayton, mas não deve. Jane está para além de qualquer ajuda humana agora. A minha pequena menina não pode sobreviver sozinha e sem amigos na selva terrível. As mesmas vinhas e as mesmas folhas nos cobrirão, as mesmas chuvas cairão sobre nós e, quando o espírito de sua mãe estiver pairando, nos encontrará juntos na morte, como sempre foi em vida. Não. Devo ir sozinho, pois ela era minha filha e tudo o que me restou para amar neste mundo.

– Irei com o senhor – disse Clayton, simplesmente.

O velho olhou para cima, observando o rosto forte e belo de William Cecil Clayton com atenção. Talvez tenha percebido ali o amor que estava no coração do homem: o amor por sua filha.

Por muito tempo, ele esteve preocupado demais com seus pensamentos acadêmicos, para pensar nos pequenos acontecimentos e nas palavras fortuitas que teriam indicado, a um homem mais pragmático, que aqueles jovens se atraiam mais e mais um pelo outro. Agora, cada manifestação ficava evidente para ele, uma a uma.

– Como desejar – consentiu.

– Pode contar comigo também – falou o senhor Philander.

– Não, caro e velho amigo – disse o professor Porter. – Não podemos ir todos. Seria muito maldoso deixar Esmeralda aqui sozinha, além disso, três de nós não teríamos mais sucesso do que um. Já há dezenas de mortes nesta floresta cruel. Agora, vamos tentar dormir um pouco.

O CHAMADO DOS PRIMITIVOS

Desde o momento em que Tarzan deixou a tribo de grandes antropoides, na qual tinha sido criado, ela foi devastada por contínuas rixas e discórdias. Terkoz se mostrou um rei cruel e caprichoso, de modo que, um por um, muitos dos macacos mais velhos e fracos, nos quais ele tinha tendência de descontar sua natureza bruta, partiram com suas famílias em busca de tranquilidade e segurança do extremo interior.

No fim, os que sobraram foram levados ao desespero por causa da truculência contínua de Terkoz, e por acaso um deles se lembrou do último conselho dado por Tarzan:

– Se tiverem um chefe cruel, não faça como os outros macacos fazem ao tentar enfrentá-lo sozinho. Em vez disso, que dois, três ou quatro o ataquem juntos. Então, se fizerem isso, nenhum chefe ousará ser nada que não deva, pois quatro de vocês podem matar qualquer chefe que venha a governá-los.

E o macaco que lembrou desse sábio conselho o repetiu a vários de seus companheiros, de forma que, quando Terkoz voltou à tribo naquele dia, uma recepção calorosa o esperava.

Não houve formalidades. Quando se aproximou do grupo, cinco enormes feras peludas saltaram sobre ele.

No fundo, Terkoz era um notório covarde, o que costuma acontecer com os valentões, tanto entre os macacos quanto entre os homens. Então, ele sequer tentou lutar e se arriscar a morrer. Contrariamente a isso, ele se afastou do grupo o mais rápido que pôde e fugiu para os galhos protetores da floresta.

Fez mais duas tentativas de se retornar à tribo, porém, cada vez que testava, era atacado e afastado do grupo. No fim, desistiu e voltou, espumando de raiva e ódio, para a selva.

Por vários dias, ele vagou sem rumo, alimentando seu rancor e buscando alguém mais fraco para descontar sua raiva acumulada.

Foi nesse estado de espírito que a fera horrível e hominídea, balançando-se de árvore em árvore, de repente, encontrou as duas mulheres na selva.

Terkoz estava bem acima delas quando as descobriu. O primeiro indício que Jane Porter teve de sua presença foi quando o grande corpo peludo caiu no chão, bem ao lado dela. Nesse momento, viu a terrível cara e a horrenda boca grunhindo a um palmo dela.

Um grito agudo escapou de seus lábios quando o animal agarrou-lhe o braço. Então, ela foi arrastada em direção àqueles caninos horrorosos que se abriram diante de sua garganta. Mas, antes de tocarem naquela pele macia, outra emoção tomou o antropoide.

A tribo tinha ficado com as fêmeas dele. Logo, era preciso achar outras para substituí-las. Aquela macaca branca pelada seria a primeira de sua casa. Assim, ele jogou a mulher de qualquer jeito por cima de seu ombro amplo e peludo, e saltou de volta para as árvores, levando Jane.

O grito de terror de Esmeralda misturou-se com o de Jane e, em seguida, como era o hábito de Esmeralda, ao ser submetida a circunstâncias emergenciais, as quais exigiam presença de espírito, ela despencou no chão.

No entanto, Jane não perdeu a consciência nem uma vez. É verdade que aquela cara horrível, pressionada próxima do rosto dela, e o fedor do bafo podre, batendo em suas narinas, a paralisaram de terror. Contudo, seu cérebro estava limpo, e ela compreendia tudo o que acontecia.

Com aquilo que parecia ser uma rapidez impressionante, o animal carregou-a pela floresta, porém ela ainda não gritava nem se debatia. A repentina aparição do macaco tinha deixado Jane tão confusa a ponto de ela achar que ele a transportava para a praia.

Por esse motivo, conservou suas energias e sua voz até conseguir ter certeza de que se aproximavam mais do acampamento para, assim, atrair o socorro que desejava.

Ela não tinha como saber, mas era levada cada vez mais para o interior da selva impenetrável.

O grito, que fez Clayton e os dois homens mais velhos saírem tropeçando pela vegetação rasteira, tinha levado Tarzan dos Macacos direto para onde desmaiou Esmeralda. Entretanto, não era nela que ele estava interessado, embora tenha pausado sobre ela para ver se não estava ferida.

Por um momento, ele analisou o chão abaixo e as árvores acima, até o macaco que havia dentro de si, por causa do treinamento e do ambiente, junto da inteligência, que era sua por direito de nascença, mostrar para a sua maravilhosa sabedoria da selva toda a história, tão simples e detalhada, como se ele tivesse presenciado. E, então Tarzan partiu novamente para as árvores, seguindo o rastro que nenhum outro olhar humano conseguiria detectar, quanto mais traduzir.

Nos cantos dos galhos, onde o antropoide se balançava de uma árvore para a outra, há muitas marcas que indicam a trilha, mas poucas que apontam a direção da presa, porque a pressão é sempre para baixo, em direção à pequena extremidade do galho, esteja o macaco partindo ou retornando em uma árvore. E mais perto do centro da árvore, onde os sinais de passagem são mais fracos, a direção fica claramente marcada.

Em um dos galhos, uma lagarta tinha sido esmagada pelo grande pé do fugitivo, e Tarzan sabia instintivamente onde aquele mesmo pé tocaria no passo seguinte. Assim, ele buscava uma minúscula partícula de larva demolida e, muitas vezes, encontrava não mais que uma gotícula.

Em seguida, viu um pedaço mínimo de galho jogado para cima pela mesma mão que tinha raspado o anterior, e o sentido da quebra indicava a direção da passagem. Também podia ter sido alguma lasca, ou o tronco da própria árvore que, ao ser tocado pelo corpo peludo, prendeu um minúsculo fragmento de pelo, o qual lhe contava, pela direção em que ficou preso na madeira, se estava na trilha certa.

Tarzan não precisava diminuir a velocidade para achar aqueles registros aparentemente débeis de uma fera escapando.

Para ele, os rastros se destacavam com clareza entre todas as várias cicatrizes, batidas e sinais do caminho frondoso. No entanto, mais forte do que tudo era o cheiro. Tarzan perseguia sua presa com o vento a seu a favor, e suas narinas treinadas, tão sensíveis quanto as de um cão de caça, captavam o odor emitido no trajeto.

Há quem acredite que as espécies mais baixas são especialmente dotadas pela natureza de nervos olfativos melhores dos que os dos seres humanos, mas isso é uma questão meramente de desenvolvimento.

A sobrevivência do ser humano não depende tanto da perfeição de seus sentidos. Seu poder de raciocínio os aliviava de muitos de seus deveres e, portanto, até certo ponto, eles atrofiaram, como no caso dos músculos que movem orelhas e couro cabeludo, por puro desuso.

Os músculos permanecem ali, em torno das orelhas e por baixo da cabeça, do mesmo que os nervos transmissores das sensações presentes no cérebro, porém, subdesenvolvidos porque não são mais necessários.

Esta não era a condição de Tarzan dos Macacos. Desde a infância, sua sobrevivência dependia muito mais da precisão de sua visão, audição, olfato, tato e paladar, do que do órgão de raciocínio, que se desenvolvia com mais lentidão.

O sentido menos desenvolvido em Tarzan era o paladar, pois podia comer frutas suculentas ou carne crua, há muito enterrada, com praticamente o mesmo prazer pelo sabor. Contudo, nisso ele se diferenciava pouco de epicuristas mais civilizados.

Quase sem fazer barulho, o homem-macaco correu pelo rastro de Terkoz e sua presa, mesmo assim, o som de sua aproximação alcançou os ouvidos da fera e a estimulou a apressar ainda mais sua fuga.

Cinco quilômetros foram trilhados antes de Tarzan ultrapassá-los. Então, Terkoz, notando que seria inútil continuar escapando, despencou no chão em meio a uma pequena clareira, para poder se virar e lutar por seu prêmio ou, em outra hipótese, escapar ileso caso percebesse que seu perseguidor era superior a ele.

Ainda carregava Jane por um braço, quando Tarzan saltou como um leopardo na arena que a natureza havia providenciado para aquela batalha primitiva.

Quando Terkoz descobriu que era Tarzan quem o perseguia, concluiu precipitadamente que aquela era a mulher dele, visto que eram da mesma espécie, brancos e sem pelos. Desse modo, ele se regozijou com aquela oportunidade de se vingar duplamente de seu odiado inimigo.

Para Jane, aquela estranha aparição do homem semelhante a um deus foi como um calmante para os nervos.

Pela descrição que Clayton, o pai dela e o senhor Philander tinham dissertado, ela soube que devia se tratar da mesma criatura maravilhosa que os salvara e somente o que via nele foi a imagem de um protetor e um amigo.

No entanto, ao ser empurrada por Terkoz com violência, para que ele pudesse enfrentar o ataque de Tarzan, ela viu as grandes proporções do macaco e seus enormes e fortes músculos. Então, seu coração vacilou. Como seria possível alguém derrotar um antagonista tão forte e poderoso?

Como dois touros se atacando, eles se encontraram, e como dois lobos, buscaram a garganta um do outro. Contra os longos caninos do macaco, opunha-se a afiada lâmina da faca do homem.

Jane tinha um corpo ágil e jovem. Ela estava contraída no tronco de uma grande árvore, com as mãos apertadas contra o peito que subia e descia por causa da respiração. Os olhos arregalados, em uma mescla de terror, fascinação, medo e admiração, observavam a batalha primordial entre o macaco e o homem primitivo pela posse de uma mulher: ela.

Enquanto os músculos das costas e dos ombros do homem aumentavam por causa da tensão de seus esforços, e os enormes bíceps e o antebraço seguravam longe aquelas grandes presas, o véu de séculos de civilização e cultura era tirado da visão borrada da jovem de Baltimore.

A longa lâmina fez o sangue do coração de Terkoz jorrar uma dúzia de vezes até a grande carcaça rolar sem vida no chão. Nessa hora, foi uma mulher primitiva que correu de braços abertos em direção do homem primitivo que lutou por ela e venceu.

E Tarzan?

Fez o que qualquer homem de sangue quente faria sem precisar ser ensinado: tomou sua mulher em seus braços e cobriu de beijos seus lábios ofegantes.

Por um momento, Jane continuou lá com os olhos semicerrados. Naquele instante, certamente o primeiro em sua jovem vida, ela conheceu o significado de amor.

No entanto, da mesma maneira que tinha sido retirado, o véu retornou a sua posição inicial. Assim, uma consciência indignada cobriu o rosto da jovem com seu manto escarlate, e a mulher, envergonhada, afastou Tarzan dos Macacos de si e enterrou seu rosto nas mãos.

Tarzan ficou bastante surpreso ao reparar que a mulher que aprendeu a amar, de maneira vaga e abstrata, entregou-se espontaneamente em seus braços. Agora, também estava surpreso com a aversão demonstrada por ela.

Ele se aproximou mais uma vez e segurou seu braço. Ela o atacou como uma tigresa, golpeando o peito dele com suas mãos minúsculas.

Tarzan não conseguia entender.

Em um momento anterior, a intenção dele era levar Jane com pressa para seus companheiros, mas aquele pequeno instante ficou agora perdido no passado escuro e distante das coisas que já não podem mais voltar a ser e, junto dele, também as boas intenções voltavam ao reino do impossível.

Desde que Tarzan sentiu um corpo quente e esguio apertado contra o seu, uma respiração calorosa e doce em sua bochecha, e através de sua boca uma nova chama queimar em seu peito, por meio da união de lábios tão perfeitos aos dele, em beijos intensos, que deixaram uma marca profunda em sua alma, ele finalmente se tornou um novo homem.

Mais uma vez, ele colocou a mão sobre o braço dela e, mais uma vez, foi repelido por ela.

Então, Tarzan dos Macacos fez exatamente o que seu primeiro ancestral teria feito: pegou sua mulher nos braços e a carregou para o meio da selva.

No início da manhã seguinte, os quatro moradores da pequena cabana à beira da praia foram acordados pelo disparo de um canhão. Clayton foi o primeiro a correr e lá, além da boca do porto, avistou duas embarcações ancoradas.

Uma delas era o *Arrow* e a outra, um pequeno cruzador francês[12]. As laterais do último estavam lotadas de homens que olhavam para a margem. Era evidente para Clayton, como também para os outros, agora unidos a ele, que a arma tinha sido disparada para atrair a atenção deles, caso ainda estivessem na cabana.

As duas embarcações estavam a uma distância considerável da praia, e dificilmente os binóculos deles podiam localizar os chapéus do pequeno grupo acenando ao longe, entre as entradas do porto.

Esmeralda tinha removido seu avental vermelho e o balançava freneticamente acima da cabeça. No entanto, Clayton, temendo que ainda não fossem vistos, correu na direção Norte, onde sua pira sinalizadora foi preparada para ser acesa.

O percurso pareceu demorar uma vida para ele, bem como para os que esperavam na praia, quase sem fôlego, até que ele chegasse à grande pilha de galhos e vegetação seca.

Quando ele saiu da densa mata e avistou os navios novamente, ficou bastante preocupado ao ver que o *Arrow* levantava as velas e o cruzador francês já se deslocava.

Assim, com pressa, Clayton acendeu a pira em muitos lugares diferentes, e correu ao ponto extremo do promontório, onde tirou sua

---

12 Rápido navio de guerra, cuja função inicial era como explorador ou como escolta em comboios. (N.T.)

camisa, amarrou-a em um galho caído, e depois agitou tudo para a frente e para trás na tentativa de ser visto.

No entanto, as embarcações continuaram a se afastar. Ele já tinha abandonado as esperanças no momento em que a grande coluna de fumaça se espalhou acima da floresta, formando uma densa faixa vertical, e atraiu a atenção de um marinheiro no mirante do barco a vapor. Instantaneamente, uma dúzia de binóculos foram apontados para a praia.

Logo, Clayton viu os dois navios voltando. Enquanto o *Arrow* continuava flutuando tranquilamente no oceano, o cruzador se aproximava lentamente em direção à margem.

A certa distância, parou, e então um bote foi baixado e despachado para a praia.

Quando chegou bem perto da costa, um jovem oficial saiu.

– *Monsieur* Clayton, eu presumo? – perguntou.

– Graças a Deus, vocês vieram! – foi a resposta de Clayton. – Pode ser que ainda haja tempo.

– O que quer dizer, *monsieur*? – perguntou o oficial.

Clayton contou sobre o sequestro de Jane Porter e a necessidade de homens armados para ajudar na busca pela jovem.

– *Mon dieu!* – exclamou o oficial, com tristeza. – Se fosse ontem, talvez não fosse tarde demais. Hoje, não tenho certeza se seria bom encontrá-la. É horrível, *monsieur*. É horrível demais.

Outros botes desembarcavam do cruzador francês, e Clayton, após indicar a entrada do porto para o oficial, entrou com ele em um dos barcos, cuja frente apontava para a pequena baía. Atrás dela, uma outra embarcação os seguia.

Logo, todo o grupo desembarcou no lugar onde estavam o professor Porter, o senhor Philander e uma chorosa Esmeralda.

Entre os oficiais dos últimos barcos da embarcação francesa, estava o comandante. Quando ouviu a história do sequestro de Jane, chamou generosamente voluntários para acompanhar o professor Porter e Clayton nas buscas.

Não houve ali um único oficial ou tripulante, dentre aqueles corajosos e empáticos franceses, que rapidamente não estivesse disponível para participar da expedição.

O comandante selecionou vinte homens e dois oficiais, o tenente D'Arnot e o tenente Charpentier. Além disso, um bote foi despachado até o cruzador a fim de obter provisões, munição e carabinas, ainda que os homens já estivessem armados com revólveres.

Então, esclarecendo as dúvidas de Clayton sobre o porquê tinham ancorado ali e disparado um sinaleiro, o comandante, capitão Dufranne, explicou que, cerca de um mês antes, avistaram o *Arrow* indo para Sudoeste com grande velocidade, e que, quando sinalizaram para a embarcação se aproximar, ela içou mais ainda suas velas.

Em seguida, os tripulantes se alojaram no casco do navio até o pôr do sol, disparando vários tiros; entretanto, na manhã seguinte, o *Arrow* não estava mais à vista. Depois desse incidente, eles continuaram a cruzar a costa para cima e para baixo por várias semanas e quase se esqueceram da recente perseguição quando, em uma manhã, alguns dias atrás, o vigia descreveu uma embarcação lutando contra o mar bravo e, evidentemente, fora de controle.

Quando se aproximaram do navio à deriva, ficaram surpresos ao reconhecer que se tratava da mesma embarcação que tinha fugido deles algumas semanas antes. A vela do estai do traquete e a mezena[13] estavam colocadas como se houvesse feito um esforço de ir contra o vento, porém as velas foram rasgadas e seu tecido ficou em pedaços em meio à ventania.

No alto mar em que se encontrava a embarcação, certamente, seria uma tarefa difícil e perigosa colocar uma tripulação valiosa ali. Como não havia sinais de vida no deque, decidiu-se que esperariam até o vento e o mar se acalmarem. Contudo, nesse momento, era possível enxergar uma figura agarrada à balaustrada, acenando em desespero mudo na direção deles.

---

13 Estai: uma vela triangular, menor que a vela principal, localizada na proa; traquete: mastro que fica na frente do navio; mezena: vela quadrangular. (N.T.)

Imediatamente, uma equipe desceu do cruzador, navegando em um bote, para se aproximar do *Arrow* e tentar subir a bordo.

A visão que os olhos dos franceses encontraram no navio era, na verdade, muito aterrorizante.

Incontáveis homens, mortos e moribundos, rolavam para lá e para cá no deque, os vivos misturados aos mortos. Dois dos cadáveres aparentavam ter sido parcialmente devorados por lobos.

A valiosa tripulação francesa logo estabeleceu o controle da navegação e os membros sobreviventes da companhia malfadada desceram para suas redes para repousar.

Os mortos foram embrulhados em lonas e enfileirados no deque para serem identificados por seus camaradas, antes de serem lançados ao fundo do mar.

Nenhum dos vivos estava consciente quando os franceses chegaram ao convés do *Arrow*. Até o pobre-diabo que tinha feito o sinal desesperado de socorro caiu inconsciente, antes mesmo de saber se obteve êxito ou não.

O oficial francês não demorou muito para descobrir a causa da terrível condição encontrada a bordo, pois, quando se buscou por água e conhaque para dar aos homens, descobriu-se que não havia bebida nem comida de qualquer tipo no navio.

Imediatamente, ele sinalizou ao cruzador solicitando o envio de água, remédios e provisões. Assim, outro bote fez a perigosa viagem até o *Arrow*.

Quando foram administrados os suprimentos nos enfermos, vários dos homens recuperaram a consciência, e então a história toda pode ser contada: desde o trecho que conhecemos até a navegação do *Arrow* depois do assassinato de Snipes, e o enterro do corpo dele em cima do baú do tesouro também.

Parece que a perseguição do cruzador francês tinha aterrorizado tanto os amotinados que eles continuaram atravessando o Atlântico por vários dias depois de o despistar. Contudo, ao descobrir a magra quantidade de água e provisões a bordo, resolveram dar meia-volta para o Leste.

Como não havia ninguém a bordo que entendesse de navegação, surgiram muitos debates sobre qual seria seu paradeiro. Então, após três dias navegando para o Leste sem qualquer sinal de terra, decidiram mudar para o Norte, temendo que os fortes ventos setentrionais, que prevaleceram nos últimos dias, os tivessem levado mais ao Sul da extremidade austral da África.

Eles continuaram em um curso Norte-Nordeste por dois dias, até serem tomados por uma calma que durou quase uma semana. A água acabou e, em mais um dia, estariam sem comida.

As condições mudaram de mal para pior rapidamente. Um dos homens enlouqueceu e pulou no mar. Logo outro rasgou as veias e bebeu o próprio sangue.

Quando ele morreu, também o jogaram no mar, embora houvesse aqueles que quisessem manter o cadáver a bordo. A fome transformava as feras humanas em feras selvagens.

Dois dias antes de serem salvos pelo cruzador francês, eles já não tinham mais forças para cuidar da embarcação e, naquele mesmo dia, três homens haviam morrido. Na manhã seguinte, perceberam que um dos cadáveres tinha sido parcialmente devorado.

Durante o dia todo, os homens se entreolhavam raivosos como predadores, e no outro dia, dois dos cadáveres foram encontrados quase inteiramente sem carne.

Os homens ficaram somente um pouco mais fortes, apesar de sua macabra refeição, afinal a falta de água era de longe a maior agonia com que tinham de lidar. E pouco tempo depois, o cruzador havia chegado.

Enquanto aqueles que conseguiam se recuperavam, toda a história era contada ao comandante francês. Contudo, os homens eram ignorantes demais para conseguirem indicar para ele exatamente em que local da costa o professor e seu grupo tinham sido abandonados. Então, a embarcação perpassou lentamente por trechos de terra, disparando sinais de alerta ocasionais e examinando cada centímetro da praia com os binóculos.

Eles tinham ancorado à noite, para não negligenciar nem uma única partícula da margem e, por acaso, na noite anterior, encontraram exatamente à praia onde estava o acampamento que procuravam.

Os tiros da tarde anterior não foram ouvidos pelo grupo que habitava a cabana, presumia-se, porque, sem dúvida, se encontravam no meio da selva, em busca de Jane Porter. Possivelmente, os barulhos das próprias quedas na vegetação pudessem ter abafado os ruídos provocados por uma arma distante.

Depois que as duas partes terminarem de narrar suas várias aventuras, o bote do cruzador francês tinha acabado de voltar com suprimentos e armas para a expedição.

Em alguns minutos, o pequeno grupo de marinheiros e os dois oficiais franceses, junto do professor Porter e de Clayton, partiram em sua busca desesperançada e malfadada pela mata fechada.

HEREDITARIEDADE

Ao perceber que seria levada como prisioneira pela estranha criatura da floresta, a mesma que a tinha resgatado das garras do macaco, Jane lutou desesperadamente para escapar. No entanto, os braços fortes, que a seguravam com tanta facilidade quanto fosse um bebê de um dia, apenas apertavam mais.

Diante dessa situação, ela desistiu do esforço e ficou quieta, observando, com as pálpebras semicerradas, o rosto do homem que caminhava, facilmente pela vegetação emaranhada, com ela jogada nas costas.

O rosto dele era de uma beleza extraordinária.

Um exemplar perfeito de força masculina, intocado pela devassidão ou pelas paixões brutais e degradantes. Afinal, embora Tarzan dos Macacos fosse um assassino de homens e feras, ele somente matava como o caçador, imparcialmente, exceto nas raras ocasiões em que tinha matado por ódio. Ainda assim, não se tratava do ódio ressentido e malévolo que marca a face de quem o sente com linhas horríveis.

Quando Tarzan matava, mais sorria do que franzia a testa, e, indiscutivelmente, os sorrisos são a fundação da beleza.

Uma coisa em particular, a garota tinha notado, ao ver Tarzan atacando Terkoz: a faixa vermelha vívida em sua fronte, do topo do olho esquerdo até o couro cabeludo. Contudo, agora, examinando melhor seus traços, ela notou que a cicatriz não estava mais lá, e que restara apenas uma linha branca fina marcando o lugar onde estivera.

Conforme ela ficava mais quieta nos braços de Tarzan, ele cedia um pouco a forte pressão com que a segurava.

Uma vez, mirou fundo nos olhos dela e sorriu, e a jovem teve de fechá-los para não reparar naquele rosto bonito e sorridente.

Logo, Tarzan foi em direção às árvores, e Jane, perguntando-se por que é que não sentia medo, começou a perceber que, de muitas formas, nunca havia tido a sensação de tanta segurança em sua vida quanto naquele momento, nos braços daquela criatura forte e selvagem, sendo alçada sabe-se lá para que lugar ou para qual sina, mais fundo na solidez selvagem da floresta indomada.

Quando, de olhos fechados, ela começou a especular sobre seu futuro, e os medos terríveis foram evocados por uma imaginação vívida, ela precisou apenas abrir as pálpebras e olhar aquele rosto nobre, tão próximo do dela, para dissipar quaisquer indícios de apreensão.

Não, ele jamais poderia machucá-la. Desse fato, ela se convenceu no momento em que traduziu os traços elegantes e os olhos francos e corajosos acima dela, por causa do cavalheirismo que eles proclamavam.

Avançavam cada vez mais pelo que parecia a Jane uma massa sólida de vegetação, mas, apesar disso, sempre surgia uma passagem diante desse deus da floresta e, como se por mágica, fechava-se depois de eles passarem por ela.

Os galhos mal a arranhavam, contudo acima e abaixo, para a frente e para trás, ou seja, em todos os lugares em que ela olhava, a visão não apresentava quase nada além de uma massa sólida de galhos e trepadeiras intrinsecamente entrelaçada.

Conforme Tarzan se movia continuamente adiante, a mente dele se ocupava por muitos pensamentos estranhos e novos. Encarava um problema com o qual nunca tinha se deparado, e ele sentiu, mais do que pensou, que precisava enfrentá-lo como homem, não como macaco.

A livre movimentação pelo terraço médio, a rota em que ele seguia na maior parte das vezes, ajudou-lhe a refrescar o ardor da paixão vibrante de seu amor recente.

Agora, ele se especulava sobre o destino da jovem caso ele não a tivesse resgatado de Terkoz a tempo.

Sabia por qual motivo o macaco não a matou, e começou a comparar suas intenções com as dele.

De fato, era parte da lei da selva o macho tomar sua companheira à força, mas Tarzan poderia ser guiado pelas leis dos animais? Tarzan não era, afinal, um homem? Mas o que os homens faziam diante dessa situação? Ele estava confuso, pois não sabia como agir.

Desejava poder perguntar à Jane, e então descobriu que ela tinha respondido por meio da luta em vão, a fim de escapar dele e repeli-lo.

Contudo, agora que tinham chegado ao destino, Tarzan, com Jane em seus braços fortes, balançou-se lentamente para a relva da arena, local onde os grandes macacos faziam seus conselhos e dançavam a louca orgia do *Dum-Dum*.

Embora tivessem percorrido muitos quilômetros, ainda era meio da tarde, e o anfiteatro ficara banhado à meia-luz filtrada pelo labirinto da folhagem ao redor.

A relva verde parecia macia, fresca e convidativa. Os vários ruídos da selva soavam muito distantes dali e se restringiam a um mero eco de sons borrados, subindo e descendo como ondas em uma praia remota.

Uma sensação de paz sonhadora dominou Jane quando ela se recostou na grama onde Tarzan a colocou. Ao olhar a grande figura imponente que se erguia acima dela, teve uma sensação estranha de perfeita segurança.

Com pálpebras semicerradas, ela observava Tarzan atravessar a pequena clareira circular em direção às árvores do lado oposto. Jane notou a graciosa majestade de seu porte, a simetria perfeita de sua magnífica figura e a harmonia de sua cabeça bem-formada em cima dos ombros largos.

Que criatura perfeita! Não podia haver crueldade ou baixeza no interior daquele exterior divino. Nunca, pensou ela, um homem tal como aquele tinha pisado na Terra, desde que Deus criou o primeiro à sua imagem e semelhança.

Com um pulo, Tarzan lançou-se nas árvores e desapareceu. Jane se perguntou para onde ele teria ido. Será que ele a deixara lá por conta da própria sorte em uma selva solitária?

Ela examinou, com nervosismo, o local ao redor. Cada vinha e arbusto parecia apenas mais um esconderijo de alguma fera enorme e horrível esperando o momento certo para enfiar caninos brilhantes em sua pele macia. Cada som se tornava, para ela, uma aproximação furtiva de um corpo sinuoso e maligno.

Como tudo ficou diferente agora que ele havia partido!

Por alguns minutos, que mais pareceriam horas para uma dama assustada, ela permaneceu sentada, tensa, a espera de um salto de algum animal agachado, o qual acabaria com seu sofrimento e sua apreensão.

Jane quase orou pedindo pelos dentes cruéis, os quais trariam inconsciência e colocariam um fim na agonia e no medo que sentia.

Ela ouviu um som repentino e rápido atrás de si. Com um grito, rapidamente se levantou e ficou em pé. Depois, virou-se para finalmente enfrentar sua morte.

Todavia, lá apareceu Tarzan, com os braços cheios de frutas maduras e suculentas.

Jane cambaleou e teria caído, caso Tarzan, soltando sua carga, não a tivesse segurado. Ela não perdeu a consciência, mas o agarrou com força, tremendo e atordoada como um veado assustado.

Tarzan dos Macacos acariciou seu cabelo macio e tentou confortá-la e acalmá-la do mesmo jeito que Kala fazia com ele, quando era um pequeno filhote e ficava assustado com Sabor, a leoa, ou Histah, a serpente.

Então, Tarzan apertou seus lábios no alto da testa de Jane, e ela não se moveu, somente fechou os olhos e suspirou.

A jovem não conseguia analisar os próprios sentimentos, e nem desejava tentar. Estava satisfeita em sentir a segurança daqueles braços fortes e deixar para o destino cuidar de seu futuro. Afinal, as últimas horas lhe ensinaram a confiar nessa criatura selvagem da floresta do mesmo modo que teria confiado em poucos homens que conhecia.

Enquanto pensava na estranheza daquela situação, começou também a perceber que, possivelmente, aprendeu algo que não tinha conhecimento antes daquele dia: o amor. Ela pensou nisso e, então, sorriu.

E, ainda sorrindo, afastou Tarzan gentilmente, olhando para ele com um sorriso de canto e uma expressão meio confusa que tornava seu rosto totalmente fascinante. Então, ela apontou para as frutas no chão e sentou-se na beirada do tambor de terra dos antropoides, pois a fome se fazia sentir.

Tarzan rapidamente juntou as frutas e carregou-as até os pés de Jane. Em seguida, ele se sentou no tambor ao lado dela e, com sua faca, preparou várias frutas para a refeição.

Juntos e em silêncio, eles comeram, com ocasionais olhares furtivos um para o outro, até finalmente Jane liberar uma risada alegre, à qual Tarzan fez companhia.

– Queria que você falasse inglês – disse a jovem.

Tarzan balançou a cabeça, e uma expressão de desejo melancólico e patético moderou o riso em seus olhos.

Determinada, Jane tentou falar com ele em francês, e depois em alemão, mas ela teve de rir com suas tentativas frustradas na última língua.

– Bem – disse a ele, em inglês –, você entende meu alemão tão bem quanto as pessoas de Berlim.

Tarzan, há muito tempo, chegou a uma decisão sobre como proceder com seu futuro. Ele teve tempo de relembrar tudo o que lera sobre os hábitos de homens e mulheres nos livros da cabana. Portanto, agiria como imaginava que os homens nos livros fariam se estivessem em seu lugar.

Mais uma vez, ele se levantou e partiu em direção às árvores; no entanto, primeiro tentou explicar por meio de sinais que em breve retornaria. Tarzan fez isso tão bem que Jane o compreendeu e não teve medo ao vê-lo ir embora.

Apenas uma sensação de solidão passou rapidamente por ela, e assim observou o ponto, de onde ele havia desaparecido, com olhos desejosos, à espera de sua chegada.

Da maneira como aconteceu antes, Jane foi avisada da presença de Tarzan por meio de um som suave atrás de si, e novamente ela se virou para vê-lo atravessando a relva carregando uma grande quantidade de galhos nos braços.

Então, de novo, ele voltou à selva e, em alguns minutos, reapareceu com uma quantidade de grama e samambaias macias.

Depois, fez mais duas viagens, até obter bastante material à mão.

Logo após, ele espalhou as samambaias e grama no chão na forma de uma cama macia e plana, e em cima colocou vários galhos juntos, de modo que se encontravam a alguns centímetros acima do centro. Sobre eles, colocou camadas de enormes taiobas e, com mais galhos e mais folhas, fechou uma ponta do pequeno abrigo que tinha construído.

Então, os dois se sentaram em cima do tambor lado a lado novamente e tentaram conversar por sinais.

O magnífico medalhão de diamante pendurado em torno do pescoço de Tarzan causava grande espanto em Jane. Ela agora apontava para ele, e Tarzan o tirou e entregou a bela joia a ela.

A garota percebeu que foi confeccionado por um habilidoso artesão, e que os diamantes brilhavam bastante, além de serem lindamente encrustados, contudo, o corte denotava pertencer a uma época antiga. Jane notou, também, que o medalhão abria e, apertando o fecho escondido, viu as duas metades se separarem para revelar, em cada uma das partes, uma miniatura em marfim.

Uma delas era de uma linda mulher e a outra podia ser uma cópia do homem sentado ao lado de Jane, exceto por uma sutil diferença de expressão quase indefinível.

Ela olhou para Tarzan e o encontrou inclinado na direção dela, olhando fixamente as miniaturas com uma expressão de surpresa. Ele esticou a mão em direção ao medalhão e o pegou das mãos dela, examinando as figuras com sinais inegáveis de surpresa e interesse renovado. Sua atitude demonstrava claramente que ele nunca tinha visto nem imaginado ser possível abrir o medalhão.

Esse fato fez Jane entrar em mais especulações acerca da origem do colar, e isso levou sua imaginação a pensar em como esse lindo enfeite tinha chegado à posse de uma criatura selvagem e feroz das selvas inexploradas da África.

Ainda mais impressionante era como ele continha a figura de alguém que podia ser um irmão ou, provavelmente, pai daquele semideus do bosque que ignorava o fato de o medalhão abrir.

Tarzan ainda olhava compenetrado para os dois rostos. Logo, removeu a aljava de seu ombro, jogou as flechas no chão, e alcançou o fundo do receptáculo que parecia uma bolsa para pegar um objeto plano envolvido em muitas folhas macias e também amarrado em pedaços de grama comprida.

Com cuidado, ele desembrulhou, removendo camada após camada de folhas até, por fim, ter uma fotografia em mãos.

Apontando para a miniatura do homem dentro do medalhão, ele entregou a fotografia para Jane, enquanto segurava o medalhão aberto ao lado.

A fotografia serviu somente para confundir ainda mais a jovem, pois evidentemente se tratava de outra imagem do mesmo homem cuja figura descansava no medalhão ao lado daquela da linda mulher.

Tarzan a observava com uma expressão perplexa, quando ela o mirou. Ele parecia estar formulando uma pergunta em seus lábios.

Jane apontou para a fotografia, depois, para a miniatura e, em seguida, para ele, tentando indicar as semelhanças entre as fotografias e ele. Entretanto, Tarzan apenas balançou a cabeça e, dando de ombros, pegou a fotografia das mãos dela e, depois de a envolver com cuidado nas folhas, colocou-a de volta no fundo de sua aljava.

Por alguns momentos, ele se sentou em silêncio, com os olhos voltados para o chão, enquanto Jane revirava o pequeno medalhão, em uma tentativa de encontrar mais pistas que pudessem levar à identidade do proprietário original.

Por fim, uma explicação simples veio à cabeça dela.

O medalhão pertencera ao lorde Greystoke, e as imagens eram dele e de *lady* Alice.

Essa criatura selvagem apenas encontrou o objeto guardado na cabana na praia. Que estupidez não ter pensado nessa solução antes.

No entanto, explicar a estranha semelhança entre lorde Greystoke e esse deus da floresta estava muito além do entendimento dela. Obviamente, não é estranho ela não conseguir imaginar que aquele selvagem nu era, de fato, um nobre inglês.

Por fim, Tarzan levantou os olhos para observar Jane, que ainda examinava o medalhão. Ele não conseguia imaginar o significado das imagens lá dentro, mas conseguia entender o interesse e a fascinação estampados no rosto da jovem ao seu lado.

Ela notou que Tarzan a observava e, ao pensar que ele desejava seu enfeite de volta, o entregou. Ele aceitou a joia dela e, tomando a corrente em suas mãos, colocou-a em torno do pescoço de Jane, sorrindo ao perceber sua expressão de surpresa com o presente inesperado.

Jane balançou a cabeça com veemência e teria retirado o fio de ouro de seu pescoço, se não fosse impedida por Tarzan. Segurando as mãos dela, enquanto ela insistia em devolvê-lo, pressionou-as levemente a fim de indicar que agora o colar pertencia a ela.

Por fim, ela desistiu e, com uma risadinha, encostou o medalhão nos lábios.

Tarzan não entendia com precisão o significado daquele gesto, mas adivinhou corretamente que era uma forma de agradecer o presente. Então, segurou o medalhão, levou para próximo de si e abaixou-se, com a seriedade de um cortesão antigo, tocando os lábios no mesmo lugar onde estiveram os dela.

O gesto foi um pequeno elogio galante e elegante, feito com a graça e a dignidade, em uma total inconsciência de si. Tratava-se de uma marca de seu nascimento aristocrático, o afloramento natural de muitas gerações de classe, um instinto hereditário de graciosidade que uma vida inteira de treinamento e ambiente inculto e selvagem não conseguiram erradicar.

A noite caía e, portanto, eles precisaram comer novamente as frutas, que, ao mesmo tempo, serviam tanto de alimento quanto de bebida. Mais tarde, Tarzan se levantou e, levando Jane ao pequeno ninho que tinha erigido, gesticulou para que ela entrasse.

Pela primeira vez em horas, uma sensação de medo a dominou, e Tarzan sentiu que ela se afastava, recuando para longe dele.

O contato com a jovem durante metade do dia transformou Tarzan em um homem muito diferente daquele que se levantou naquela manhã.

Agora, em cada fibra de seu ser, a hereditariedade falava mais alto do que o treinamento da selva.

Em uma transição suave, ele não tinha mudado de homem-macaco selvagem para um cavalheiro polido, é claro, porém, os instintos de lorde predominavam e, portanto, o desejo de agradar a mulher que amava e parecer bom aos seus olhos tornou-se sua prioridade.

Diante disso, Tarzan dos Macacos fez a única coisa que sabia para reestabelecer a Jane sua segurança. Removeu sua faca de caça da bainha e entregou-a para ela pelo cabo, e de novo gesticulou para que ela entrasse no ninho.

A jovem entendeu e, pegando a longa faca, entrou e se deitou nas gramas suaves do abrigo, enquanto Tarzan se esticava no chão duro da entrada.

E assim o sol nascente os encontrou na manhã seguinte.

Quando Jane acordou, não se lembrou imediatamente dos estranhos acontecimentos do dia anterior, por isso, ficou confusa com os arredores onde se encontrava: o pequeno ninho de folhas, a grama suave de sua cama, a perspectiva não familiar da entrada do abrigo diante de seus pés.

Lentamente, as circunstâncias de sua posição retornaram para sua mente. E, então, uma grande revelação surgiu em seu coração: uma poderosa onda de gratidão por não estar ferida, embora tenha vivido perigos tão terríveis.

Jane se dirigiu até a entrada do abrigo para procurar Tarzan. Ele não estava lá, mas, desta vez, não sentiu nenhum medo, pois sabia que ele voltaria todas as vezes.

Na entrada do ninho, ela observava a marca feita na grama onde o corpo dele repousou a noite toda para protegê-la. Sabia que o fato de ele ter permanecido ali permitiu que ela simplesmente dormisse em uma segurança tão pacífica.

Com ele por perto, quem poderia temer? Ela se perguntou se existia outro homem no mundo com quem uma mulher pudesse se sentir tão segura, mesmo estando no coração da selva africana. Nem os leões e as panteras assustavam Jane agora.

Ela olhou para cima e viu o corpo ágil de Tarzan cair com suavidade de uma árvore próxima. Quando ele percebeu que os olhos dela o fitavam, seu rosto se iluminou com um sorriso franco e radiante, que tinha ganhado a confiança dela no dia anterior.

Quando ele se aproximou, o coração de Jane bateu mais rápido, e seus olhos brilhavam como nunca tinha acontecido por causa de homem algum.

Mais uma vez, ele tinha colhido frutas e colocado na entrada do abrigo. Novamente, os dois se sentaram juntos para comê-las.

Jane começou a pensar quais seriam os planos dele. Ele a levaria de volta à praia ou a manteria ali? De repente, percebeu que a questão não a preocupava muito. Era possível que nem se importasse!

Aqueles momentos a fizeram compreender, também, que se sentia completamente feliz sentada lá, ao lado daquele gigante sorridente, comendo frutas deliciosas em um paraíso silvestre nos extremos confins de uma selva africana. Com certeza, estava muito contente e satisfeita com isso.

Contudo, ela ainda não conseguia entender os acontecimentos. Sua razão dizia-lhe que ela devia estar dilacerada por ansiedades, sobrecarregada com medos pavorosos, abatida por maus agouros, porém, em vez disso, seu coração cantava de alegria e ela sorria para o rosto do homem ao lado dela em resposta.

Quando terminaram o café da manhã, Tarzan foi para o abrigo e recuperou sua faca. Ela tinha esquecido completamente da arma, mas percebeu que isso aconteceu porque não sentia mais o mesmo medo que a levou a segurá-la.

Com um sinal para que ela o seguisse, Tarzan caminhou em direção às árvores, na margem da arena, e com ela em seus fortes braços, subiu para os galhos acima.

Jane sabia que ela seria levada de volta aos seus companheiros, e não compreendia de onde vinha seu repentino sentimento de solidão e de tristeza.

Por horas, os dois se balançaram lentamente.

Tarzan dos Macacos não se apressou. Tentou prolongar o doce prazer de sua jornada, envolvido pelos queridos braços em seu pescoço, o máximo que pôde, e assim foi bem ao Sul, desviando de uma rota direta para a praia.

Várias vezes, fizeram pausas breves para descansos de que Tarzan não precisava e, ao meio-dia, pararam por uma hora em um riachinho onde saciaram a sede e comeram.

Já estava próximo do pôr do sol quando chegaram à clareira e Tarzan, pousando no chão, ao lado de uma grande árvore, afastou a grama alta da floresta e apontou a pequena cabana para Jane.

Ela o segurou pela mão, para caminhar até a habitação, a fim de contar a seu pai que aquele homem salvou-a da morte e a protegeu com o mesmo cuidado que uma mãe faria.

Contudo, a timidez do selvagem, frente à habitação humana, dominou Tarzan dos Macacos. Ele se afastou, balançando a cabeça.

Jane se aproximou dele, com um olhar de súplica, pois, por algum motivo, ela não conseguia aguentar pensar nele voltando sozinho para a terrível selva.

Mesmo assim, ele continuou balançando a cabeça e, finalmente, a trouxe para perto dele, com muita suavidade, e, depois, abaixou-se para beijá-la, mas, primeiro, olhou fundo nos olhos dela e esperou qual seria sua reação: se ela o queria ou se ia repeli-lo.

Apenas por um instante, a garota hesitou, até perceber a verdade e, jogando os braços em torno do pescoço de Tarzan, aproximou o rosto dele do seu e o beijou, sem ficar envergonhada.

– Eu te amo. Eu te amo – sussurrou.

De longe, era possível ouvir o som fraco de diversas armas. Tarzan e Jane levantaram a cabeça.

Na cabana, estavam o senhor Philander e Esmeralda.

De onde estavam, Tarzan e a menina, não conseguiam ver os dois barcos ancorados no porto.

Então, ele apontou na direção dos sons, tocou no próprio peito e apontou de novo. Ela entendeu. Ele precisava partir, porque algo lhe dizia que seus companheiros estavam em perigo.

De novo, ele a beijou.

– Volte para mim – ela murmurou. – Vou esperar por você, sempre.

Ele se foi, e Jane virou-se para atravessar a clareira até a cabana.

O senhor Philander foi o primeiro a vê-la. Anoitecia e ele sendo míope, enxergava mal.

– Rápido, Esmeralda! – gritou. – Vamos buscar a segurança lá dentro. Uma leoa se aproxima. Meu Deus!

Esmeralda não se deu ao trabalho de verificar a visão do senhor Philander. O tom da voz dele já bastava. Ela estava dentro da cabana, trancando a porta, antes mesmo de ele terminar de dizer o nome dela. O "Meu Deus" foi arrancado do senhor Philander ao descobrir que Esmeralda, na exuberância de sua pressa, o trancou para fora da cabana, do mesmo lado no qual havia uma leoa aproximando.

Ele bateu furiosamente na robusta porta.

– Esmeralda! Esmeralda! – gritou. – Deixe-me entrar! Vou ser devorado por um leão.

Esmeralda achou que o barulho da porta era feito pela leoa, em uma tentativa de persegui-la, por isso, como era seu costume, desmaiou.

O senhor Philander olhou assustado para trás.

Que horror! A coisa estava bem próxima. Ele tentou subir pela lateral da cabana e conseguiu se agarrar ao telhado de sapê.

Por um momento, ficou pendurado ali, arranhando as paredes com os pés, como um gato em um varal, mas logo um pedaço do sapê cedeu, e o senhor Philander despencou de costas no chão.

Neste instante, veio à sua mente um fato impressionante de história natural. Quando um animal se finge de morto, leões e leoas descartam a presa, segundo a memória falha do senhor Philander.

Então, permaneceu exatamente da forma como tinha caído, paralisado com o semblante horrível da morte. Como seus braços e pernas estavam duros estendidos para cima, no momento da queda, a simulação da morte era qualquer coisa menos impressionante.

Jane observava a atitude dele com alguma surpresa. Então, ela riu, uma gargalhada sufocada, que foi suficiente. O senhor Philander rolou de lado e olhou tudo ao redor. Por fim, descobriu-a.

– Jane! – gritou. – Jane Porter. Por Deus do céu!

Ele rapidamente ficou em pé e correu até a jovem. Não conseguia acreditar que era ela e viva na sua frente.

– Por Deus! De onde veio? Onde diabos a senhorita esteve? Como...

– Perdão, senhor Philander – interrompeu a garota –, nunca vou conseguir me lembrar de tantas perguntas.

– Bem, bem – disse o senhor Philander. – Meu Deus! Estou tão cheio de surpresa e alegria exuberante em vê-la segura e bem novamente que mal sei o que estou dizendo, de verdade. Mas venha, conte-me o que aconteceu.

A ALDEIA DA TORTURA

Conforme a pequena expedição de marinheiros avançava pela floresta densa em busca de sinais de Jane Porter, a futilidade de sua empreitada ficava mais e mais aparente. Contudo, o luto do velho e os olhos desesperançados do jovem inglês impediam o gentil D'Arnot de dar meia-volta.

Ele pensou que talvez houvesse uma pequena possibilidade de encontrar o corpo da moça, ou melhor dizendo, seus restos, pois tinha certeza de que ela fora devorada por alguma fera. Ele ordenou que seus homens se organizassem em uma linha de combate a partir do ponto onde Esmeralda foi encontrada. Com essa formação, adentraram a floresta, suados e ofegantes entre os galhos e trepadeiras emaranhadas no caminho. Era um trabalho lento. Ao meio-dia, a equipe de busca se encontrava há apenas alguns quilômetros para dentro. Por isso, eles pararam para um breve descanso e, depois de percorrer uma curta distância mais adiante, um dos homens descobriu uma trilha bem marcada.

Era um caminho de elefante bem antigo, o qual D'Arnot, após consultar o professor Porter e Clayton, decidiu seguir.

O caminho passava pela selva na direção Nordeste e os homens se moviam em fila única.

O tenente D'Arnot marchava na dianteira, em um ritmo rápido, pois a trilha era relativamente aberta. Imediatamente atrás dele, vinha o professor Porter, porém, como ele não conseguia acompanhar a velocidade do homem mais jovem, D'Arnot andava a uma distância de cem metros à frente quando, de repente, dezenas de guerreiros negros surgiram ao seu redor.

D'Arnot gritou um alerta para a sua coluna, no momento que os negros se fecharam sobre ele; entretanto, antes de conseguir sacar seu revólver, foi preso no chão e arrastado para a selva.

Alguns marinheiros, alarmados, saltaram para a frente, ultrapassando o professor Porter, disparados pela trilha para socorrer seu oficial.

Eles não faziam ideia da causa do clamor, apenas entendiam que se tratava de um aviso de perigo à frente. Assim que passaram correndo pelo ponto em que D'Arnot havia sido levado uma lança jogada da selva atravessou um deles, e então uma saraivada de flechas caiu sobre todos.

Com os rifles levantados, eles atiraram na direção dos arbustos de onde as missivas estavam vindo.

Nesse momento, mais soldados chegaram e dispararam inúmeras vezes contra o inimigo escondido. Foi o ruído desses tiros que Tarzan e Jane Porter escutaram.

O tenente Charpentier, posicionado no fim da coluna, correu até o local do ataque e, ao ouvir os detalhes da emboscada, ordenou que os homens o seguissem, e mergulhou na vegetação emaranhada.

Em um instante, depararam-se com uma luta corpo a corpo contra cerca de cinquenta guerreiros negros da aldeia de Mbonga. Flechas e balas voavam por todos os lados.

Espetaculares facas africanas e coronhas de armas francesas se misturaram em duelos selvagens e sangrentos, mas logo os nativos fugiram para a selva, deixando os franceses com o saldo de suas vítimas.

Quatro dos vinte homens morreram, cerca de doze deles ficaram feridos, e o tenente D'Arnot, desaparecido. A noite caía rapidamente, e o dilema só piorava, pois não conseguiram encontrar nem o caminho de elefante que estavam seguindo.

Havia apenas uma coisa a fazer: acampar até o sol nascer. O tenente Charpentier ordenou que uma clareira fosse aberta e construída uma cerca circular com vegetação rasteira em torno do acampamento.

Esse trabalho foi concluído bem depois de estar escuro. Os homens montaram uma grande fogueira no centro da clareira, para obter iluminação para trabalhar.

Na hora que tudo estava o mais seguro possível contra o ataque das feras e dos homens selvagens, o tenente Charpentier colocou sentinelas ao redor do pequeno acampamento, e os homens cansados e famintos se jogaram no chão para dormir.

No entanto, os gemidos dos feridos, misturados aos rugidos e grunhidos das grandes feras, atraídas por causa do barulho e da luz do fogo, afastaram o sono dos olhos cansados, exceto em sua forma mais irregular. Era um grupo triste e faminto que atravessou a longa noite rezando pelo amanhecer.

Os negros que tinham levado D'Arnot não esperaram para participar da luta contra os franceses. Em vez disso, arrastaram seu prisioneiro pela selva e voltaram à trilha há muitos metros do local da batalha na qual seus companheiros lutavam.

Eles o levaram às pressas. Os sons da batalha ficavam mais fracos conforme se afastavam dos combatentes, até de repente surgir, na visão de D'Arnot, uma clareira de bom tamanho, com uma aldeia de barracas de sapé e paliçada em um dos extremos.

O crepúsculo se estabelecia no céu. Os vigilantes do portão da vila avistaram o trio que se aproximava e distinguiram um deles como prisioneiro antes mesmo de chegarem perto da entrada.

Um grito reverberou dentro da paliçada e uma multidão de mulheres e crianças correu para receber o grupo.

Então, para o oficial francês, começava a experiência mais aterrorizante que um homem poderia vivenciar no mundo: a recepção de um prisioneiro branco em uma aldeia de canibais africanos.

Para piorar a maldade daquela situação selvagem e cruel, existia uma memória pungente das barbaridades mais perversas, praticadas contra eles e contra seu povo, pelos oficiais brancos daquele hipócrita e desprezível, Leopoldo II da Bélgica, motivo pelo qual eles haviam fugido do Estado Livre do Congo[14]. Ali, estava presente apenas uma deplorável fração remanescente do que foi uma tribo poderosa.

Os habitantes da vila caíram com unhas e dentes sobre D'Arnot, golpeando seu corpo com paus e pedras e arranhando-o com unhas que mais pareciam garras. Cada vestígio de roupa lhe foi arrancado, e as pancadas inclementes caíram sobre sua carne nua e trêmula. Apesar disso, em nenhum momento, o francês gritou de dor. Ele sussurrou uma oração para ser libertado rapidamente daquela tortura.

Contudo, a morte pela qual pedia não chegaria com tanta facilidade. Logo, os guerreiros afastaram as mulheres de seu prisioneiro, pois ele devia ser poupado para um esporte mais nobre. Com o fim da primeira onda de ira e raiva, eles se contentaram em gritar provocações e insultos ao oficial, e cuspir nele.

Já no centro da aldeia, D'Arnot foi amarrado com segurança ao grande poste do qual nenhum homem jamais escapou com vida.

Algumas mulheres se espalharam pelas várias barracas em busca de panelas e água, outras faziam fogueiras nas quais partes do banquete seriam fervidas, enquanto o resto da carne seria ressecada em tiras para ser usada futuramente, visto que esperavam que mais guerreiros voltassem com prisioneiros.

As festividades foram adiadas à espera da volta dos guerreiros que ficaram para o combate com os franceses. Por isso, era bem tarde quando todos se reuniram na aldeia para dar início à dança da morte, em torno do oficial condenado.

Meio desmaiado de dor e exaustão, D'Arnot observou entre as pálpebras semicerradas o que parecia apenas um extravagante delírio ou algum horrendo pesadelo do qual logo acordaria.

Os rostos bestiais tingidos, as bocas enormes e os lábios flácidos protuberantes, os dentes amarelos e afiados, os revirados olhos demoníacos,

---

14 Reino privado, que pertencia a Leopoldo II da Bélgica, no período entre os anos de 1877 e 1908, cuja área total incluía a atual República Democrática do Congo. (N.T.)

os brilhantes corpos nus, as lanças cruéis: certamente, essas criaturas não existiam na Terra. Ele devia de fato estar sonhando.

Os corpos selvagens, girando, chegaram mais perto dele. Agora, uma lança foi arremessada e tocou o braço dele. A dor aguda e a sensação do sangue quente escorrendo o asseguraram da terrível realidade de sua situação perdida.

Cada vez mais lanças o atravessavam. Ele fechou os olhos e apertou os dentes: não gritaria. Era um soldado da França e ensinaria a esses selvagens como um oficial e cavalheiro morria.

Tarzan dos Macacos não precisava de intérprete para entender a história daqueles disparos perdidos. Ainda sentindo os beijos de Jane Porter quentes em seus lábios ele se balançou com incrível rapidez pelas árvores da floresta, direto para a aldeia de Mbonga.

Não estava interessado na localização do encontro, pois julgava que logo teria fim. Como os mortos não podiam mais ser socorridos, e os que escapassem não precisariam de sua ajuda,

Tarzan correu para socorrer aqueles que nem estavam mortos, nem escaparam. E sabia que os acharia no grande poste no centro da aldeia de Mbonga.

Diversas vezes, ele viu os guerreiros negros voltando do Norte com prisioneiros, e sempre as mesmas cenas aconteciam em torno daquele mastro, sob as luzes ofuscantes de muitas fogueiras.

Ele também sabia que raramente gastavam muito tempo antes de consumar o propósito cruel de suas capturas. Além disso, duvidava que chegaria a tempo de poder fazer mais do que uma vingança.

Tarzan acelerou seus passos. A noite caiu e ele viajou entre as copas das árvores mais altas, para que a bela lua tropical iluminasse a trilha sinuosa através dos galhos ondulantes dos topos das árvores.

Enfim, ele enxergou o reflexo de uma chama bem distante de onde estava, à direita de seu caminho. Devia ser a luz da fogueira do acampamento que os dois homens construíram antes de serem atacados. Tarzan não sabia da chegada dos marinheiros no continente.

Ele estava tão certo de seu conhecimento sobre a selva que sequer desviou do caminho, como também passou a quase um quilômetro da luz. De fato, era a fogueira do acampamento dos franceses.

Em mais alguns minutos, Tarzan se balançou nas árvores acima da aldeia de Mbonga. Ah, ele ainda tinha tempo! Ou estava atrasado? Não conseguia saber. A figura presa na estaca estava imóvel, mesmo com os guerreiros negros espetando seu corpo.

Tarzan conhecia os costumes da tribo. O golpe da morte ainda não tinha sido dado. Entretanto, ele conseguiu saber, quase com exatidão, quão longe a dança tinha chegado.

Portanto, em alguns instantes, a faca de Mbonga cortaria uma das orelhas da vítima, e isso marcaria o início do fim. Pouco depois, certamente, restaria apenas uma massa de carne mutilada se contorcendo.

Ainda haveria vida nele, porém a morte seria a única caridade que ele desejaria.

O poste se encontrava a doze metros da árvore mais próxima. Então, Tarzan enrolou sua corda e subiu encobrindo os gritos cruéis dos demônios dançantes, o terrível desafio do homem-macaco soou.

Os dançarinos cessaram os movimentos como se transformados em pedra ou estátua.

A corda se desenrolou chicoteando bem alto pelo ar, sobre a cabeça dos negros. Era quase invisível em meio à iluminação forte e embaçada das fogueiras.

D'Arnot abriu os olhos. Um enorme guerreiro, parado diante dele, levou um tranco como se fosse atingido por uma mão invisível. Debatendo-se e gritando, o corpo dele, rolando de lado a lado, moveu-se com rapidez em direção às sombras sob as árvores.

Os negros, com os olhos esbugalhados de horror, observavam enfeitiçados.

Uma vez embaixo das árvores, o corpo subiu no ar e, ao desaparecer na folhagem acima, os guerreiros aterrorizados, gritando de pavor, irromperam em uma corrida insana até os portões da aldeia.

D'Arnot foi deixado sozinho.

Era um homem corajoso, mas tinha sentido os cabelos curtos da nuca se arrepiarem quando o grito sinistro ocupou no ar.

No momento em que o corpo do canibal era erguido, como se por uma força sobrenatural, para a densa folhagem da floresta, D'Arnot sentiu um tremor gelado na espinha, como se a morte saísse de um túmulo escuro e gélido e colocasse um dedo frio e úmido em sua pele.

Ao observar o lugar em que o corpo tinha sumido, ele ouviu uma movimentação na árvore.

Os galhos balançavam como se sob o peso do corpo de um homem. Então, houve um barulho e o negro foi devolvido ao chão, estendido imóvel onde caiu.

Imediatamente atrás dele, apareceu um corpo branco, mas esse pousou ereto.

D'Arnot viu um jovem gigante de membros ágeis emergir das sombras para a luz da fogueira e correr em sua direção.

O que aquilo significava? Que ser era esse? Alguma nova criatura de tortura e destruição, sem dúvida.

O oficial esperou. Seus olhos não desviaram nem por um instante do rosto do homem que avançava, muito menos os francos e claros olhos que titubearam perante o seu olhar fixo.

O tenente ficou um pouco aliviado, mas ainda sem muita esperança, embora sentisse que aquele rosto não podia esconder um coração cruel.

Sem dizer uma palavra, Tarzan dos Macacos cortou os laços que amarravam o francês. Fraco pelo sofrimento e perda de sangue, ele teria caído se não fosse pelo braço forte que o segurou.

Podia perceber que era levantado do chão, mas havia uma leve sensação de estar voando. Assim, em seguida, perdeu a consciência.

A EQUIPE DE RESGATE

Ao amanhecer no coração da selva, havia, no pequeno acampamento dos franceses, um grupo pequeno e desanimado.

Quando ficou claro o bastante para ser possível enxergar seus arredores, o tenente Charpentier enviou homens em grupos de três em várias direções, para localizar a trilha e, em dez minutos, a expedição já podia correr em direção à praia.

Era um progresso lento, pois eles levavam os corpos de seis mortos, porque mais outros dois sucumbiram durante a noite, além dos vários feridos que precisavam de apoio para se mover, ainda que lentamente.

Charpentier decidiu voltar ao acampamento para buscar reforços, para depois prosseguir com uma tentativa de encontrar os nativos e resgatar D'Arnot.

Era fim de tarde, a hora em que os homens exaustos chegaram à clareira na beira da praia, porém, para dois deles, a volta trouxe uma felicidade tão grande que todo o seu sofrimento e luto desolador foi esquecido por uns instantes.

Ao emergirem da selva, a primeira pessoa que o professor Porte e Cecil Clayton viram foi Jane, parada ao lado da porta da cabana.

Com um pequeno grito de alegria e alívio, ela correu para recebê-los, jogando seus braços em torno do pescoço do pai e soltando as lágrimas pela primeira vez, desde que tinham naufragado naquele litoral horrendo e cheio de aventuras.

O professor Porter buscou suprimir com bravura suas próprias emoções, mas a tensão em seus nervos e sua vitalidade enfraquecida eram demais para ele. Finalmente, enterrando o rosto de ancião no ombro da filha, soluçou baixinho como uma criança cansada.

Jane direcionou o pai até a cabana, e os franceses se encaminharam para a praia, de onde vários de seus companheiros vieram para recebê-los.

Clayton, querendo deixar pai e filha sozinhos, juntou-se aos marinheiros e continuou conversando com os oficiais até o bote deles ser levado ao cruzador, onde o tenente Charpentier precisava relatar o infeliz resultado de sua aventura.

Então, Clayton virou-se lentamente na direção da cabana. Seu coração encheu-se de felicidade. A mulher que amava estava segura.

Pensava qual seria o tipo de milagre que conseguiu salvar sua vida. Vê-la viva parecia quase inacreditável.

Ao se aproximar da cabana, viu Jane saindo. Quando ela o avistou, correu ao seu encontro.

– Jane! – gritou ele. – Deus foi bom conosco, de fato! Diga-me como escapou, que tipo de Providência foi necessária para salvá-la para... nós.

Entretanto, ele nunca havia chamado Jane Porter pelo seu primeiro nome. Apenas quarenta e oito horas antes, ela teria sentido um brilho suave de prazer ao ouvir esse nome nos lábios de Clayton, mas, agora, aquilo a assustava.

– Senhor Clayton – respondeu, em voz baixa, estendendo a mão –, primeiro, deixe-me agradecer-lhe por sua lealdade cavalheira a meu querido pai. Ele me disse como tem sido nobre e tem se sacrificado. Nunca poderemos pagar essas atitudes tão honradas!

Clayton notou que ela não correspondeu a seu cumprimento familiar, contudo isso não o fez ter maus pressentimentos. Afinal, a moça tinha passado por muita coisa. Não era hora de manifestações amorosas, rapidamente ele percebeu.

— Já fui pago — disse. — Só de presenciar a senhorita e o professor Porter novamente juntos e a salvo. Não acho que teria mais como suportar o luto silencioso e conformado de seu pai. Foi a experiência mais triste de minha vida, senhorita Porter. Para piorar, também havia meu próprio luto, o maior que já conheci. Porém, o de seu pai era tão desesperançado, que era comovente. Ensinou-me que nenhum amor, nem o de um homem por sua esposa, pode ser tão profundo, terrível e abnegado como o amor de um pai por sua filha.

Jane abaixou a cabeça. Havia uma pergunta que gostaria de fazer; entretanto, parecia quase um sacrilégio frente ao amor desses dois homens e ao terrível sofrimento que suportaram enquanto ela estava sentada, rindo e feliz, ao lado de uma criatura divina da floresta, comendo frutas deliciosas e lançando olhares de amor recíprocos.

Mas o amor é um estranho mestre, e a natureza humana é ainda mais misteriosa. Sendo assim, ela decidiu prosseguir com a pergunta.

— Onde está o homem da floresta que foi resgatá-los? Por que ele não voltou ainda?

— Não entendi — disse Clayton. — De quem está falando?

— Daquele que salvou cada um de nós. O homem que me resgatou das garras de um gorila.

— Ah! — exclamou Clayton, surpreso. — Foi ele quem a resgatou? Não me contou nada sobre sua aventura, ainda.

— Mas e o homem da selva? — ela insistiu. — Não o viu? Quando ouvimos os tiros na floresta, muito fracos e distantes, ele me deixou. Tínhamos acabado de chegar à clareira e ele correu em direção à luta. Tenho certeza de que foi ajudá-los.

O tom da voz dela era quase suplicante, tensa e cheia de emoções suprimidas. Clayton não pôde deixar de notar e perguntou-se, vagamente, por que ela estava tão emocionada e ansiosa para saber o paradeiro da estranha criatura.

Não desconfiava de nada, no entanto, uma sensação de apreensão de alguma mágoa iminente o assombrava. Em seu peito, sem que ele mesmo soubesse, plantou-se a primeira semente de ciúme e suspeita do homem-macaco, a quem ele devia a vida.

– Não o vimos – respondeu, em voz baixa. – Ele não nos encontrou.

Mas, depois de um momento de pausa pensativa, disse:

– É possível que tenha ido para sua própria tribo, a dos homens que nos atacaram – não sabia o motivo para tal explicação, pois não era no que ele acreditava.

A jovem olhou para ele com olhos arregalados por alguns instantes.

– Não! – exclamou com veemência, com excessiva veemência. – Não pode ser. Eles eram selvagens.

Clayton pareceu confuso com as palavras de Jane.

– Ele é uma criatura estranha, praticamente um selvagem da floresta, senhorita Porter. Não sabemos nada sobre ele. Não fala nem entende qualquer língua europeia. Além disso, suas armas e seus ornamentos são os mesmos dos selvagens da costa Oeste.

Clayton falando rapidamente.

– Não há outros seres humanos que não sejam os selvagens em centenas de quilômetros, senhorita Porter. Ele deve pertencer à tribo que nos atacou ou a outra igualmente selvagem. Pode até ser canibal!

Jane ficou pálida.

– Não acredito nisso – falou, meio sussurrando. – Não é verdade. O senhor verá – disse, dirigindo-se a Clayton. – Ele voltará e provará que o senhor está errado. O senhor não o conhece como eu. Garanto que é um cavalheiro.

Clayton era um homem generoso e cortês, porém algo na defesa esbaforida do homem da floresta, apresentada pela moça, o levou a um ciúme irracional. Por isso, ele se esqueceu de tudo o que devia àquele semideus selvagem e retrucou com um escárnio nos lábios.

– É possível que esteja certa, senhorita Porter – falou –, mas não acho que nenhum de nós precisa se preocupar com nosso colega comedor de carniça. O mais provável é que seja algum náufrago, meio enlouquecido, que vai nos esquecer muito antes do que nós vamos esquecê-lo. É apenas uma fera selvagem, senhorita Porter.

Ela não respondeu, contudo, sentiu o coração encolher dentro de si.

Jane sabia que Clayton só dizia o que pensava. Então, pela primeira vez, começou a analisar a estrutura que apoiava seu amor recém-descoberto e a submeter seu objeto a uma análise crítica.

Lentamente, ela se virou e caminhou de volta à cabana. Tentou imaginar seu deus da floresta ao seu lado no salão de um cruzeiro marítimo. Viu-o comendo com as mãos, rasgando a comida como uma fera e limpando os dedos gordurosos na coxa. Encolheu-se.

Imaginou-o enquanto o apresentava a seus amigos: indouto, analfabeto, bárbaro. Ela estremeceu.

Ao chegar em seu quarto e, sentando-se na beira da cama de samambaias e folhas, com uma mão apoiada no peito que subia e descia, sentiu os contornos duros do medalhão.

Ela tirou-o e, segurando o objeto na palma da mão, por um momento, os olhos borraram de lágrimas. Em seguida, levou-o aos lábios e, apertando-o contra eles, enterrou o rosto nas samambaias macias, soluçando.

– Fera? – murmurou. – Então, Deus fez uma fera para mim, pois seja homem ou fera, eu sou dele.

Ela não voltou a se encontrar com Clayton naquele dia. Esmeralda levou o jantar para ela e pediu que avisasse o pai que reagia ao sofrimento das fortes emoções que lhe causaram a aventura.

Na manhã seguinte, Clayton saiu cedo com a expedição de resgate em busca do tenente D'Arnot. Desta vez, partiram duzentos homens armados, com dez oficiais e dois cirurgiões, além de provisões para uma semana.

Eles carregavam lençóis, e redes, caso fosse necessário transportar mortos e feridos.

Era uma equipe determinada e raivosa: uma expedição de vingança, não apenas de resgate. Chegaram ao local da batalha anterior pouco depois do meio-dia, pois agora viajavam em uma trilha conhecida, sem precisar perder tempo explorando.

Dali em diante, o caminho de elefantes levava direto à aldeia de Mbonga. Por volta de duas da tarde, a expedição de resgaste alcançava à beira da clareira.

O tenente Charpentier, que estava no comando, imediatamente enviou um destacamento pela selva até o lado oposto da aldeia. O outro foi mandado a um ponto em frente ao portão da aldeia, enquanto ele continuava com os demais no lado Sul da clareira.

Ficou combinado que o grupo que se posicionaria ao Norte seria o último a colocar-se no posto, deveria começar o ataque, e que sua saraivada de abertura deveria ser o sinal para disparos combinados de todos os lados, em uma tentativa de tomar a aldeia de surpresa logo no primeiro ataque.

Por meia hora, os homens da equipe do tenente Charpentier ficaram agachados na densa folhagem da selva, esperando pelo sinal. Para eles, pareceram horas. Conseguiam enxergar os nativos no campo e outros entrando ou saindo pelo portão da vila.

Finalmente, o sinal chegou: uma descarga aguda dos mosquetes. Na sequência, e em uníssono, uma saraivada de resposta saiu da selva ao Oeste e ao Sul.

Os nativos largaram suas ferramentas nos campos e correram enlouquecidos para a paliçada. As balas francesas abateram grande parte da aldeia, e os marinheiros franceses passavam por seus corpos prostrados, diretamente para o portão da aldeia.

O assalto foi tão súbito e inesperado que os brancos chegaram aos portões antes mesmo que os nativos assustados pudessem impedi-los. Passados alguns minutos, a aldeia estava dominada pelos homens armados, os quais lutavam corpo a corpo, em um emaranhado inextricável.

Os negros resistiram à invasão completa de seu território por pouco tempo, mas os revólveres, rifles e sabres dos franceses neutralizaram os lanceiros nativos e derrubaram os arqueiros antes de montarem seu arco com uma flecha.

Logo, a batalha transformou-se em um alvoroço e depois em um massacre sombrio. Em especial, porque os marinheiros franceses viram vários dos guerreiros negros que se opunham a eles vestidos com pedaços do uniforme de D'Arnot.

As crianças e as mulheres que não reagiram para se defenderem da investida foram poupadas. Assim, quando, por fim, pararam, ofegantes, cobertos de sangue e suando, não havia um único guerreiro vivo, em toda a aldeia selvagem de Mbonga, para opor-se a eles.

Com cuidado, saquearam cada cabana e cada canto da aldeia, sem nenhum sinal de D'Arnot. Questionaram os prisioneiros por sinais e, finalmente, um dos marinheiros, que tinha servido no Congo francês, descobriu que conseguia fazê-los entender a língua bastarda para a comunicação entre os brancos e as tribos mais degradadas da costa. Ainda assim, não conseguiram descobrir nenhuma informação concreta sobre o destino de D'Arnot.

Apenas gestos e expressões exaltadas de medo foram obtidos em resposta a suas perguntas em relação ao seu companheiro. No fim, eles se convenceram de que eram apenas evidências da culpa daqueles demônios, que massacraram e devoraram seu camarada duas noites antes.

Toda a esperança os deixou, e eles se prepararam para acampar durante a noite dentro da aldeia. Os prisioneiros foram agrupados em três barracas fortemente vigiadas. Sentinelas foram designadas para fiscalizar os portões e, finalmente, a aldeia caiu no silêncio do sono, exceto pelos choros e gemidos das mulheres nativas lamentando por seus mortos.

Na manhã seguinte, a expedição colocou-se na marcha de volta. Sua intenção original era queimar a aldeia, porém essa ideia foi descartada e os prisioneiros, abandonados, chorando e se lamentando, mas com tetos sobre a cabeça e uma paliçada para refugiar-se das feras da selva.

Lentamente, os marinheiros refizeram os passos do dia anterior. Dez redes carregadas atrasaram o ritmo. Em oito delas, estavam os gravemente feridos, enquanto duas balançavam com o peso dos mortos.

Clayton e o tenente Charpentier lideravam a coluna. O inglês permanecia em silêncio em respeito ao luto do outro, pois D'Arnot e Charpentier eram amigos inseparáveis desde a infância.

Clayton não pôde deixar de perceber que o francês sentia com mais intensidade a perda, pois o sacrifício de D'Arnot tinha sido tão em vão, visto que Jane fora resgatada antes de seu amigo ser capturado por selvagens. Além disso, o serviço no qual ele havia perdido a vida não estava no âmbito de seu dever e era feito para estranhos alheios. No entanto, quando falou sobre isso com o tenente Charpentier, ele balançou a cabeça.

– Não, *monsieur* – disse –, D'Arnot teria escolhido morrer assim. Mas eu sofro por não poder morrer por ele, ou ao menos com ele. Queria que o tivesse conhecido melhor, *monsieur*. Ele era de fato um oficial e um cavalheiro, título conferido a muitos e merecido por tão poucos. Não morreu em vão, pois sua morte por causa de uma dama americana fará todos nós, seus companheiros, enfrentarmos nossos fins com mais coragem, seja da maneira que o destino preparar.

Clayton não falou mais nenhuma palavra, mas dentro dele nasceu um novo respeito pelos franceses, que permaneceu intocado mesmo depois daquelas desventuras.

Era bem tarde quando chegaram à cabana na praia. Um único tiro antes de emergirem da selva anunciava àqueles no acampamento e também no navio que a expedição tinha chegado tarde demais. Antes de partirem com a expedição, tinha sido combinado que, quando estivessem a um ou dois quilômetros do acampamento, um tiro denotaria fracasso e três, sucesso, enquanto dois indicariam que não tinham achado sinal nem de D'Arnot, nem de seus captores.

Assim, um grupo solene já esperava a chegada deles. Poucas palavras foram ditas enquanto os homens mortos e feridos eram colocados cuidadosamente em botes, e depois transportados em silêncio até o cruzador.

Clayton, exausto por causa dos cinco dias de marcha laboriosa pela selva e pelos efeitos de duas batalhas com os negros, andou em direção à cabana para procurar um punhado de comida e se deitar na maciez de sua cama de folhas, em comparação às duas noites acampando na selva.

Na porta da cabana, estava Jane.

– E quanto ao pobre tenente? – perguntou ela. – Não encontraram rastro dele?

– Chegamos tarde demais, senhorita Porter – respondeu Clayton, trinte e cansado.

– Diga-me. O que aconteceu?

– Difícil conseguir contar o que houve, senhorita Porter. É horrível e inaceitável demais.

– Não me diga que o torturaram? – sussurrou ela.

– Nós não sabemos o que fizeram com ele *antes* de ser morto – respondeu, enfatizando a palavra "antes", e com o rosto cheio de fadiga e mágoa que sentia pela morte do pobre D'Arnot.

– *Antes* de ser morto! Mas o que quer dizer? Eles não eram...? Eles não eram...?

Jane pensou no que Clayton disse sobre a provável relação do homem da floresta com aquela tribo, e não conseguiu pronunciar a terrível palavra, mas Clayton disse.

– Sim, senhorita Porter, eram... canibais – falou, quase amargamente, pois também pensou no homem da floresta e o ciúme estranho e inexplicável, que sentira dois dias antes, o controlou de novo.

E então, com uma brutalidade repentina, tão incomum a Clayton quanto uma consideração cortês é incomum em um macaco, ele soltou:

– Quando seu deus da floresta a deixou, sem dúvida estava correndo para o banquete.

Arrependeu-se de suas palavras no momento em que foram ditas, embora não soubesse o quanto elas machucaram a jovem. Ele lamentou por sua deslealdade infundada com quem tinha salvado a vida de cada membro de seu grupo, sem oferecer perigo a nenhum deles.

A jovem se impôs, com a cabeça erguida.

– Há somente uma resposta adequada à sua afirmação, senhor Clayton – disse ela, friamente –, e sinto muito por eu não ser um homem para poder dirigi-la ao senhor – ela virou-se com rapidez e entrou na cabana.

Clayton era um inglês, então, a menina já tinha saído de vista, antes que ele pudesse deduzir qual seria a resposta de um homem.

– Ela me chamou de mentiroso – disse ele, triste – bem na minha cara e acho que eu mereci – completou, pensativo. – Clayton, meu caro, sei que está cansado e nervoso, mas isso não é motivo para ser um cafajeste. É melhor ir para a cama.

Contudo, antes disso, ele chamou Jane com uma voz bem baixinha, através da divisória de tecido que havia entre os quartos, pois desejava se desculpar, porém foi o mesmo que falar com uma esfinge. Então, ele escreveu uma mensagem em um pedaço de papel e depois passou-o por baixo da divisória.

Jane viu o bilhete e ignorou, pois estava bastante irritada, magoada e humilhada. No entanto, ela era uma mulher e, por isso, acabou pegando o papel com a mensagem e lendo.

Minha querida senhorita Porter,
Não tinha motivos para insinuar o que insinuei. Minha única desculpa é que meus nervos devem estar abalados, o que, de nenhum jeito, poderia ser uma desculpa apropriada.
Por favor, tente desconsiderar minhas palavras e pensar que não disse nada. Sinto muitíssimo. A senhorita é a última pessoa no mundo que eu machucaria. Diga-me que estou perdoado.

William Cecil Clayton

"Ele realmente pensava aquilo, ou nunca teria dit", raciocinou a jovem, "mas não pode ser verdade. Ah! Eu sei que não é verdade".

Uma frase na carta a assustava: "A *senhorita* é a última pessoa no mundo que eu machucaria". Há uma semana, as palavras teriam enchido seu coração de alegria, mas agora a deprimia.

Ela desejava nunca ter conhecido Clayton. Sentia muito por ter colocado os olhos no deus da floresta. Na verdade, não, pois isso a deixava feliz. E havia também aquele outro bilhete encontrado na cabana no dia seguinte ao seu retorno da selva, uma mensagem de amor assinada por Tarzan dos Macacos.

Quem poderia ser esse novo pretendente? E se fosse algum outro cidadão selvagem dessa terrível floresta, o que ele seria capaz de fazer para tomá-la?

– Esmeralda! Acorde! – ela chamou. – Você me irrita demais dormindo aí, calmamente, quando sabe muito bem que o mundo está cheio de tristeza.

– Meu anjo Gabriel! – gritou Esmeralda, sentando-se. – O que foi agora? Um hipoceronte? Onde ele está, dona Jane?

– Que bobagem, Esmeralda, não tem nada. Volte a dormir. Você já é ruim dormindo, mas consegue ser pior acordada.

– Sim, querida, mas qual é o problema, preciosa? Está agindo toda destrambelhada.

– Ah, Esmeralda, apenas estou tendo uma noite ruim – disse a jovem. – Não preste atenção a mim, querida.

– Sim, meu bem, vai dormir. Seus nervos estão todos no limite. Com esses rinopótamos e gênios comedores de homens que o senhor Philander fica falando... Senhor, não é à toa que a gente fica tudo nervoso e apavorado.

Jane atravessou o pequeno cômodo rindo, beijou a leal Esmeralda, e desejou-lhe boa-noite.

A IRMANDADE DOS HOMENS

Quando D'Arnot recuperou a consciência, viu-se deitado sobre uma cama de samambaias e folhas macias, embaixo de um pequeno abrigo triangular feito de galhos, no formato de um "A".

A seus pés, por uma abertura era possível ver um relvado verde e, a pouca distância, havia a densa parede emaranhada da vegetação da selva.

Ele estava bastante fraco e dolorido e, quando sua consciência voltou completamente, sentiu a tortura aguda de muitas feridas cruéis e o sofrimento surdo de cada osso e músculo em seu corpo, resultado da terrível surra que levou.

Até virar a cabeça lhe causava uma agonia tão excruciante que ele permaneceu deitado de olhos fechados por muito tempo.

Então, tentou encaixar os detalhes de sua aventura, antes de ter perdido a consciência, para poder compreender qual era sua localização. Ele se perguntava se estaria entre amigos ou inimigos.

Finalmente, lembrou-se de toda a cena horrenda no poste de madeira e depois da estranha figura branca em cujos braços tinha desmaiado.

D'Arnot pensou no que o destino lhe guardava agora. Não conseguia ver nem ouvir quaisquer sinais de vida ao seu redor.

O zunido incessante da selva, o farfalhar dos milhões de folhas, o zumbido dos insetos, as vozes de pássaros e macacos, parecia se misturar a um ronronar estranhamente tranquilo, como se ele estivesse apartado, afastado da miríade de vida cujos sons chegavam a ele apenas como um eco bem longe.

Por fim, caiu em um sono calmo, e acordou de novo somente à tarde.

Mais uma vez, experimentou a estranha sensação de espanto que tinha marcado seu primeiro despertar, mas logo se lembrou do passado recente e, olhando pela abertura a seus pés, viu a figura de um homem forte agachado.

As costas largas e musculosas estavam viradas para ele, mas, embora fossem muito bronzeadas, D'Arnot notou que eram de um homem branco e agradeceu a Deus.

O francês chamou-o com uma voz fraca. O homem se virou e andou em direção ao abrigo. Seu rosto era muito bonito, aliás o mais bonito que ele já tinha visto, pensou D'Arnot.

Abaixando-se, ele engatinhou para dentro do abrigo, bem ao lado do oficial ferido, e depositou a mão fria na testa dele.

D'Arnot falou com ele em francês, porém o homem apenas sacudia a cabeça, "infelizmente", pensou ao francês.

Então, D'Arnot tentou inglês, mas o homem continuou balançando a cabeça. Nos idiomas italiano, espanhol e alemão trouxeram o mesmo desencorajamento.

O oficial sabia algumas palavras de norueguês, russo, grego e também um tantinho da língua dos povos negros da costa Ocidental da África: o homem não entendeu nenhuma delas.

Após examinar as feridas de D'Arnot, o homem saiu do abrigo e desapareceu. Entretanto, em meia hora, ele voltou com frutas e um vegetal côncavo, que parecia uma cabaça, cheio de água.

D'Arnot bebeu e comeu um pouco. Ficou surpreso por não estar com febre, tentou conversar de novo com aquele estranho enfermeiro, e a tentativa foi inútil.

De repente, o homem saiu depressa do abrigo e voltou alguns minutos depois com vários pedaços de cascas de árvore e um lápis. Que maravilhosa surpresa!

Agachado ao lado de D'Arnot, escreveu por um minuto na superfície macia da casca e entregou-a ao francês.

O capitão ficou atônito de ver, com letras bem desenhadas, uma mensagem em inglês:

Eu sou Tarzan dos Macacos. Quem é você? Consegue ler esta língua?

D'Arnot pegou o lápis, mas parou. O estranho homem escrevera em inglês, então, evidentemente, era britânico.

– Sim – disse D'Arnot. – Sei ler inglês e falar também. Agora, podemos conversar. Primeiro, deixe-me agradecê-lo pelo que fez por mim.

O homem balançou a cabeça e apontou para o lápis e a casca.

– *Mon dieu!* – gritou D'Arnot. – Se é inglês, então, qual seria o motivo de não saber falar em sua língua materna?

Diante disso, como um estalo, uma ideia o acometeu: o homem era mudo, possivelmente surdo-mudo. Assim, D'Arnot escreveu na casca uma mensagem em inglês.

Sou Paul d'Arnot, tenente da Marinha francesa. Agradeço-lhe pelo que fez por mim. Você salvou minha vida, e tudo o que tenho é seu. Permita-me saber a razão de alguém conseguir escrever inglês, mas não o falar?

A resposta de Tarzan encheu D'Arnot de encantamento ainda mais:

Falo apenas a língua de minha tribo de grandes macacos, que em determinada época foi liderada por Kerchak, e um pouco das línguas de Tantor, o elefante, e Numa, o leão, e entendo alguns outros habitantes da selva. Com um ser humano nunca falei, exceto uma vez com Jane Porter, por meio de sinais. Esta é a primeira vez que me comunico com alguém da minha espécie em palavras escritas.

D'Arnot estava perplexo. Parecia incrível haver no mundo um homem adulto que nunca havia falado com outro ser humano. No entanto, e ainda mais absurdo, que ele fosse capaz de ler e escrever.

Ele olhou mais uma vez para um trecho da mensagem de Tarzan "exceto uma vez com Jane Porter". Era a garota americana que tinha sido levada para dentro da selva por um gorila.

Naquele momento, uma luz, de repente, começou a cair sobre D'Arnot: seria este era o "gorila"? Ele tomou o pincel nas mãos e escreveu:

Onde está Jane Porter?

E o diálogo seguiu conforme descrito a seguir:

De volta com seu povo na cabana de Tarzan dos Macacos.

Então, ela não está morta? Onde ela está? O que aconteceu com ela?

Não está morta. Foi levada por Terkoz para ser esposa dele, mas Tarzan dos Macacos a recuperou de Terkoz e o matou antes que ele pudesse machucá-la.
Ninguém em toda a selva pode enfrentar Tarzan dos Macacos em batalha e sobreviver. Eu sou Tarzan dos Macacos: poderoso lutador.

Então, D'Arnot escreveu:

Fico feliz que ela esteja bem. Escrever me deixa dolorido. Vou descansar um pouco.

E Tarzan respondeu:

Sim, descanse. E então quando estiver bem, eu o levarei de volta ao seu povo.

Por muitos dias, D'Arnot continuou deitado em sua cama de samambaias macias. No segundo dia, sofreu com uma febre e pensou talvez fosse uma infecção. Sendo assim, iria morrer.

Contudo, uma ideia brotou em sua mente, e perguntou-se por que razão não tinha pensado naquilo antes.

Desse modo, chamou Tarzan e indicou por sinais que precisava escrever. Quando Tarzan entregou-lhe as cascas de árvore e o lápis, D'Arnot anotou:

Poderia ir até meu povo e trazê-los aqui? Vou escrever uma mensagem para levar até eles, e eles vão seguir você.

Tarzan balançou a cabeça e, pegando a casca, respondeu:

Já pensei nisso, logo no primeiro dia, mas não ouso me arriscar. Os grandes macacos vêm sempre a este lugar e, se o acharem aqui, ferido e sozinho, vão matá-lo.

D'Arnot se virou de lado e fechou os olhos. Ele não queria morrer, apesar de sentir que iria, pois a febre aumentava. Na mesma noite, ele perdeu a consciência.

Por três dias, delirou constantemente, e Tarzan sentou-se ao seu lado e banhou sua cabeça e suas mãos, além lavar suas feridas.

No quarto dia, a febre cedeu tão rapidamente quanto tinha chegado, mas deixou D'Arnot como uma sombra de seu eu anterior e muito fraco. Tarzan teve de levantá-lo naquela noite para que pudesse beber da cabaça.

A febre não tinha sido resultado de uma infecção, como D'Arnot tinha pensado, mas, sim, daquelas que comumente afetam pessoas que não são nativas das selvas da África e, então, ou as matam ou as deixam tão de repente quanto deixaram o francês.

Dois dias depois, D'Arnot cambaleava pelo anfiteatro, com o braço forte de Tarzan ao redor de seu corpo para não cair.

Eles se sentaram à sombra de uma grande árvore, e Tarzan achou um pouco de casca de árvore para que pudessem conversar.

D'Arnot escreveu a primeira mensagem:

O que posso fazer para recompensá-lo por tudo o que fez por mim?

E Tarzan, em resposta, escreveu:

Pode me ensinar a falar a língua dos homens.

Assim, D'Arnot começou a tarefa imediatamente, apontando objetos familiares e repetindo seus nomes em francês, pois achava que seria mais fácil ensinar ao homem sua língua materna, visto que ele não dominava tão bem os outros idiomas como francês.

Isso não importava nada para Tarzan, é claro, pois ele não conseguia diferenciar um idioma do outro. Então, quando ele apontou para a palavra "homem", escrita em um pedaço de cascas, ficou sabendo por D'Arnot que se pronunciava *homme* e da mesma forma foi ensinado a pronunciar macaco, *singe*, e árvore, *arbre*.

Tarzan era um estudante muito ansioso e, dentro de mais dois dias, tinha aprendido tanto francês que era capaz de falar pequenas frases como: "Aquilo é uma árvore", "Isto é grama", "Estou com fome" e coisas assim. No entanto, D'Arnot descobriu que era difícil ensinar a construção do francês a ele em cima da fundação do inglês.

O francês escrevia pequenas lições para Tarzan em inglês e fazia-o repeti-las em francês, mas como a tradução literal costumava resultar em um francês muito pobre, e Tarzan frequentemente ficava confuso.

D'Arnot percebeu que tinha cometido um erro, mas parecia tarde para voltar e começar de novo. Era necessário forçar Tarzan a desaprender tudo, em especial porque agora estavam rapidamente chegando ao ponto em que seriam capazes de conversar.

No terceiro dia depois de a febre ceder, Tarzan escreveu uma mensagem perguntando se D'Arnot sentia-se forte o bastante para ser carregado de volta à cabana. Tarzan estava tão ansioso quanto D'Arnot para partir, pois desejava rever Jane.

Todos aqueles dias junto do francês foram bem difíceis, exatamente por essa razão, e o fato de tê-lo feito altruistamente dizia mais sobre a brilhante nobreza de seu caráter do que, até mesmo, seu resgate na aldeia de Mbonga.

D'Arnot, totalmente disposto a tentar a viagem, escreveu:

Mas você não tem como me carregar o tempo todo, até lá, por esta floresta emaranhada.

Tarzan riu.

– *Mais oui* – disse, e D'Arnot riu alto ao ouvir a frase que usava com tanta frequência deslizar da língua de Tarzan.

Assim, os dois partiram, e francês ficou tão maravilhado quanto Clayton e Jane ficaram ao presenciarem a força e agilidade magníficas do homem-macaco.

O meio da tarde os levou à clareira e, quando Tarzan desceu dos galhos da última árvore, seu coração saltou e bateu contra as costelas, em antecipação em poder a ver Jane novamente.

Contudo, não havia ninguém à vista do lado de fora da cabana, e D'Arnot ficou perplexo ao notar que nem o cruzador, nem o *Arrow* estavam ancorados na baía.

Uma atmosfera de solidão permeava o lugar e tomava os dois homens, enquanto caminhavam em direção à cabana.

 Nenhum deles falou, mas ambos sabiam, antes mesmo de abrir a porta, o que encontrariam.

Tarzan levantou a tranca e empurrou a grande porta, empurrando as dobradiças de madeira. Era como temiam. A cabana estava deserta.

Os dois se entreolharam. D'Arnot sabia que seus companheiros achavam que ele estava morto, mas Tarzan pensava apenas na mulher que o beijou apaixonadamente e que, agora, tinha fugido dele enquanto ele cuidava de outro indivíduo do povo dela.

Uma grande amargura surgiu no coração dele. Retornaria para dentro da selva e se reuniria à sua tribo. Nunca mais veria ninguém de sua espécie nem poderia suportar voltar à cabana. Ele deixaria aquilo tudo para sempre, assim como as esperanças que nutriu de encontrar sua própria raça e tornar-se um homem entre seus semelhantes.

E o francês? E D'Arnot? Como ele viveria ali? Podia se virar como Tarzan tinha feito. Ele não queria mais vê-lo, pois gostaria de abandonar tudo que pudesse lembrá-lo de Jane.

Enquanto Tarzan olhava para dentro da cabana parado na porta, pensando, D'Arnot já tinha entrado para explorá-la. O francês observou que muitos confortos tinham sido largados para trás. Reconheceu vários artigos do cruzador, como um fogão de acampamento, alguns utensílios de cozinha, um rifle e diversos pentes de munição, comida enlatada, cobertores, duas cadeiras e um catre, além de vários livros e periódicos, a maioria dos Estados Unidos.

"Pretendem voltar, talvez", pensou D'Arnot.

Caminhou até a mesa que John Clayton construiu tantos anos antes para servir de escrivaninha e, ali, viu dois bilhetes endereçados a Tarzan dos Macacos.

Um deles foi escrito em uma letra masculina forte e não selado. O outro, em caligrafia feminina, estava lacrado.

– Aqui há duas mensagens para você, Tarzan – chamou D'Arnot, virando-se para a porta, porém, seu companheiro não estava lá.

D'Arnot caminhou até a porta e olhou para fora da habitação. Tarzan não estava à vista em lugar algum. Ele o chamou, porém não houve resposta alguma.

– *Mon dieu!* – exclamou D'Arnot. – Ele me deixou. Consigo sentir. Ele voltou para sua selva e me abandonou aqui sozinho.

E, então, ele se lembrou do olhar no rosto de Tarzan quando descobriu que a cabana estava vazia, um olhar equivalente ao que o caçador vê nos olhos de um veado ferido quando o mata.

O homem ficou muito abalado, D'Arnot percebia agora, mas por quê? Ele não conseguia entender.

O francês olhou ao redor. A solidão e o horror do lugar começaram a atingir os nervos dele, há muito tempo, enfraquecidos pela provação do sofrimento e da doença pela qual tinha passado.

Ser largado ali, sozinho, naquela selva horrível, nunca mais ouvir uma voz humana ou ver um rosto humano, em um temor constante das feras selvagens e dos homens cruéis: uma presa para a solidão e a desesperança. Era terrível.

Bem distante dali, na direção Leste, Tarzan dos Macacos saltava pelas copas das árvores, voltando a sua tribo. Nunca tinha viajado em uma velocidade tão imprudente. Sentia que estava fugindo de si mesmo, e que, ao se jogar pela floresta como um esquilo assustado, escapava de seus próprios pensamentos. Contudo, não importava o quão rápido fosse, sempre os encontrava consigo.

Passou por cima do corpo sinuoso de uma leoa, que avançava na direção oposta, "indo para a cabana", pensou Tarzan.

Nesse momento, ocorreram-lhe outros tantos pensamentos: "O que D'Arnot podia fazer contra uma leoa, ou Bogani, o gorila, caso o atacassem, ou contra outro leão, ou o cruel Sheeta?

Tarzan pausou em meio ao voo.

– O que você é, Tarzan? – perguntou, em voz alta. – Um macaco ou um homem? Se for um macaco, fará o que os macacos fazem: deixam um dos seus para morrer na selva, caso queira ir para outro lugar. Se for um homem, voltará para proteger sua espécie. Não vai fugir de alguém de seu próprio povo somente porque um deles fugiu de você.

D'Arnot fechou a porta da cabana. Estava muito nervoso. Até homens mais corajosos, e ele era um deles, às vezes ficam assustados com a solidão.

Ele carregou um dos rifles e colocou ao alcance de suas mãos. Então, foi à mesa e pegou a carta endereçada a Tarzan que não fora selada.

Era possível que contivesse notícias de que seus companheiros tinham deixado a praia apenas temporariamente. Ele sentia que não seria uma quebra de ética ler essa carta, então, abriu o envelope e leu:

Para Tarzan dos Macacos,
Nós lhe agradecemos por emprestar sua cabana e sentimos muito que não nos tenha permitido vê-lo pessoalmente para manifestar nossa gratidão.

Não danificamos nada, mas deixamos muitos objetos que podem melhorar seu conforto e sua segurança em seu lar solitário.
Caso conheça o estranho homem branco, que salvou nossa vida tantas vezes e nos trouxe comida, e seja capaz de conversar com ele, agradeça-lhe também pela gentileza.

Vamos zarpar em uma hora, para nunca mais voltar. Contudo, desejamos o melhor a você e ao outro amigo da selva, e saibam que sempre seremos gratos pelo que fizeram por estranhos que surgiram em sua praia, e que teríamos feito infinitamente mais para recompensar os dois se tivessem nos dado a oportunidade.

Muito respeitosamente,
William Cecil Clayton

– Para nunca mais voltar – murmurou D'Arnot e virou o rosto para baixo no catre.

Uma hora depois, ele acordou ouvindo alguns barulhos. Havia algo na porta tentando entrar.

D'Arnot esticou a mão até alcançar o rifle carregado e colocou-o sobre o ombro.

O crepúsculo estava quase no fim, e o interior da cabana era muito escuro, todavia era possível ver a tranca saindo do lugar. Ele sentiu os cabelos arrepiarem.

Suavemente, a porta abriu até uma pequena fresta mostrar algo parado bem em frente a ela.

D'Arnot espiou a fresta da porta através do cano azul. Então, puxou o gatilho.

TESOURO PERDIDO

Quando a expedição retornou, após seus esforços infrutíferos de socorrer D'Arnot, o capitão Dufranne ansiava por zarpar o mais rápido possível, e todos, exceto Jane, concordaram.

– Não – disse ela, determinada –, não irei nem vocês, pois há dois amigos na selva que vão aparecer em breve contando conosco, à espera. Seu oficial, capitão Dufranne, é um deles, e o homem da floresta, que salvou a vida de todos os membros do grupo de meu pai, é o outro. Ele me deixou na beira da selva há dois dias para se apressar a socorrer meu pai e o senhor Clayton, de acordo com o que planejava, então, ficou lá para resgatar o tenente D'Arnot. Pode ter certeza disso. Se ele tivesse chegado atrasado para ajudar o tenente, já teria voltado. O fato de ele não estar de volta é, para mim, prova suficiente de que o tenente D'Arnot está ferido, ou de que precisou seguir os sequestradores ainda mais longe do que a aldeia que seus marinheiros atacaram.

– Mas o uniforme e todos os pertences do pobre D'Arnot foram encontrados naquela aldeia, senhorita Porter – argumentou o capitão –, e, ainda por cima, os nativos mostraram muita exaltação quando questionados sobre o destino do homem branco.

– Sim, capitão, entretanto não admitiram que estava morto. Quanto às roupas e aos equipamentos na posse deles, bem, povos mais civilizados que esses pobres selvagens também retiram de seus prisioneiros qualquer artigo de valor, independentemente se pretendem matá-los ou não. Até os soldados de meu querido Sul pilham não só os vivos, mas os mortos também[15]. É uma evidência circunstancial forte, admito, mas não é prova definitiva.

– Possivelmente seu homem da floresta tenha sido capturado ou morto pelos selvagens – sugeriu o capitão Dufranne.

A garota gargalhou.

– Não o conhece – respondeu, com uma ponta de orgulho, empolgada, como se falasse dela mesma.

– Admito que valeria a pena esperar por esse seu super-homem[16] – o capitão riu. – Certamente, eu gostaria de conhecê-lo.

– Então espere por ele, meu caro capitão – pediu a garota –, pois eu pretendo fazer isso.

O francês teria ficado muito surpreso se fosse capaz de interpretar o verdadeiro significado das palavras da garota.

Eles caminhavam pela praia em direção à cabana enquanto conversavam, até se reunirem com um pequeno grupo sentado em banquinhos de acampamento, à sombra de uma extensa árvore ao lado da habitação.

O professor Porter, o senhor Philander e Clayton acompanhavam o tenente Charpentier e dois de seus oficiais irmãos, enquanto Esmeralda pairava ao fundo. De tempos em tempos, ela tecia opiniões e comentários com a liberdade de uma antiga e muito indulgente criada da família.

Os oficiais se levantaram e cumprimentaram, em sinal de respeito, quando seu superior se aproximou, e Clayton deu seu banquinho para Jane sentar-se.

– Estávamos discutindo neste momento o destino do pobre Paul – disse o capitão Dufranne. – A senhorita Porter insiste que não temos

---

15 Jane talvez tenha feito alusão à Guerra de Secessão, ocorrida entre os anos de 1861 e 1865, na qual Norte e Sul dos Estados Unidos entraram em conflito. (N.T.)
16 Não há evidências explícitas de que o autor tenha necessariamente se referido ao conceito de *Übermensch*, introduzido pelo filósofo Friedrich Nietzsche em 1883. (N.T.)

prova absoluta da morte dele, e de fato não temos. E por outro lado, ela sustenta que a ausência continuada de seu onipotente amigo da selva indica que D'Arnot ainda está precisando dos serviços dele, ou porque está ferido, ou porque ainda é prisioneiro em uma aldeia nativa mais distante ainda.

– Foi sugerido – começou o tenente Charpentier – que o selvagem possa ser membro da tribo de negros que atacou nosso grupo, e que ele correu para ajudar seu *próprio* povo.

Jane mirou seu olhar de relance a Clayton.

– Parece bem mais razoável – disse o professor Porter.

– Não concordo com o senhor – contestou o senhor Philander. – Ele teve inúmeras oportunidades de nos machucar ou de colocar seu povo contra nós. Em vez disso, durante nossa longa residência aqui, foi uniformemente consistente em seu papel de protetor e provedor.

– Isso é verdade – admitiu Clayton –, mas não podemos ignorar o fato de que, com exceção dele, os únicos seres humanos em centenas de quilômetros são canibais selvagens. Ele estava armado exatamente como eles, o que indica que mantém relações de alguma natureza. Além de tudo, o fato de ser apenas um contra possivelmente milhares sugere que essas relações não podem ser outras que não amigáveis.

– Parece improvável, então, que ele não esteja conectado com os selvagens – comentou o capitão. – Talvez seja membro dessa tribo.

– Senão, como poderia ter vivido tempo suficiente entre os habitantes da selva, animais e humanos, para se tornar proficiente na caça e no uso de armas africanas? – adicionou um oficial.

– Os cavalheiros o julgam de acordo com seus próprios padrões – disse Jane. – Um homem branco comum como qualquer um dos senhores... perdoem-me, não é exatamente isso, vou reformular. Um homem branco superior à média em físico e inteligência nunca poderia, garanto, viver um ano sozinho e nu nesta selva tropical, mas esse homem não apenas supera o homem branco médio em força e agilidade, como também transcende nossos atletas treinados e "homens fortes" da mesma maneira pela qual estes últimos superam um bebê de um dia. Evidentemente, a coragem e a ferocidade presentes nele durante a batalha são equivalentes as de uma fera selvagem.

— Ele certamente ganhou uma defensora leal, senhorita Porter — disse capitão Dufranne, rindo. — Tenho certeza de que todos nós voluntariamente enfrentaríamos a morte cem vezes em suas formas mais terríveis para merecer metade dos tributos de alguém tão leal, ou tão bela.

— Não se espantaria com minha defesa, caso o senhor pudesse vê-lo como eu vi — falou a jovem —, lutando por mim contra aquele animal peludo enorme. Se tivesse testemunhado o ataque ao monstro, como um touro atacaria um urso, sem sinal algum de medo ou hesitação, certamente, acreditaria que ele é mais que humano. Se pudesse ver aqueles fortes músculos tensionados, sob a pele morena, afastar os horríveis caninos, também pensaria que ele é invencível. E, além disso, se visse o tratamento cortês que ele deu a uma estranha jovem de uma estranha raça, sentiria a mesma confiança absoluta que eu sinto nele.

— A senhorita ganhou seu caso, minha cara intercessora — concedeu o capitão. — Este tribunal julga o réu inocente e o barco vai esperar mais alguns dias para que ele possa agradecer à divina Pórcia[17].

— Pelo amor de Deus, querida — gritou Esmeralda. — Não estão querendo *me* dizer que vão ficar bem aqui nesta terra de animais carnívabos, quando têm chance de escapar naquele barco? Não me diga *isso*, querida.

— Ora, Esmeralda! Deveria ter vergonha de si mesma — admoestou Jane. — Isso é jeito de mostrar gratidão ao homem que salvou sua vida duas vezes?

— Bom, sinhá Jane, isso é tudo brincadeira, como a senhorita mesma diz, mas aquele home da floresta não salvou nós para ficar aqui. Ele salvou para gente ir *embora* daqui. Acho que ele vai ficar irritado de ver que não temos bom senso de não ficar aqui depois de ele dar a chance da gente escapar. Espero não ter que dormir neste jardim "geológico" nem mais uma noite, nem ouvir os barulhos deprimentes que vêm daquele emaranhado da floresta quando tá escuro e a selva está quieta.

---

17 Personagem do livro da peça *Mercador de Veneza*, de William Shakespeare, que se passa por aprendiz de advogado. (N.T.)

– Não a culpo nem um pouco, Esmeralda – disse Clayton –, e certamente tem razão quando os chama de barulhos "deprimentes". Nunca consegui achar a palavra certa para eles, mas é isso, barulhos deprimentes.

– É melhor o senhor e Esmeralda irem viver no barco – disse Jane, com um belo desdém. – O que acharia se *tivesse* de viver toda a sua vida naquela selva, como fez nosso homem da floresta?

– Infelizmente, eu seria um fracasso total como selvagem – Clayton deu uma risada triste. – Aqueles barulhos à noite arrepiam meus cabelos. Imagino que eu devesse ter vergonha de admitir, mas é a verdade.

– Não tenho certeza disso – falou o tenente Charpentier. – Nunca pensei muito em medo ou nesse tipo de coisa, nem tentei determinar se sou covarde ou corajoso. No entanto, na outra noite, quando estávamos deitados na selva depois de o pobre D'Arnot ser levado e aqueles barulhos ecoarem a nossa volta, comecei a pensar que eu sou de fato um covarde. Os rugidos e bramidos das grandes feras não me afetaram tanto quanto os barulhos furtivos, aqueles que, de repente, a gente ouve bem de perto e espera, sem sucesso, soar novamente, os sons inexplicáveis de um grande corpo se movendo quase em silêncio, e o fato de que não se *sabe* o quão perto ele está, tampouco se está se aproximando depois que você não consegue mais rastrear seu som. Foram esses barulhos, e os olhos. *Mon dieu!* Vou vê-los no escuro para sempre, não apenas os olhos que vemos como também os que não vemos, mas podemos sentir. Ah! Esses são os piores.

Todos ficaram em silêncio por um momento e, então, Jane falou.

– E ele está lá – disse ela, com um sussurro de admiração. – Aqueles olhos vão olhar com raiva para ele hoje, e para seu camarada, o tenente D'Arnot. Conseguem deixá-los, senhores, sem ao menos concedê-los o socorro passivo, que permanecer aqui, mais alguns dias, pode garantir?

– Shh, shh, criança – disse o professor Porter. – O capitão Dufranne está disposto a permanecer e, de minha parte, estou perfeitamente disposto, perfeitamente disposto, como sempre estive, a ceder a seus caprichos infantis.

– Podemos usar o dia seguinte para recuperar o baú, professor – sugeriu o senhor Philander.

– De fato, de fato, senhor Philander. Tinha quase me esquecido do tesouro! – exclamou o professor Porter. – Talvez o capitão Dufranne possa nos emprestar alguns homens para ajudar-nos, e um dos prisioneiros pode apontar a localização do baú.

– Seguramente, meu caro professor, estamos todos às suas ordens – disse o capitão.

Assim, ficou combinado que, no dia seguinte, o tenente Charpentier lideraria um destacamento de dez homens e um dos amotinados do *Arrow* como guia, e desenterraria o tesouro. Além disso, de acordo com o que conversaram, o cruzador deveria permanecer no pequeno porto por uma semana. Então, no fim daquele período, se não houvesse nenhuma manifestação dos dois homens, concluíram que D'Arnot estava de fato morto e que o homem da floresta não voltaria, enquanto eles estivessem ali. E assim, as duas embarcações partiriam com o grupo todo.

O professor Porter não acompanhou a caça ao tesouro no dia seguinte. Contudo, ao avistar o grupo voltando de mãos vazias, perto do meio-dia, correu para encontrá-los, com sua indiferença preocupada corriqueira substituída completamente por uma atitude nervosa e animada.

– Onde está o tesouro? – gritou para Clayton, enquanto trinta metros ainda os separavam.

Clayton balançou a cabeça.

– Sumiu – disse, ao aproximar-se do professor.

– Sumiu! Não pode ser. Quem poderia ter roubado o baú de lá? – gritou o professor Porter.

– Só Deus sabe, professor – respondeu Clayton. – Podíamos supor que o camarada que nos guiava estava mentindo sobre a localização; entretanto, a surpresa e a consternação dele, quando viu que o baú não estava sob o corpo de Snipes assassinado, foram reais demais para serem fingidas. Em seguida, nossas pás nos mostraram que algo realmente *tinha* sido enterrado embaixo do cadáver, pois havia um buraco ali, que, agora, estava cheio de terra solta.

– Mas quem poderia ter roubado o baú de lá? – repetiu o professor Porter, inquieto.

— A suspeita cairia naturalmente sobre os homens do cruzador – disse o tenente Charpentier –, contudo, o subtenente Janviers, aqui, garante que nenhum homem teve licença para desembarcar e que nenhum deles pisou na praia desde que ancoramos aqui, exceto sob comando de um oficial. Não sei se o professor suspeitaria de nossos homens, mas fico feliz por não haver chances de a suspeita cair sobre eles – concluiu.

— Nunca teria me ocorrido suspeitar de homens a quem devemos tanto – respondeu o professor Porter, com cordialidade. – Antes disso, suspeitaria até de meu caro Clayton aqui, ou do senhor Philander.

Os franceses sorriram, tanto os oficiais quanto os marinheiros. Era perceptível que um peso parecia ter sido tirado das costas deles.

— O tesouro desapareceu há algum tempo – continuou Clayton. – Aliás, o corpo se desfez quando o levantamos, o que indica que, quem removeu o tesouro, o fez com o cadáver ainda fresco, pois ele estava inteiriço quando o desenterramos.

— Deve ter sido um grupo com muitas pessoas – disse Jane, que se juntara a eles. – O senhor se lembra de que foi preciso quatro homens para carregá-lo?

— Minha nossa! – gritou Clayton. – É verdade. Deve ter sido um grupo de negros. Provavelmente, um deles viu os homens enterrando o baú e voltou imediatamente depois com um grupo de amigos e o retirou.

— Especular em vão – disse o professor Porter, triste. – O baú sumiu. Nunca mais o veremos, muito menos o tesouro dentro dele.

Apenas a jovem Jane sabia o que aquela perda significava para seu pai e mais ninguém sabia o que significava para ela.

Seis dias depois, o capitão Dufranne anunciou que iam zarpar no início da manhã seguinte.

Jane teria implorado por mais um adiamento, se ela mesma não tivesse começado a acreditar que seu amante da floresta nunca mais retornaria.

Apesar de tudo o que tinha vivido, ela começou a ter dúvidas e medos, pois a racionalidade dos argumentos, daqueles oficiais franceses desinteressados, começou a convencê-la, mesmo contra a própria vontade.

Ela não acreditava que ele era um canibal, porém, talvez ser um membro adotivo de alguma tribo selvagem, por fim, parecia possível.

Jane não admitiria a possibilidade de ele estar morto. Era inaceitável acreditar que aquele corpo perfeito, tão cheio de vida triunfante, podia deixar de abrigar a faísca vital, mais fácil acreditar na imortalidade.

Enquanto Jane se permitia abrigar esses pensamentos, outros igualmente indesejados forçaram a entrada em sua mente.

Sendo assim, se ele pertencia a alguma tribo selvagem, provavelmente tinha uma esposa selvagem, uma dúzia delas, talvez, e filhos selvagens e mestiços. A jovem tremeu e, quando lhe disseram que o barco ia zarpar pela manhã, quase ficou feliz.

Foi ela, porém, quem sugeriu que armas, munição, provisões e alguns objetos, para deixar o ambiente mais confortável, fossem deixados na cabana, supostamente para aquela personalidade intangível que assinava Tarzan dos Macacos e para D'Arnot, caso ainda estivesse vivo. No entanto, na verdade, ela esperava por seu deus da floresta, mesmo que ele acabasse se provando não ser o ídolo que imaginara.

Além disso, no último minuto, Jane escreveu uma mensagem e deixou na cabana para ele, a fim de ser transmitida por Tarzan dos Macacos.

Ela também foi a última a sair da cabana, voltando com algum pretexto trivial, depois de todos terem se encaminhado para o barco.

Então, ela se ajoelhou ao lado da cama em que tinha passado tantas noites e fez uma oração pela segurança de seu homem primitivo. Erguendo seu medalhão, apertou-o contra seus lábios, e murmurou:

– Eu o amo e, porque o amo, acredito em você. Mas mesmo se eu não acreditasse, ainda o amaria. Se você tivesse voltado para mim e se não houvesse outro jeito, eu viveria na selva com você, para sempre.

O POSTO MAIS AVANÇADO DO MUNDO

Com o disparo de sua arma, D'Arnot viu a porta ser escancarada e a figura de um homem mergulhar de cabeça no chão da cabana.

Em pânico, o francês levantou a arma para atirar de novo na forma prostrada, mas, de repente, à meia-luz da porta aberta, percebeu que o homem era branco e, em mais um instante, viu que tinha atirado em seu amigo e protetor: Tarzan.

Com um grito de angústia, D'Arnot correu para o lado do homem-macaco e, ajoelhando-se, suspendeu a cabeça dele em seus braços, e chamou seu nome algumas vezes em voz alta.

Não houve resposta, logo, o francês colocou o ouvido perto do coração de Tarzan. Para sua alegria, ouviu uma batida contínua.

Com cuidado, carregou Tarzan até o catre e então, após fechar e trancar a porta, acendeu uma das lamparinas e examinou a ferida.

A bala tinha passado de raspão pelo crânio dele. Havia um ferimento grave na pele, mas sem sinais de fratura em sua cabeça.

D'Arnot deu um suspiro aliviado e começou a limpar o sangue do rosto de Tarzan. A água fresca logo o reanimou, e ele imediatamente abriu os olhos e, com uma surpresa questionadora, encarou D'Arnot.

O francês tinha enfaixado a ferida com pedaços de pano e, ao perceber que Tarzan tinha recuperado a consciência, levantou-se e foi até a mesa para escrever uma mensagem. Entregou o bilhete ao homem-macaco, explicando o terrível equívoco que cometera e como estava agradecido por não ser uma ferida mais séria.

Depois de ler a mensagem, Tarzan se sentou na beira da cama e riu.
– Não é nada – disse, em francês.
Mas, com seu vocabulário falhando, resolveu escrever em inglês:

Você devia ter visto o que Bolgani fez comigo, e Kerchak, e Terkoz, antes de eu, finalmente, matá-los. Com certeza, ia rir desse arranhão tão pequeno.

Na sequência, D'Arnot entregou a Tarzan as duas mensagens endereçadas a ele.

Ele leu a primeira com uma expressão triste no rosto. A segunda, ele virou e revirou várias vezes, remexeu o papel buscando uma abertura, afinal nunca tinha visto um envelope selado. Por fim, teve de entregá-la a D'Arnot.

O francês o observava e, portanto, notou que ele estava confuso com o envelope. Era bem estranho que, para um homem branco adulto, um envelope fosse um mistério. D'Arnot o abriu e entregou a carta a Tarzan dos Macacos.

Sentado em um banquinho de acampamento, o homem-macaco esticou a folha diante de si e leu:

Para Tarzan dos Macacos,
Antes de eu ir embora, permita-me juntar meus agradecimentos aos do senhor Clayton pela gentileza que o senhor manifestou ao autorizar nossa estadia em sua cabana.

Infelizmente, não tivemos a oportunidade de estar em sua presença para que nossa amizade pudesse ser selada, e nos deixou muito tristes. Teríamos gostado bastante de conhecer e agradecer pessoalmente a nosso anfitrião.

Gostaria de agradecer também ao outro senhor que também nos ajudou, mas ele não voltou, e eu não acredito que esteja morto.

Não sei o nome dele. Porém, trata-se de um enorme gigante branco, que costumava usar um medalhão de diamante no peito.

No entanto, se o conhecer e souber falar a língua dele, por gentileza, leve meu agradecimento e informe-o que esperei sete dias por sua volta.

Diga-lhe também que, em minha casa nos Estados Unidos, na cidade de Baltimore, ele será bem-vindo, caso deseje me visitar.

Encontrei um bilhete que o senhor me escreveu entre as folhas, sob uma árvore perto da cabana. Não compreendo como o senhor aprendeu a amar-me sem nunca ter falado comigo. Sinto muito se isso for verdade, pois entreguei meu coração a outro.

Mas saiba que sempre serei sua amiga,

Jane Porter.

Tarzan sentou-se com o olhar fixo no chão por quase uma hora. Era evidente para ele, ao ler os bilhetes, que o antigo grupo da cabana não sabia que ele e Tarzan dos Macacos eram a mesma pessoa.

"Dei meu coração a outro", ele repetia para si mesmo.

Então, ela não o amava! Como podia ter fingido amor e o levado a tal ápice de esperança somente para jogá-lo nas profundezas totais do desespero? Talvez os beijos dela fossem apenas sinais de amizade. Como ele podia saber, sem conhecer nada dos costumes dos seres humanos?

De repente, ele se levantou e, dando boa-noite a D'Arnot, como tinha aprendido a fazer, atirou-se na cama de samambaias que era de Jane Porter.

O francês apagou a lamparina e deitou-se no catre.

Por uma semana, fizeram pouco mais que descansar, além de D'Arnot ensinar francês para Tarzan. No fim desse período, os dois conseguiam conversar com facilidade.

Uma noite, enquanto estavam sentados na cabana, perto da hora de dormir, Tarzan dirigiu-se a D'Arnot.

– Onde ficam os Estados Unidos? – disse.

D'Arnot apontou na direção Noroeste.

– Muitos milhares de quilômetros do outro lado do oceano – respondeu. – Por quê?

– Vou para lá.

O francês balançou a cabeça.

– Impossível, meu amigo.

Tarzan se levantou, dirigiu-se até um dos armários e voltou com um livro de geografia bem usado nas mãos.

Folheou algumas páginas, até encontrar um mapa do mundo, e disse:

– Nunca entendi muito bem tudo isso. Gostaria que explicasse para mim, por favor.

Quando D'Arnot terminou, mostrando que o azul representava toda a água do planeta e as outras cores, os continentes e as ilhas, Tarzan pediu para que apontasse onde eles estavam agora.

D'Arnot o fez.

– Agora, aponte os Estados Unidos – disse Tarzan;

E, quando D'Arnot colocou o dedo na América do Norte, Tarzan sorriu e colocou a palma da mão sobre a página, cobrindo o grande oceano que há entre os dois continentes.

– Olhe, não é muito longe – disse –, não mede nem o tamanho da minha mão.

D'Arnot sorriu. Como poderia fazer o homem entender a representação do mapa?

Então, pegou um lápis e fez um ponto bem minúsculo sobre a costa da África.

– Este ponto bem pequeno – explicou o francês – é muitas vezes maior, comparado a este mapa, do que a sua cabana comparada ao planeta. Entende como estamos longe dos Estados Unidos?

Tarzan pensou por muito tempo.

– Existem homens brancos vivendo na África? – perguntou.

– Sim.

– Onde vivem os mais próximos?

D'Arnot apontou para um local na margem logo a Norte deles.

– Tão perto? – perguntou Tarzan, surpreso.

– Sim – confirmou D'Arnot –, mas não é tão perto quanto parece.

– Eles têm barcos grandes para cruzar o oceano?

– Sim.

– Temos de ir para lá amanhã – anunciou Tarzan.

Mais uma vez, D'Arnot sorriu e balançou a cabeça.

– É longe demais. Vamos morrer antes de chegar até eles.

– Vai querer ficar vivendo aqui para sempre? – perguntou Tarzan.

– Não – disse D'Arnot.

– Então, devemos começar nossa viagem amanhã. Não gosto mais daqui. Prefiro morrer a continuar neste lugar.

– Bem – respondeu D'Arnot, dando de ombros –, meu amigo, não tenho certeza de que essa é melhor escolha, mas, talvez, eu também prefira morrer a continuar aqui. Se você for, irei junto.

– Está combinado, então – disse Tarzan. – Partirei para a América do Norte amanhã.

– Como vai chegar lá sem dinheiro? – perguntou D'Arnot.

– O que é dinheiro? – inquiriu Tarzan.

Demorou muito tempo para fazê-lo entender tal significado, mesmo que de maneira imperfeita.

– E como os homens conseguem dinheiro? – perguntou, por fim.

– Eles trabalham em troca dele.

– Muito bem. Vou trabalhar, então.

– Não, meu amigo – ponderou D'Arnot –, não precisa se preocupar com dinheiro nem trabalhar por isso. Tenho o suficiente para dois, aliás, para vinte. Muito mais do que é necessário para um homem viver, e vou provê-lo com tudo o que precisar, se chegarmos à civilização.

Assim, no dia seguinte, partiram na direção Norte, beirando a costa do continente. Cada um carregava um rifle e munição, além de alguns lençóis, um pouco de comida e de utensílios de cozinha.

Para Tarzan, parecia um estorvo muito desnecessário levar os objetos de cozinha e, portanto, ele se livrou dos seus.

– Mas você precisa aprender a comer comida cozida, meu amigo – repreendeu D'Arnot. – Nenhum homem civilizado come carne crua.

– Vou ter tempo para aprender isso quando chegarmos à civilização – disse Tarzan. – Não gosto dessas coisas, pois apenas estragam o gosto de uma boa carne.

Por um mês, os dois seguiram viagem para o Norte. Às vezes, encontravam comida em abundância, mas em outros momentos, passavam fome durante dias.

Também não viram sinais de nativos nem foram molestados por feras selvagens. A trajetória foi milagrosamente fácil.

Nesse tempo juntos, Tarzan perguntava sobre muitas coisas e aprendia rapidamente com o francês. D'Arnot lhe ensinou muitos dos refinamentos da civilização, inclusive o hábito de usar garfo e faca, mas, em certas ocasiões, Tarzan os largava irritado e agarrava a comida, com suas mãos morenas e fortes, rasgando-a com seus molares, como uma fera selvagem.

Então, D'Arnot o censurava, dizendo:

– Não deve se alimentar como um animal, Tarzan, enquanto eu estou tentando transformá-lo em um cavalheiro. *Mon dieu!* Cavalheiros não fazem isso. É terrível.

Tarzan sorria tímido e pegava de novo o garfo e a faca, mas, no fundo, os detestava.

Durante sua jornada, ele contou a D'Arnot sobre o enorme baú que tinha visto os marinheiros enterrarem, e como ele o desenterrou, depois, o levou até o lugar de encontro dos macacos para enterrá-lo novamente ali.

– Deve ser o baú do tesouro do professor Porter – disse D'Arnot. – É uma pena, mas, claro, você não sabia disso.

Então, Tarzan se lembrou da carta, que Jane escreveu para sua amiga, e que ele tinha roubado, quando eles chegaram pela primeira vez à cabana. Agora, finalmente, podia entender qual era o conteúdo do baú e o que significava para Jane.

– Amanhã, retornaremos para buscá-lo – anunciou a D'Arnot.

– Voltar? – o francês se espantou. – Mas, meu caro, já estamos em marcha há três semanas. Seria preciso de mais três para chegar ao tesouro. Além disso, com aquele enorme peso, que exigiu, como você mesmo disse, quatro marinheiros para carregar, levaria muitos meses até voltarmos ao ponto que estamos agora.

– Precisa ser feito, meu amigo – insistiu Tarzan. – Você pode continuar para a civilização, enquanto eu vou voltar para pegar o tesouro. Posso ir bem mais rápido sozinho.

– Tenho um plano melhor, Tarzan – argumentou D'Arnot. – Continuamos juntos até o assentamento mais próximo e, lá, alugamos um barco para velejar até a costa e resgatar o tesouro. Então, poderemos transportá-lo com facilidade. Isso vai ser mais seguro e rápido, além de não exigir que fiquemos separados. O que acha desse plano?

– Muito bem – concordou Tarzan. – O tesouro ainda estará lá quando formos buscar e, embora eu pudesse fazer isso agora e alcançá-lo em uma lua ou duas, vou ficar mais despreocupado sabendo que não está sozinho na trilha. Quando vejo quão inofensivo você é, D'Arnot, fico me perguntando como a raça humana escapou da extinção por todos esses séculos. Afinal, Sabor poderia exterminar milhares de vocês sozinha.

D'Arnot sorriu.

– Você vai julgar melhor seu gênero quando vir os exércitos e as marinhas, as grandes cidades e os impressionantes trabalhos de engenharia. Então, perceberá que é a mente, não os músculos, que torna o ser humano um animal mais poderoso que os animais fortes de sua selva. Sozinho e desarmado, um único homem não é páreo para nenhuma das grandes feras. Entretanto, se houver dez homens juntos, podem combinar sua sabedoria e seus músculos contra os inimigos selvagens. Enquanto as feras, incapazes de raciocinar, nunca pensariam em se juntar contra os homens. Caso contrário, Tarzan dos Macacos, quanto tempo acha que teria sobrevivido na natureza selvagem?

– Tem razão, D'Arnot – respondeu Tarzan –, pois, se Kerchak tivesse se unido a Tublat, naquela noite no *Dum-Dum*, teria sido meu fim.

No entanto, Kerchak nunca conseguiria pensar longe o bastante para aproveitar essa oportunidade. Até mesmo Kala, minha mãe, não conseguia planejar as coisas. Ela simplesmente comia o que precisava quando precisava. E, em épocas de oferta escassa, ainda que ela encontrasse alimentos suficientes para várias refeições, nunca guardava nada. Lembro-me de que Kala costumava me achar um bobo por carregar comida na marcha, pois seria uma sobrecarga, embora ficasse bem feliz de comer comigo, caso não houvesse comida no caminho.

– Então, conheceu sua mãe, Tarzan? – perguntou D'Arnot, surpreso.

– Sim. Ela era uma macaca grande e boa, maior que eu, e duas vezes mais pesada.

– E seu pai? – quis saber D'Arnot.

– Não o conheci. Kala me disse que era um macaco branco e sem pelos, assim como eu. Agora sei que deve ter sido um homem branco.

D'Arnot lançou um olhar longo e sincero para seu companheiro.

– Tarzan – disse, por fim –, é impossível que a macaca Kala, fosse sua mãe. Se algo assim fosse possível, o que duvido, você teria herdado algumas características dos macacos, mas não possui nenhuma. Você é um homem puro e, devo dizer, filho de pais altamente cultos e inteligentes. Você não tem a menor pista sobre seu passado?

– Não, nenhuma pista – respondeu Tarzan.

– Não existe nada escrito na cabana que pudesse contar sobre a vida de seus habitantes originais?

– Li tudo o que havia na cabana, exceto um livro que, agora, compreendo que foi escrito em outra língua, não o inglês. Talvez você consiga lê-lo.

Tarzan pegou o pequeno diário de capa preta, do fundo de sua aljava, e o entregou ao seu companheiro.

D'Arnot olhou para primeira página, onde fica o título.

– É o diário de John Clayton, lorde Greystoke, um nobre inglês, e está escrito em francês – disse.

Então, começou a ler o diário, escrito há mais de vinte anos, no qual estavam registrados os detalhes da história que já conhecemos, a história de aventura, as dificuldades e as tristezas vividas por John Clayton e sua esposa Alice, desde o dia em que saíram da Inglaterra até uma hora antes de ele ser abatido por Kerchak.

D'Arnot lia em voz alta. No entanto, às vezes, sua voz falhava, e ele era obrigado a cessar a leitura para poder lidar com o sofrimento e a desesperança contidos naqueles relatos.

Ocasionalmente, olhava para Tarzan, porém, o homem-macaco, agachado como uma imagem esculpida, permanecia com os olhos fixos no chão.

Apenas quando o pequeno bebê era mencionado, o tom do diário se alterava da nota habitual de desespero, que estava muito presente na narrativa depois dos dois primeiros meses vivendo na praia.

A partir daí, as passagens eram tingidas por uma felicidade moderada, que era ainda mais triste do que o restante.

Em uma delas, havia um espírito quase esperançoso.

Hoje, nosso menino completa seis meses. Ele está sentado no colo de Alice, ao lado da mesa em que estou apoiado para escrever, uma criança feliz, saudável e perfeita.

Por algum motivo, mesmo com as mínimas chances de isso acontecer, consigo vê-lo como um homem adulto, tomando o lugar de seu pai no mundo, o segundo John Clayton e trazendo ainda mais glória e honra à casa Greystoke.

Nesse momento, como se para atribuir a minha profecia o peso de seu endosso, ele segurou minha caneta-tinteiro com as mãos pequeninas e, com os dedinhos sujos de tinta, deixou algumas marcas nesta página.

E lá na margem da página estavam as impressões, parcialmente borradas, de quatro dedinhos e da metade externa do dedão.

Quando D'Arnot terminou de ler o diário, os dois homens se sentaram em silêncio por alguns minutos.

– Bem! Tarzan dos Macacos, o que acha? – perguntou o francês. – Este livrinho não deixa evidente o mistério de sua linhagem? Ora, homem, você é o lorde Greystoke.

– O livro fala somente de uma criança – ele respondeu. – Seu pequeno esqueleto estava no berço, onde morreu gritando por comida, desde a primeira vez em que entrei na cabana até o grupo do professor Porter enterrá-lo, com seu pai e sua mãe, ao lado da cabana. Não, aquele era o bebê do qual o livro fala. Por isso, o mistério de minha origem é mais profundo do que antes, porque pensei muito ultimamente na possibilidade de aquela cabana ter sido meu local de nascimento. Acho que Kala falou a verdade – concluiu ele, tristemente.

D'Arnot balançou a cabeça. Não se convencia disso e, em sua mente, surgia a determinação de provar a verdade de sua teoria, afinal ele tinha descoberto a chave que, sozinha, era capaz de desvendar o mistério, ou confiná-lo para sempre no reino do inexplicável.

Uma semana depois, os dois homens chegaram por acaso a uma clareira na floresta.

Ao longe, havia várias construções cercadas por uma paliçada forte. Entre elas e a entrada, existia um extenso campo cultivado no qual vários negros trabalhavam.

Então, eles pararam à beira da selva.

Tarzan encaixou uma flecha envenenada em seu arco, mas D'Arnot colocou a mão em seu braço.

– O que pretende fazer, Tarzan? – perguntou.

– Eles vão tentar nos matar se nos virem – respondeu Tarzan. – Prefiro que eu seja o assassino.

– Talvez sejam amigos – sugeriu D'Arnot.

– São negros – foi a única resposta de Tarzan, que, mais uma vez, apontou o arco.

– Não faça isso, Tarzan! – gritou D'Arnot. – Homens brancos não matam em vão. *Mon dieu!* Você tem muito a aprender. Tenho pena do rufião que cruzar seu caminho, quando eu o levar a Paris, meu amigo selvagem. Vou ficar bastante ocupado em manter seu pescoço longe da guilhotina.

Assim, Tarzan baixou o arco e sorriu.

– Não entendo por que devo matar os negros lá na minha selva, mas aqui não. Imagino que, se Numa, o leão, resolvesse pular em nós, eu deveria reagir a isso dizendo: "Bom dia, *monsieur* Numa, como está madame Numa, hein?"

– Espere até os negros pularem em você – respondeu D'Arnot –, e aí pode matá-los. Não suponha que os homens são seus inimigos até provarem ser.

– Venha – disse Tarzan –, vamos nos apresentar para sermos mortos. E começou a atravessar o campo, com a cabeça levantada e o sol tropical batendo em sua pele macia e bronzeada.

Logo atrás dele, vinha D'Arnot, vestido com algumas peças de roupas que foram deixadas na cabana por Clayton, quando os oficiais do cruzador francês forneceram vestimentas mais adequadas a ele.

Imediatamente, um dos negros olhou para cima e, avistando Tarzan, virou-se gritando em direção à paliçada.

Em poucos instantes, o ar se encheu de gritos de terror dos jardineiros que fugiam. Entretanto, antes de qualquer um chegar à paliçada, um homem emergiu do portão, com um rifle nas mãos, para descobrir a causa da comoção.

O que ele viu o levou a colocar o rifle em seu ombro, e Tarzan dos Macacos sentiria novamente o chumbo frio em seu corpo, caso D'Arnot não gritasse ao homem com a arma apontada:

– Não atire! Somos amigos!

– Então, parem! – foi a resposta.

– Pare, Tarzan! – gritou D'Arnot. – Ele acha que somos inimigos.

Tarzan desacelerou o passo e, juntos, ele e D'Arnot caminharam em direção ao homem branco no portão, que olhou para os dois com um espanto perplexo.

– Que tipo de homem são vocês? – perguntou, em francês.

– Homens brancos – respondeu D'Arnot. – Estivemos perdidos na selva por muito tempo.

O homem baixou seu rifle e avançou até eles com a mão esticada.

– Sou o padre Constantine, da Missão Francesa – disse –, e fico feliz em recebê-los.

– Este é *monsieur* Tarzan, padre Constantine – respondeu D'Arnot, indicando o homem-macaco para apresentá-lo.

Quando o pároco estendeu a mão a Tarzan, D'Arnot completou:

– E eu sou Paul D'Arnot, da Marinha francesa.

O padre Constantine pegou a mão que Tarzan estendia em imitação ao ato do padre, enquanto ele observava o físico supremo e o rosto bonito em um olhar rápido e aguçado para Tarzan.

E, assim, Tarzan dos Macacos chegou ao primeiro posto avançado da civilização.

Por uma semana, os dois permaneceram ali, e o homem-macaco, muito observador, aprendeu bastante sobre os costumes humanos. Ao mesmo tempo, mulheres negras costuravam roupas de algodão branco para ele e D'Arnot, de modo que pudessem continuar sua jornada com vestimentas adequadas.

O AUGE DA CIVILIZAÇÃO

Mais um mês de jornada os conduziu a um pequeno grupo de construções na entrada de um amplo rio. Ali, Tarzan viu diversos barcos e ficou tomado pela timidez de selvagens diante de muitos homens.

Gradualmente, acostumou-se aos barulhos estranhos e aos costumes excêntricos da civilização, de modo que, nos dois curtos meses antes, ninguém imaginaria que o belo francês com imaculadas roupas brancas, o qual ria e conversava com os mais alegres dos homens, balançava-se nu pelas florestas primitivas em busca de alguma vítima incauta para atacar e encher sua barriga selvagem.

A faca e o garfo, jogados de lado com tanto desprezo há um mês, agora eram manipulados com tanta elegância por Tarzan quanto pelo polido D'Arnot.

Ele era um pupilo tão apto, que o jovem francês trabalhava assiduamente para tornar Tarzan um cavalheiro cortês, tanto no que se referia aos requintes dos hábitos de vida, quanto do discurso.

– Deus o fez um cavalheiro no coração, meu amigo – disse D'Arnot –, mas também quer que Seus trabalhos apareçam exteriormente.

Assim que chegaram ao pequeno porto, D'Arnot enviou um telegrama ao seu governo, atestando sua segurança e solicitando uma licença de três meses, que foi concedida.

Além disso, despachou telegramas a seus banqueiros pedindo fundos, e foi obrigado a esperar um mês, período que deixou ambos irritados por causa da impossibilidade de alugar uma embarcação e retornar à selva de Tarzan para buscar o tesouro.

Durante sua estada na cidade litorânea, "*monsieur* Tarzan" tornou-se a atração principal, tanto de negros quanto de brancos, por causa de várias ocorrências que, para ele, pareciam eventos corriqueiros.

Certa vez, um negro enorme, enlouquecido pela bebida, saiu aterrorizando a população da cidade até sua estrela maligna o conduzir ao lugar onde o gigante francês de cabelos negros descansava, na varanda do hotel.

O negro subia os degraus a passos largos, e segurando uma faca na mão, foi direto até um grupo de quatro homens sentados à mesa, enquanto bebiam pequenos goles do inevitável absinto.

Gritando, alarmados, os quatro saltaram em fuga e o negro viu Tarzan sentado.

Então, com um rugido, atacou o homem-macaco, enquanto umas cinquenta cabeças espiavam atrás da proteção de janelas e portas, para testemunhar o massacre do pobre francês pelo negro gigante.

Tarzan enfrentou-o com o sorriso que a alegria da batalha sempre levava a seus lábios.

Com um rugido, o negro pulou em cima dele, mas os músculos de aço agarraram o punho que segurava a faca. Uma torção simples e ágil deixou a mão balançando sob o osso quebrado.

Com a dor e a surpresa, a loucura abandonou o homem e, logo que Tarzan caiu de volta em sua cadeira, o camarada virou-se, chorando de agonia, e correu desesperadamente na direção de sua aldeia nativa.

Em outra ocasião, Tarzan e D'Arnot jantavam com alguns outros brancos que conversavam sobre leões e como caçá-los.

As opiniões eram divididas acerca da bravura do rei das selvas. Alguns homens defendiam que era um notório covarde, porém todos concordavam que, para se sentirem mais seguros, agarravam seus rifles, ao ouvirem o rei da floresta rugir ao redor de um acampamento à noite.

D'Arnot e Tarzan concordaram em manter o passado do homem-macaco em segredo. Desse modo, ninguém, além do oficial francês, sabia de sua familiaridade com os animais da selva.

– *Monsieur* Tarzan não se expressou – disse um deles. – Um homem de suas proezas, que passou um tempo na África, como entendo ser o caso de *monsieur* Tarzan, deve ter vivido experiências com leões, não?

– Algumas – respondeu Tarzan, seco. – O bastante para saber que todos os senhores estão certos no julgamento das características dos leões que encontraram. Contudo, também seria possível pressupor as ações de todos os negros segundo o homem que enlouqueceu semana passada, ou decidir que todos os brancos são covardes após conhecer um branco covarde. Há muita individualidade entre as ordens mais baixas, cavalheiros, assim como entre nós mesmos. Hoje, podemos esbarrar com um leão medroso demais a ponto de fugir de nós. Amanhã, podemos encontrar o tio ou o irmão gêmeo do animal, e nossos amigos passarão a se perguntar por que não voltamos da selva. Quanto a mim, sempre parto do pressuposto de que um leão é feroz e, portanto, nunca sou pego de surpresa.

– Há pouco prazer na caça – retrucou o primeiro dos homens a falar – se há medo do que se está caçando.

D'Arnot sorriu. Tarzan, com medo!

– Não entendo exatamente o que quer dizer com medo – falou Tarzan. – Da mesma forma como leões, o medo é algo diferente para homens diferentes, mas, para mim, o único prazer nesta atividade é saber que a minha caça tem o poder de me ferir tanto quanto eu posso feri-la. Se eu saísse com alguns rifles e um ajudante de armas, mais vinte ou trinta batedores, para caçar um leão, sentiria que o leão não teria muita chance contra mim e, assim, o prazer da caça ficaria diminuído em proporção à segurança maior que garanti.

– Então, entendo que *monsieur* Tarzan deva preferir estar nu em meio a selva, armado com apenas um canivete, para matar o rei da floresta – disse outro homem, rindo sem maldade, mas com um leve tom de sarcasmo na voz.

– E um pedaço de corda – completou Tarzan.

Nesse momento, o rugido profundo de um leão soou na selva distante, como se para desafiar aquele que quisesse entrar na luta com ele.

– Aí está sua oportunidade, *monsieur* Tarzan – provocou o francês.

– Não estou com fome – respondeu Tarzan, com simplicidade.

Os homens riram, menos D'Arnot. Apenas ele sabia que uma fera selvagem manifestava seu raciocínio simples por meios dos lábios do homem-macaco.

– Mas o senhor tem medo, como qualquer um de nós teria, de ir lá fora, nu, armado somente com uma faca e um pedaço de corda – disse o provocador –, não é verdade?

– Não – respondeu Tarzan. – Apenas uma pessoa tola faz qualquer coisa sem motivo.

– Cinco mil francos é uma boa razão – disse o outro. – Aposto essa quantia que não é capaz de trazer um leão da selva sob as condições que você descreveu: nu e armado apenas com uma faca e um pedaço de corda.

Tarzan olhou para D'Arnot e acenou positivamente com cabeça.

– Por dez mil francos – disse D'Arnot.

– Feito – concordou o apostador.

Tarzan se levantou.

– Deixarei minhas roupas nos arredores do assentamento, pois caso eu não volte antes do dia amanhecer, tenha algo para vestir nas ruas.

– O senhor vai agora, à noite? – exclamou o desafiante.

– Por que não? – perguntou Tarzan. – Esse leão sempre caminha ao ar livre à noite, vai ser mais fácil encontrá-lo.

– Não – disse o outro. – Não quero seu sangue em minhas mãos. Já vai ser uma tolice suficiente ir durante o dia.

– Irei agora – respondeu Tarzan, andando em direção ao seu quarto para buscar sua faca e corda.

Os homens o acompanharam até a entrada da floresta, onde ele deixou suas roupas em um pequeno armazém.

Entretanto, quando ele partia para escuridão da mata rasteira, tentaram dissuadi-lo. O apostador era quem mais insistia para que ele abandonasse aquela perigosa empreitada.

– Vou considerar que o senhor venceu a aposta – disse –, e os dez mil francos são seus se desistir dessa tentativa boba, que pode terminar com o senhor morto.

Tarzan sorriu e, no momento seguinte, foi engolido pela selva. Os homens ficaram parados em silêncio por alguns instantes e, depois, viraram-se lentamente e voltaram para a varanda do hotel.

Mal entrou na selva, Tarzan já subiu nas árvores, e foi com um sentimento de liberdade exultante que se balançou, mais uma vez, pelos galhos da floresta.

Isso sim era a vida! Ah, como ele amava essa sensação! A civilização não tinha nada assim em sua esfera estreita e circunscrita, atada a restrições e convenções. Até as roupas eram um obstáculo e um incômodo.

Finalmente, ele estava livre. Não tinha percebido como ficou preso. Logo, pensou que seria muito fácil retornar até a costa e, a partir dali, avançar na direção Sul, até a sua selva e a sua cabana.

Agora, ele já podia farejar o leão que viajava a favor do vento. Depois, seus ouvidos rápidos detectaram o barulho familiar de patas almofadadas tocarem o chão e o som do roçar de um enorme corpo coberto de pele percorrendo a vegetação rasteira.

Tarzan foi se aproximando discretamente da fera desavisada e, em silêncio, perseguiu-a até chegar a um feixe de luar.

Então, o laço ligeiro se fechou envolta de seu pescoço fulvo. Como fez centenas de vezes no passado, Tarzan amarrou a ponta da corda em um galho forte e, enquanto a fera lutava, arranhando o ar em busca de liberdade, ele pulou no chão e, saltando sobre as grandes costas do animal, enfiou sua fina lâmina doze vezes no coração feroz do leão.

Depois, com o pé sobre a carcaça do leão, proferiu o grito maravilhoso de vitória de sua tribo selvagem.

Por um momento, Tarzan permaneceu irresoluto, com emoções conflitantes que oscilavam entre sua lealdade a D'Arnot e seu desejo poderoso de liberdade que sentia na selva. Finalmente, a visão de um lindo rosto e a memória dos lábios quentes sobre os dele dissolveram a imagem fascinante que remontava sua antiga vida.

Assim, o homem-macaco jogou a carcaça quente do leão por cima dos ombros e, mais uma vez, subiu para as árvores.

Os homens aguardavam sentados há uma hora na varanda, quase em silêncio.

Eles se esforçavam para conversar sobre vários assuntos, mas as tentativas foram em vão, e o que de fato ocupava espaço na mente de cada um deles fazia a conversa parar.

– *Mon dieu* – disse o apostador –, não posso mais aguentar. Vou para a selva, com meu rifle, e trarei de volta aquele louco.

– Eu também vou – falou um.

– Eu também – responderam os outros em coro.

Como se a sugestão tivesse quebrado o feitiço de algum pesadelo horrível, correram para seus quartos e logo partiram em direção à selva, fortemente armados.

– Meu Deus! O que foi isso? – gritou um homem do grupo, um inglês, quando o urro selvagem de Tarzan chegou fraco aos seus ouvidos.

– Ouvi a mesma coisa uma vez – disse um belga –, lá na terra dos gorilas. Meus guias disseram que era o grito de um grande macaco macho depois de matar o inimigo.

D'Arnot se lembrou da descrição de Clayton sobre o terrível rugido com o qual Tarzan anunciava suas mortes. Ele deu um meio sorriso, mesmo tomado pelo horror, ao pensar que o som sobrenatural poderia ter saído de uma garganta humana: a de seu amigo.

No momento que o grupo finalmente alcançava a entrada da selva, em um debate acerca da melhor distribuição de suas forças, assustou-se com uma risada baixinha bem ao lado deles. Ao se virarem, avistaram, avançando em sua direção, uma figura gigante carregando um leão morto nos ombros largos.

Até D'Arnot ficou impressionado, pois parecia ser impossível o homem ter despachado um leão com tanta rapidez usando apenas as pobres armas que tinha levado. Ou, ainda, que ele sozinho fosse capaz de carregar a enorme carcaça da fera pela selva emaranhada.

Os homens rodearam Tarzan, cheios de perguntas, mas a única resposta dele foi rir e subestimar seu feito.

Para Tarzan, era como se alguém idolatrasse um açougueiro por seu heroísmo em matar uma vaca. Afinal, ele matou tantas vezes para se alimentar ou para se defender que o ato lhe parecia qualquer coisa, menos algo notável. Contudo, ele era de fato um herói aos olhos desses homens, acostumados a caçar grandes animais.

Ao ganhar a aposta, recebeu os dez mil francos, porque D'Arnot insistiu para ele ficar com todo o dinheiro.

Era um item muito importante a Tarzan, que começava a perceber o poder que havia naqueles pedacinhos de metal e papel que sempre mudavam de mãos quando seres humanos viajavam, comiam, dormiam, vestiam-se, bebiam, trabalhavam, divertiam-se ou protegiam-se da chuva, do frio ou da luz solar.

Ficou evidente para ele que, sem dinheiro, morreria. D'Arnot tinha dito para Tarzan não se preocupar, pois seu dinheiro era mais do que suficiente para os dois. Entretanto, o homem-macaco aprendia muitas coisas e uma delas era que as pessoas menosprezavam quem aceitava dinheiro sem devolver algo de igual valor em troca.

Pouco tempo após o episódio da caça ao leão, D'Arnot conseguiu alugar uma banheira velha para a viagem beirando a costa até o porto de Tarzan.

Foi uma manhã feliz para os dois, quando a pequena embarcação levantou âncora e zarpou para o alto mar.

A viagem até a praia foi tranquila e, na manhã seguinte, depois de ancorarem em frente à cabana, Tarzan, mais uma vez, usando suas vestimentas de selva e carregando uma pá, foi sozinho para o anfiteatro dos macacos onde estava enterrado o tesouro.

No fim do dia seguinte, ele retornou, levando o grande baú no ombro. Ao amanhecer, o pequeno barco foi manobrado na boca do porto, e os dois iniciaram sua viagem para o Norte.

Três semanas depois, Tarzan e D'Arnot eram passageiros a bordo de um barco a vapor francês que estava indo a Lyon e, depois de alguns dias nessa cidade, D'Arnot levou o amigo até Paris.

O homem-macaco estava ansioso para prosseguir viagem com destino ao Estados Unidos, mas D'Arnot insistiu que ele devia primeiro acompanhá-lo a Paris, mas sem divulgar a natureza da urgente necessidade em que baseava sua exigência.

Uma das primeiras coisas que D'Arnot fez logo que chegaram foi marcar uma visita a um alto oficial do departamento de polícia, um velho amigo, e levar Tarzan junto.

Com tranquilidade, D'Arnot conduziu a conversa de ponto em ponto, até o policial explicar ao interessado Tarzan vários dos métodos em voga para aprender e identificar criminosos.

Tarzan se interessou especialmente pela função das impressões digitais naquela ciência fascinante.

– Mas que valor têm essas impressões – perguntou Tarzan – se, depois de alguns anos, as linhas nos dedos mudam completamente por causa do desgaste do tecido velho e do crescimento de um novo?

– As linhas nunca mudam – respondeu o oficial. – Da infância à senilidade, as impressões digitais de um indivíduo mudam apenas em tamanho, exceto quando ferimentos alteram os arcos e verticilos[18]. No entanto, se houver impressões do dedão e de quatro dedos das duas mãos, seria preciso perder todas as digitais para escapar da identificação.

– É maravilhoso – exclamou D'Arnot. – Gostaria de saber o que devem se parecer as linhas dos meus próprios dedos.

– Em breve, veremos – respondeu o oficial e, tocando um sino, convocou um assistente a quem deu algumas instruções.

O homem saiu da sala, e rapidamente voltou com uma pequena caixa de madeira, que colocou em cima da mesa de seu superior.

– Em instantes – disse o oficial –, teremos suas impressões digitais.

Ele tirou da pequena caixa um quadrado de vidro, um tubinho de tinta grossa, um rolo de borracha e alguns cartões muito brancos.

---

18 Uma das quatro linhas básicas presentes nas impressões digitais. (N.T.)

Então, colocou uma gota da tinta no vidro, e espalhou para um lado e para o outro com o rolo de borracha até toda a superfície do vidro ficar coberta, do modo que desejava, com uma camada de tinta muito fina e bastante uniforme.

– Coloque os quatro dedos da mão direita em cima do vidro, assim – disse a D'Arnot. – Agora, o dedão. Isso mesmo. Agora, coloque-os na mesma posição neste cartão aqui. Não, um pouco para a direita. Precisamos deixar espaço para os dedos da mão esquerda. Assim, isso mesmo. Agora, faça o mesmo com a esquerda.

– Venha, Tarzan – chamou D'Arnot –, agora vamos ver como são os seus arcos.

Tarzan obedeceu na hora, fazendo muitas perguntas ao oficial durante a operação.

– Impressões digitais mostram características raciais? – ele perguntou. – É possível determinar, por exemplo, somente com elas, se a pessoa é negra ou caucasiana?

– Acho que não – respondeu o oficial.

– E as impressões digitais de um macaco poderiam ser diferenciadas das de um ser humano?

– Provavelmente, pois as de um macaco seriam bem mais simples comparadas a um organismo superior[19].

– Mas um cruzamento entre um macaco e um homem mostraria as características dos dois progenitores? – continuou Tarzan.

– Sim, acho provável – respondeu o oficial –, porém a ciência não avançou o bastante para ter uma resposta exata para essas questões. Eu não confiaria nessas descobertas para nada além de diferenciar os indivíduos, porque, nesse caso, ela é absoluta. Provavelmente, não há duas pessoas nascidas no mundo que já apresentaram linhas idênticas em todos os dedos. É muito difícil que mesmo uma única impressão possa ser duplicada exatamente por qualquer dedo que não aquele que originalmente a deixou.

---

19 Não há evidências científicas que comprovem que as impressões digitais de animais e seres humanos tenham graus de complexidade diferentes. (N.T.)

– A comparação exige muito tempo ou esforço? – perguntou D'Arnot.

– Em geral, leva apenas alguns momentos, se as impressões forem nítidas o bastante.

D'Arnot pegou um livro preto do bolso e começou a folhear as páginas.

Tarzan olhou para o diário com surpresa. Como D'Arnot estava com ele?

Ao encontrar a página em que havia cinco pequenas manchas, D'Arnot parou de virar as páginas e entregou o livro ao policial.

– Essas impressões são similares às minhas ou às de *monsieur* Tarzan? Ou seria possível dizer que são idênticas com alguma delas?

Então, o oficial pegou uma poderosa lupa em sua mesa e examinou as três amostras cuidadosamente, fazendo algumas anotações em um bloco de papel.

Diante dessa situação, Tarzan percebeu qual era o significado da visita deles ao oficial de polícia.

A resposta ao enigma de sua vida estava naquelas minúsculas marcas dos seus dedos.

Com nervos tensos, ele se sentou encurvado para a frente em uma cadeira, mas de repente relaxou e se recostou, sorrindo.

D'Arnot olhou-o surpreso.

– Você se esqueceu de que por vinte anos o cadáver da criança que fez essas impressões digitais ficou na cabana do pai dela, e que minha vida toda eu o vi ali – falou Tarzan, com amargura.

O policial levantou os olhos para cima, espantado.

– Prossiga com sua análise, capitão – pediu D'Arnot –, vamos contar a história depois, caso *monsieur* Tarzan concorde.

Tarzan assentiu com a cabeça.

– Mas está louco, meu caro D'Arnot – insistiu. – Os dedinhos estão enterrados na costa Oeste da África.

– Não estou muito certo disso, não, Tarzan – respondeu D'Arnot. – É possível, mas, se você não for filho de John Clayton, então como diabos chegou àquela selva abandonada por Deus onde nenhum homem branco, a não ser John Clayton, jamais pisou?

– Está se esquecendo de Kala – disse Tarzan.

– Não a levo em consideração – respondeu D'Arnot.

Os amigos caminharam até a janela ampla, que dava para o boulevard, enquanto conversavam. Por algum tempo, permaneceram ali, olhando para a multidão que passava lá embaixo, cada um envolto nos próprios pensamentos.

"Leva um tempo para comparar impressões digitais", pensou D'Arnot, virando-se para observar o policial.

Para seu espanto, viu o oficial recostado em sua cadeira, passando às pressas os olhos pelo conteúdo do diário preto.

D'Arnot tossiu. O policial ergueu os olhos e, encontrando os dele, levantou o dedo para pedir silêncio.

Assim, D'Arnot se voltou mais uma vez para a janela e, logo, o policial falou.

– Senhores – chamou.

Os dois se viraram na direção dele.

– Evidentemente que há muito em jogo aqui, o que depende, em maior ou menor grau, da absoluta exatidão dessa comparação. Portanto, peço que deixem toda a questão em minhas mãos até *monsieur* Desquerc, nosso especialista, voltar. Levará apenas alguns dias.

– Eu esperava saber imediatamente – disse D'Arnot. – *Monsieur* Tarzan parte para os Estados Unidos amanhã.

– Prometo que poderá enviar a Tarzan um relatório em duas semanas – respondeu o oficial –, porém não ouso especular sobre os resultados. Há semelhanças, mas... bem, é melhor deixarmos para *monsieur* Desquerc resolver.

O GIGANTE DE NOVO

Um táxi parou em frente a uma residência antiga nos arredores de Baltimore e um homem de mais ou menos quarenta anos, robusto e com traços fortes e regulares, saiu. Então, pagou a corrida ao motorista e dispensou-o.

Um momento depois, o referido passageiro entrava na biblioteca da antiga casa.

– Ah, senhor Canler! – exclamou um homem já idoso, levantando-se para recebê-lo.

– Boa noite, meu caro professor – cumprimentou o homem, estendendo a mão cordialmente.

– Quem o deixou entrar? – quis saber o professor.

– Esmeralda.

– Então, ela avisará Jane que o senhor está aqui – disse o velho.

– Não, professor – respondeu Canler –, pois eu vim, antes de tudo, para vê-lo.

– Ah, estou honrado em saber disso – celebrou o professor Porter.

– Professor – continuou Robert Canler, com muita deliberação, como se pesasse cuidadosamente suas palavras –, vim a vossa casa esta noite para falar com o senhor sobre Jane. Conhece minhas aspirações e foi generoso o bastante para aprovar meu cortejo.

O professor Archimedes Q. Porter se mexeu inquieto em sua poltrona. O assunto sempre o deixava desconfortável. Ele não entendia por quê. Canler era um esplêndido partido.

– Mas Jane – prosseguiu Canler –, não consigo entendê-la. Ela me rejeita por causa de uma coisa e depois por outra. Sempre tenho a sensação de que suspira aliviada quando me despeço dela.

– Shh, shh – disse o professor Porter. – Shh, shh, senhor Canler. Jane é uma filha muito obediente. Fará exatamente o que eu pedir a ela.

– Então, posso contar com seu apoio? – perguntou Canler, com um tom de alívio na voz.

– Certamente, senhor; certamente, senhor – garantiu o professor Porter. – Como pode duvidar?

– Há o jovem Clayton, sabe – sugeriu Canler. – Ele está rondando há meses. Não sei se Jane gosta dele, todavia, além do título, dizem que herdou uma propriedade bastante considerável do pai, e pode não ser estranho que ele finalmente a conquiste, a menos que... – E Canler cessou o discurso.

– Shh, shh, senhor Canler, a menos o quê?

– A menos que o senhor ache adequado determinar a Jane que se case comigo imediatamente – disse Canler, lenta e distintamente.

– Já sugeri à minha filha como isso seria desejável – falou o professor Porter, com tristeza –, pois já não podemos mais permanecer nesta casa e viver como exigem as associações dela.

– O que Jane respondeu? – perguntou Canler.

– Ela disse que ainda não está pronta para se casar com ninguém – explicou o professor Porter – e que podíamos ir viver na fazenda que sua mãe deixou-lhe de herança, no Norte de Wisconsin. É pouco mais do que precisamos para sobreviver. Os inquilinos sempre conseguiram viver daquela terra e enviar para Jane uma pequena quantia todo ano. Ela está planejando ir para lá no início da semana. Philander e o senhor Clayton foram primeiro para arrumarem as coisas para nós.

– Clayton foi para lá? – perguntou Canler, visivelmente angustiado. – Por que não me disseram? Eu iria com alegria para garantir a todos o conforto necessário.

– Jane sente que já devemos demais ao senhor – disse o professor Porter, tristemente.

Canler estava prestes a responder quando o som de passos propagou-se no corredor do lado de fora e Jane entrou na sala em que os dois conversavam.

– Ah, perdão! – exclamou, pausando na porta. – Achei que estivesse sozinho, papai.

– Sou apenas eu, Jane – disse Canler, que tinha se levantado –, não gostaria de entrar e se juntar ao resto da família. Estávamos falando de você a pouco.

– Obrigada – disse Jane, ao entrar e se sentar na cadeira que Canler colocou para ela. – Vim apenas porque gostaria de dizer ao papai que Tobey virá da universidade amanhã para embalar os livros. Quero ter certeza de que o senhor, papai, vai indicar tudo aquilo que não essencial até o outono. Por favor, não leve toda essa biblioteca a Wisconsin, como teria feito na África, se eu não tivesse impedido.

– Tobey esteve aqui? – perguntou o professor Porter.

– Sim, acabamos de nos despedir. Ele e Esmeralda estão trocando experiências religiosas na varanda dos fundos.

– Shh, shh, preciso vê-lo agora! – gritou o professor. – Com licença um momento, crianças – e o velho saiu correndo da sala.

Assim que ele estava fora do alcance dos ouvidos do professor, Canler voltou-se para Jane.

– Olhe aqui, Jane – disse, com rispidez. – Quanto tempo vamos continuar desse jeito? Você não recusou o pedido de casamento, mas também não o concedeu. Quero tirar a licença amanhã, para podermos nos casar discretamente antes de ir para Wisconsin. Não me importo com luxo e ostentação, e tenho certeza de que você também não.

Entretanto, a moça gelou por dentro, porém manteve a cabeça erguida com coragem.

– Seu pai também deseja essa união – adicionou Canler.

– Sim, eu sei.

Jane falava com a voz um pouco mais alta que um sussurro.

– Percebe que está me comprando, senhor Canler? – disse, por fim, com uma voz fria e estável. – Comprando-me por alguns míseros dólares? É claro que sim, o senhor sabe, Robert Canler. Afinal, em sua mente, já aguardava por uma contingência assim, no momento que emprestou ao papai o dinheiro para aquela tola aventura, que, se não fosse por uma circunstância muito misteriosa, teria sido supreendentemente bem-sucedida. No entanto, a surpresa teria sido maior para o senhor, pois não tinha ideia de que a empreitada daria certo. O senhor é bom demais nos negócios para se arriscar, bom demais para emprestar dinheiro para uma busca a um tesouro enterrado sem qualquer garantia, a não ser que tivesse algum objetivo especial à vista. O senhor sabia que, sem garantia, seria mais fácil manipular a honra dos Porter. Sabia que era a melhor forma de me forçar a me casar com o senhor sem parecer que estivesse fazendo isso. O senhor nunca mencionou nada sobre o empréstimo. Em qualquer outro homem, eu poderia entender que seria uma marca de um caráter magnânimo e nobre. Mas é de fato muito perspicaz, senhor Robert Canler. Eu o conheço melhor do que pensa. Com certeza, vou me casar com o senhor se não houver outra saída, mas vamos nos entender, sem rodeios, de uma vez por todas.

Enquanto ela falava, Robert Canler ficava, alternadamente, vermelho e pálido, e quando ela parou, ele se levantou e, com um sorriso cínico em seu rosto forte, disse:

– Você me surpreende, Jane. Achei que tivesse mais autocontrole, mais orgulho. É claro que tem razão. Eu a comprei, e sabia que você tinha conhecimento disso, porém pensei que preferisse fingir que não. Achei que seu amor-próprio e seu respeito pela família teriam impedido de admitir, mesmo que para si mesma, que é uma mulher comprada. Mas faça como quiser, querida – completou ele, com leveza. – Vou ter você, e é apenas isso que me interessa.

Sem mais palavras, Jane saiu da sala.

Ela não se casou antes de ir com seu pai e Esmeralda para a pequena fazenda em Wisconsin e, quando ela se despediu friamente de Robert Canler, enquanto o trem saía, ele gritou que os encontraria em uma ou duas semanas.

Em seu destino, foram recebidos por Clayton e senhor Philander em um grande carro de passeio que pertencia a Cecil, e rapidamente se afastaram até o bosque denso do Norte, em direção à pequena fazenda a qual Jane não visitava desde a infância.

A casa principal, que se encontrava em uma pequena elevação, a cerca de cem metros da casa dos inquilinos, tinha passado por uma transformação completa durante as três semanas em que Clayton e o senhor Philander permaneceram ali.

Clayton tinha levado um pequeno exército de carpinteiros e gesseiros, encanadores e pintores, de uma cidade distante, para lá. O que antes era apenas uma casca dilapidada agora tinha se transformado em um sobradinho aconchegante equipado com todas as conveniências modernas que podiam ser adquiridas em tão pouco tempo.

– Ora, senhor Clayton, o que fez? – gritou Jane Porter, com o coração apertado ao perceber o provável tamanho do dinheiro gasto.

– Chiu! – alertou Clayton. – Não deixe seu pai perceber. Se você não falar, ele nunca vai notar, e eu simplesmente não conseguia mais pensar nele vivendo na miséria e sordidez que o senhor Philander e eu encontramos aqui. Foi tão pouco o que fiz, quando, na verdade, eu gostaria de fazer muito mais, Jane. Pelo bem dele, por favor, nunca mencione.

– Mas, sabe que não podemos pagá-lo por isso – falou a garota. – Por que o senhor me coloca em obrigações tão terríveis?

– Não, Jane – disse Clayton, triste. – Se fosse somente pela senhorita, acredite, eu não teria feito, pois sabia desde o início que me prejudicaria a seus olhos, porém não consegui pensar naquele querido senhor vivendo no buraco que estava este lugar. Pode, por favor, acreditar que fiz isso por ele, e apenas por ele, e me dar pelo menos essa migalha de prazer?

– Eu acredito, senhor Clayton – disse a jovem –, porque sei que é grande e generoso o bastante para ter feito isso somente em nome dele.

E, ah, Cecil! Não sabe como gostaria de poder pagá-lo como merece e como deseja.

– Por que não pode, Jane?

– Porque amo outro.

– Canler?

– Não.

– Mas você vai se casar com ele. Ele afirmou isso antes de eu ir embora de Baltimore.

Jane estremeceu.

– Eu não o amo – disse ela, quase com orgulho.

– É por causa do dinheiro, Jane?

Ela assentiu.

– Então, sou tão menos desejável do que Canler? Tenho dinheiro suficiente, e até mais, para suprir todas as necessidades – ele falou, com muita amargura.

– Eu não o amo, Cecil – disse ela –, mas o respeito. Se preciso desgraçar minha vida sendo vendida a qualquer homem, prefiro que seja a um que desprezo. Odiarei o homem a quem me vender sem amor, quem quer que seja ele. O senhor será mais feliz – concluiu ela – sozinho, com meu respeito e minha amizade, do que comigo e meu desprezo.

Ele não insistiu mais no assunto, mas, se havia um homem com ódio no coração, este era William Cecil Clayton, lorde Greystoke, quando, uma semana depois, Robert Canler parou diante da casa principal da fazenda conduzindo seu automóvel de seis cilindradas.

Uma semana se passou, tensa, sem novidades e desconfortável para todos os habitantes da pequena fazenda em Wisconsin.

Canler insistia, com bastante determinação, para que Jane se casasse com ele imediatamente.

Finalmente, ela teve que ceder por pura raiva da importunação contínua e odiosa.

Ficou acordado que, no dia seguinte, Canler iria de carro à cidade e traria de volta a licença e um reverendo.

Clayton decidiu ir embora assim que o plano foi anunciado, mas o olhar cansado e desesperançoso da jovem o segurou. Ele não podia abandoná-la.

"Algo ainda podia acontecer", pensou, enquanto tentava se consolar. E, no fundo, ele sabia que seria preciso apenas uma minúscula faísca para transformar seu ódio por Canler na sede por sangue, equivalente ao de um assassino.

No início da manhã seguinte, Canler partiu para a cidade.

No Leste, era possível ver uma fumaça baixa na floresta, pois um incêndio acontecia ali há uma semana, não muito longe deles. No entanto, o vento ainda soprava para o Oeste, logo não havia perigo.

Por volta do meio-dia, Jane saiu para uma caminhada. Não deixou Clayton acompanhá-la, pois desejava ficar sozinha, ela lhe pediu, e ele respeitou seu desejo.

Na casa da fazenda, o professor Porter e o senhor Philander estavam imersos em uma discussão envolvente sobre algum problema científico sério. Esmeralda cochilava na cozinha, e Clayton, com os olhos pesados após uma noite sem repouso, jogou-se no sofá da sala de estar e logo caiu em um sono nada tranquilo.

A Leste, as nuvens pretas de fumaça subiam cada vez mais para o céu, e viraram um redemoinho. Então, começaram a mudar seu curso rapidamente em direção a Oeste.

O fogo chegava cada vez mais perto. Os inquilinos não estavam em casa, porque era dia de mercado, portanto, não havia ninguém para reparar na aproximação veloz do demônio de fogo.

Logo, as chamas se espalhavam pela estrada ao Sul e impediam a volta de Canler. Uma pequena flutuação do vento carregava o incêndio florestal para o Norte, antes de o soprar de volta, e as chamas quase permanecerem imóveis como se fossem seguradas em uma coleira por alguma mão mestra.

De repente, vindo do Noroeste, um grande carro preto deslizava pela estrada rapidamente.

Com um tranco, parou diante do chalé. Então, um gigante de cabelos negros pulou para fora dele e correu até a varanda. Sem pausar, ele entrou às pressas na casa. No sofá, dormia Clayton. No início, o homem ficou surpreso, mas, em seguida, já estava ao lado do senhor que dormia.

Chacoalhou-o com força pelo ombro, e gritou:

– Meu Deus, Clayton, são todos loucos aqui? Não sabem que estão quase cercados pelo fogo? Onde está a senhorita Porter?

Clayton ficou de pé em um pulo. Não reconheceu o homem, mas entendeu suas palavras e, em um instante, estava na varanda.

– Céus! – gritou e, então, correu de volta para a casa: – Jane! Jane! Onde está você?

Um segundo depois, Esmeralda, professor Porter e senhor Philander se juntaram aos dois homens.

– Onde está a sinhá Jane? – gritou Clayton, agarrando Esmeralda pelos ombros e sacudindo-a com força.

– Ah, meu anjo Gabriel, sinhô Clayton, ela saiu pra andar.

– E ainda não voltou?

Sem esperar uma resposta, Clayton lançou-se para o quintal, seguido pelos outros.

– Para que lado ela foi? – gritou o gigante de cabelos negros para Esmeralda.

– Por aquela estrada ali! – berrou a mulher assustada, apontando para o Sul, onde uma imponente parede de chamas crepitantes bloqueava a visão.

– Coloque essas pessoas no outro carro – gritou o estranho para Clayton –, vi um quando estava chegando. Tire todos daqui pela estrada do Norte. Deixe meu carro aqui. Se eu achar a senhorita Porter, vamos precisar dele. Se não, ninguém vai precisar.

Ao ver Clayton hesitar, ordenou:

– Faça o que digo!

Então, eles observaram a figura ágil atravessar correndo a clareira na direção Noroeste, onde a floresta ainda não queimava pelo fogo.

Em cada uma das pessoas da casa, nasceu a sensação inexplicável de que uma grande responsabilidade tinha sido removida dos ombros. Era uma espécie de confiança implícita no poder do estranho de salvar Jane, caso ela pudesse ser salva.

– Quem era aquele homem? – perguntou o professor Porter.

– Não sei – respondeu Clayton. – Ele me chamou pelo nome e conhecia Jane, e então perguntou por ela. Também chamou Esmeralda pelo nome.

– Havia algo impressionantemente familiar nele – comentou o senhor Philander. – Mas, Deus do céu, sei que nunca o vi antes.

– Shh, shh – gritou o professor Porter. – Muito impressionante. Quem poderia ser, e por que sinto que Jane está segura agora que ele foi em busca dela?

– Não sei dizer, professor – falou Clayton, serenamente –, mas sei que tenho a mesma sensação esquisita. De qualquer forma, é melhor irmos, pois precisamos sair daqui ou ficaremos isolados.

Assim, o grupo correu para o carro de Clayton.

Quando Jane se virou para refazer seus passos em direção à casa, ficou alarmada ao notar como a fumaça do incêndio florestal parecia próxima. E, seguindo apressada, quase entrou em pânico ao perceber que as chamas estavam rapidamente se colocando entre ela e a casa.

Por fim, foi obrigada a voltar para a mata densa e a tentar abrir caminho para Oeste, em um esforço de contornar as chamas e chegar em casa.

Em pouco tempo, ficou claro quão inútil era sua tentativa e, logo, sua única esperança era de refazer seus passos até a estrada e correr o mais rápido possível para o Sul em direção à cidade.

Os vinte minutos que levou para chegar de novo à estrada foi o tempo necessário para as chamas impedirem sua fuga, da mesma forma que efetivamente seus avanços foram cortados antes.

Uma curta corrida pela estrada a fez parar, horrorizada, pois, diante dela, outra parede de fogo se formava. Um braço do incêndio principal tinha se espalhado a quase um quilômetro de sua origem e envolvido aquela minúscula faixa de estrada em suas garras implacáveis.

Entretanto, Jane sabia que era inútil tentar forçar caminho pela vegetação novamente.

Ela tinha tentado uma vez e fracassado. Agora, percebia que era apenas uma questão de minutos antes que todo o espaço entre o Norte e o Sul se transformasse em uma massa ardente de chamas soprando.

Calmamente, a jovem se ajoelhou na poeira da estrada e rezou para ter força e ser capaz de enfrentar seu destino com coragem e para que seu pai e seus amigos se salvassem da morte.

De repente, ela ouviu seu nome sendo chamado aos berros na floresta, várias vezes.

– Jane! Jane Porter! – soava forte e claro, mas com uma voz estranha.

– Aqui! – gritou em resposta. – Aqui! Na estrada!

Então, pelos galhos das árvores, ela viu uma figura se balançando com a rapidez de um esquilo.

Uma mudança na direção do vento soprou uma nuvem de fumaça entre eles, e Jane não conseguia mais ver o homem que corria em sua direção. Contudo, logo em seguida, a jovem sentiu um grande braço ao seu redor. Depois, foi levantada, enquanto o bater do vento e o roçar ocasional de um galho tocava seu corpo durante seu trajeto.

Ela abriu os olhos.

Bem abaixo dela, estava a vegetação rasteira e a terra dura.

Ao seu redor, estava a folhagem trêmula da floresta.

De árvore em árvore, ela se balançava junto da figura gigante que a carregava, e parecia a Jane que revivia em um sonho, a experiência que teve naquela selva africana longínqua.

Ah, quem dera fosse o mesmo homem que a levara, com tanta agilidade, pela vegetação emaranhada naquele outro dia! Mas isso era impossível! Entretanto, quem mais no mundo poderia ter a força e a agilidade de fazer o que este homem estava fazendo?

Ela fitou rapidamente o rosto próximo ao dela e, então, deu um arquejo assustado. Era ele!

– Meu homem da floresta! – murmurou. – Não, devo estar delirando!

– Sim, seu homem, Jane Porter. Seu homem selvagem e primitivo que saiu da selva para pegar sua companheira, a mulher que fugiu dele – falou, com intensidade.

– Eu não fugi – sussurrou ela. – Concordei em ir embora apenas depois de ter esperado uma semana por sua volta.

Eles chegaram, finalmente, a um ponto distante do fogo, e Tarzan se virou para a clareira.

Lado a lado, os dois caminhavam em direção à casa. O vento tinha mudado de novo e o fogo começava a se consumir, passando pelos lugares que eram apenas cinzas. Dentro de mais uma hora, ele, provavelmente, estaria extinto.

– Por que você não voltou? – perguntou ela.

– Estava cuidando de D'Arnot. Ele ficou gravemente ferido.

– Ah, eu sabia! – exclamou ela. – Disseram que você tinha se juntado aos negros, que eles eram seu povo.

Ele riu.

– Mas você não acreditou neles, acreditou Jane?

– Não, eh... Como devo chamá-lo? – perguntou ela. – Como é mesmo seu nome?

– Eu era Tarzan dos Macacos quando você me conheceu – disse ele.

– Tarzan dos Macacos! – gritou ela. – Foi o seu bilhete que respondi quando fui embora?

– Sim, de quem achou que era?

– Eu não sabia, apenas tinha certeza de que não podia ser seu, pois Tarzan dos Macacos escrevia em inglês, e você não entendia uma palavra de língua alguma.

Ele riu mais uma vez.

– É uma longa história, mas fui eu quem escrevi o que não conseguia falar, e agora D'Arnot piorou as coisas me ensinando a falar francês, em vez de inglês. Venha – continuou ele –, entre no meu carro, precisamos ultrapassar seu pai, eles estão somente um pouco à frente de nós.

Enquanto viajavam pela estrada, Tarzan falou:

– Então, quando escreveu em sua carta para Tarzan dos Macacos que amava outro, podia estar falando de mim?

– Podia – respondeu ela, com simplicidade.

– Mas em Baltimore... Ah, como procurei por você! Muitos me disseram que possivelmente estaria casada agora. Que um homem chamado Canler tinha vindo para casar-se com você. É verdade?

– Sim.

– Você o ama?

– Não.

– Você me ama?

Ela enterrou o rosto nas mãos.

– Estou prometida a outro. Não posso responder a sua pergunta, Tarzan – lamentou ela.

– Já respondeu. Agora, diga-me por que se casaria com alguém que não ama.

– Meu pai deve dinheiro a ele.

De repente, voltou a Tarzan a memória da carta que tinha lido, e do nome Robert Canler, e também a indicação de problemas que ele, na época, não era capaz de entender.

Ele sorriu.

– Se seu pai não tivesse perdido o tesouro, não seria obrigada a manter sua promessa a esse homem Canler?

– Posso pedir para ele me libertar.

– E se ele se recusar?

– Já fiz minha promessa.

Ele ficou em silêncio por um instante. O carro estava mergulhando na estrada irregular em uma velocidade imprudente, pois o fogo se apresentava ameaçadoramente, bem à direita deles, e outra mudança de vento podia varrê-lo com fúria para aquela avenida, bloqueando o único caminho de fuga.

Finalmente, ultrapassaram o ponto de perigo, e Tarzan começou a reduzir a velocidade.

– Acha que devo perguntar a ele? – sugeriu Tarzan.

— Ele não concordaria com a exigência de um estranho — disse a jovem. — Especialmente a de um que me quer para si.

— Terkoz concordou — disse Tarzan, sombriamente.

Jane estremeceu e olhou com medo para a figura gigante ao seu lado, pois sabia que se referia ao grande antropoide que ele matou anteriormente para defendê-la.

— Esta não é a selva africana — disse ela. — Você já não é mais uma fera selvagem. É um cavalheiro, e cavalheiros não matam a sangue-frio.

— No fundo do meu ser, ainda sou uma fera selvagem — disse ele, em voz baixa.

Mais uma vez, os dois ficaram em silêncio por um momento.

— Jane, me responde — disse o homem, por fim —, se fosse livre, você se casaria comigo?

Ela não respondeu imediatamente, mas Tarzan esperou com paciência. Ela tentava reunir seus pensamentos.

O que ela sabia sobre a estranha criatura a seu lado? O que ele sabia sobre ela? Quem era ele? Quem eram seus pais?

Ora, o próprio nome ecoava sua origem misteriosa e sua vida selvagem, obviamente.

Ele não tinha um nome. Seria possível ser feliz com um órfão da selva? Conseguiria encontrar algo em comum com um marido cuja vida tinha sido passada nas árvores da selva africana, brincando e lutando com antropoides ferozes; arrancando sua comida do flanco trêmulo de presas recém-assassinadas, enfiando seus dentes fortes na carne crua e rasgando sua porção, enquanto seus companheiros grunhiam e lutavam ao seu redor por sua parte?

Ele seria capaz de ascender a sua esfera social? Será que ela suportaria a ideia de se submeter a isso? Algum dos dois seria feliz em uma aliança tão horrivelmente concebida como essa?

— Você não respondeu — disse ele. — Está com medo de me magoar?

— Não sei que resposta dar — disse Jane, com tristeza. — Não sei o que achar de tudo isso.

— Então, não me ama? — perguntou ele, com um tom frio.

– Não me pergunte. Você será mais feliz sem mim. Não foi feito para as restrições e as convenções formais da sociedade. A civilização lhe seria irritante e, em pouco tempo, desejaria a liberdade de sua antiga vida, uma vida à qual sou tão inadequada quanto você é à minha.

– Acho que entendo – respondeu ele, em voz baixa. – Não a pressionarei, pois preferiria vê-la feliz a ter minha felicidade. Agora, percebo que você não poderia ser feliz com... um macaco.

Havia um leve traço de amargura na voz dele.

– Não – repreendeu ela. – Não diga isso. Você não entende.

Contudo, antes que ela conseguisse continuar, uma curva repentina na estrada os levou para o meio de uma pequena vila.

Diante deles, estava o carro de Clayton cercado pelo grupo que ele trouxera da casa.

CONCLUSÃO

Ao avistarem Jane, gritos de alívio e deleite explodiram da boca de cada um deles e, quando o carro de Tarzan parou ao lado do outro, já estacionado, o professor Porter apertou sua filha nos braços.

Por um momento, ninguém notou Tarzan sentado silenciosamente em seu banco.

Clayton foi o primeiro a se lembrar dele e, virando-se, esticou a mão para Tarzan.

– Como podemos agradecer-lhe? – perguntou. – Salvou todos nós. O senhor me chamou pelo nome, mas não me recordo de seu, embora haja no senhor algo muito familiar. É como se eu o tivesse conhecido muito bem sob condições muito diferentes, há muito tempo.

Tarzan sorriu ao apertar a mão esticada.

– Tem razão, *monsieur* Clayton – disse, em francês. – Perdoe se não falo com o senhor em inglês. Estou ainda aprendendo e, mesmo que entenda razoavelmente bem, falo muito mal.

– Mas quem é o senhor? – insistiu Clayton, falando em francês.

– Tarzan dos Macacos.

Clayton pulou de surpresa.

– Meu Deus! – exclamou. – É mesmo!

E o professor Porter e o senhor Philander correram para adicionar seus agradecimentos aos de Clayton, e expressar sua surpresa e prazer em ver seu amigo da floresta tão longe de sua casa selvagem.

O grupo entrou na modesta hospedaria em que Clayton logo fez arranjos para serem recebidos.

Todos estavam sentados no pequeno salão abafado, no momento que o ruído de um automóvel se aproximando chamou-lhes a atenção.

O senhor Philander, sentado ao lado da janela, observou o carro aparecer, e finalmente parar ao lado dos outros automóveis.

– Meu Deus! – disse o senhor Philander, com um toque de irritação na voz. – É o senhor Canler. Eu achava... é... pensava... é... no quanto devemos ficar felizes de ele não ter sido queimado pelo fogo – terminou, claudicante.

– Shh, shh! Senhor Philander – disse o professor Porter. – Shh, shh! Muitas vezes, recomendei que meus pupilos contassem até dez antes de falar. Se eu fosse você, senhor Philander, contaria pelo menos até mil e então manteria um silêncio discreto.

– Minha nossa, sim! – concordou o senhor Philander. – Mas quem será o sacerdote que o acompanha?

Jane ficou pálida.

Clayton se remexeu inquieto na cadeira.

O professor Porter tirou os óculos, nervoso, e baforou neles, porém, colocou-os de volta no nariz sem limpá-los.

A onipresente Esmeralda grunhiu.

Apenas Tarzan não compreendia a tensão do evento.

Logo, Robert Canler adentrou a sala.

– Graças a Deus! – bradou. – Eu temia o pior até ver seu carro, Clayton. Fiquei isolado na estrada do Sul e tive que dar a volta até a cidade, para, então, pegar esta estrada para Leste. Pensei que nunca mais chegaríamos à fazenda.

Ninguém parecia muito animado. Tarzan olhou Robert Canler como Sabor olhava suas presas.

Jane deu lançou um olhar de relance para ele e tossiu nervosa.

– Senhor Canler – disse ela –, este é *monsieur* Tarzan, ele é nosso velho amigo.

Canler se virou e estendeu a mão. Tarzan se levantou e se curvou como um cavalheiro, de um jeito que apenas D'Arnot poderia ter ensinado um homem a fazer. Contudo, não pareceu ver a mão de Canler, que aparentemente também não notou o descuido.

– Este é o reverendo Tousley, Jane – disse Canler, virando-se ao religioso ao seu lado. – Senhor Tousley, senhorita Porter.

O senhor Tousley baixou a cabeça e sorriu.

Canler o apresentou aos outros.

– Então, podemos prosseguir com a cerimônia agora mesmo, Jane – disse Canler. – Depois, nós dois podemos tomar o trem da meia-noite na cidade.

Tarzan entendeu o plano na hora. Dirigiu um olhar semicerrado para Jane, mas não se moveu.

Entretanto, a jovem hesitava. A sala ficou tensa com o silêncio dos nervos em frangalhos.

Todos os olhos se voltaram a Jane, esperando sua resposta.

– Não podemos esperar alguns dias? – perguntou ela. – Estou muito nervosa. Já passei por coisas demais hoje.

Canler sentiu a hostilidade que emanava de cada membro do grupo. Isso o zangou.

– Esperamos o tempo que eu pretendia esperar – disse, rude. – Você prometeu se casar comigo. Não serei mais enganado. Tenho a licença e aqui está o reverendo. Venha, senhor Tousley; venha, Jane. Há muitas testemunhas, mais do que o suficiente – completou, com uma inflexão desagradável e, tomando Jane Porter pelo braço, começou a conduzi-la em direção ao clérigo que os esperava.

Contudo, mal tinha dado um passo, antes que uma mão pesada se fechasse em seu braço, com um punho de aço.

Outra mão lançou-se para sua garganta e, em um instante, estava sendo chacoalhado no alto, como um rato seria nas garras de um gato.

Jane olhou assustada para Tarzan.

E, observando o rosto dele, percebeu a faixa vermelha em sua testa, a mesma que viu naquele dia na distante África, quando Tarzan dos Macacos travou um combate mortal com o grande antropoide Terkoz.

Ela sabia que naquele coração selvagem havia assassinato e, com um pequeno grito de horror, pulou entre os dois, para suplicar ao homem-macaco. Porém, seus medos eram mais por Tarzan do que por Canler, pois ela sabia a punição dura que a justiça guarda aos assassinos.

Antes de ela conseguir chegar a eles, porém, Clayton tinha pulado para o lado de Tarzan na tentativa de arrancar Canler de suas garras.

Com um único movimento de um braço forte, o inglês foi jogado para o outro lado da sala, e então Jane colocou uma mão branca firme no punho de Tarzan e olhou fixamente nos olhos dele.

– Por mim – pediu.

A mão no pescoço de Canler relaxou.

Tarzan olhou para o belo rosto abaixo de si:

– Você deseja que ele viva? – perguntou, surpreso.

– Não desejo que morra por suas mãos, meu amigo – respondeu ela. – Não desejo que você se torne um assassino.

Tarzan tirou a mão da garganta de Canler.

– Você a liberta da promessa? – perguntou. – É o preço de sua vida.

Canler, tentando respirar, concordou.

– Vai embora para nunca mais molestá-la?

De novo, o homem assentiu, com o rosto distorcido pelo medo da morte, que chegou tão perto dele.

Tarzan o liberou, e Canler cambaleou para a porta. Em mais um momento, tinha ido embora, com o pregador aterrorizado.

Tarzan virou-se para Jane.

– Posso falar a sós com você por um instante? – perguntou.

A garota fez que sim e foi na direção da porta que levava à estreita varanda do hotelzinho. Ela saiu para esperar Tarzan e, por isso, não ouviu a conversa que se seguiu.

– Espere – chamou o professor Porter, quando Tarzan estava prestes a ir atrás.

O professor tinha ficado chocado e surpreso com os rápidos acontecimentos dos últimos minutos.

– Antes de continuarmos, senhor, gostaria de uma explicação dos acontecimentos que acabaram de se passar. Com que direito interferiu entre minha filha e o senhor Canler? Prometi a mão dela e, independentemente de gostos pessoais, senhor, essa promessa deve ser mantida.

– Interferi, professor Porter – respondeu Tarzan –, porque sua filha não ama o senhor Canler. Ela não deseja se casar com ele. Foi apenas o que precisava saber.

– Não imagina o que fez – disse o professor Porter. – Agora, sem dúvida, ele vai se recusar a se casar com ela.

– Certamente, vai – disse Tarzan, com empatia, e completou –, além disso, não precisa se preocupar com seu orgulho, professor Porter, pois conseguirá pagar o que deve a esse Canler no minuto em que chegar em casa.

– Shh, shh, senhor! – exclamou o professor Porter. – O que quer dizer, senhor?

– Seu tesouro foi encontrado – informou Tarzan.

– O quê... O que está dizendo? – exclamou o professor. – Está louco, homem. Não pode ser!

– Mas é. Fui eu quem o roubei, sem saber seu valor nem a quem pertencia. Vi os marinheiros enterrarem e, como fazem os macacos, eu o removi e enterrei-o de novo em outro lugar. Quando D'Arnot me disse o que era e o que significava ao senhor, voltei à selva e o recuperei. Aquele baú tinha causado tanto crime, sofrimento e tristeza, que D'Arnot achou melhor não o trazer para cá, como era minha intenção. Portanto, trouxe, em vez disso, uma carta de crédito. Aqui está, professor Porter. Tarzan retirou um envelope do bolso e entregou ao professor espantado.

– Veja. Duzentos e quarenta e um dólares. O tesouro foi avaliado com muito cuidado por especialistas, porém, para que não haja dúvida acerca disso, o próprio D'Arnot o comprou e aguarda sua decisão, caso prefira ficar com o tesouro ao invés do crédito.

– Já é grande o peso das coisas que lhe devemos, senhor – disse o professor Porter, com voz trêmula –, agora se adiciona o maior de todos os favores. Pois os senhor garantiu uma oportunidade de salvar minha honra e dignidade.

Clayton, que saiu da sala um segundo depois de Canler, retornava.

– Perdoem-me pela interrupção – disse. – Contudo, acho melhor tentarmos chegar à cidade antes de escurecer e tomar o primeiro trem para sair desta floresta. Um nativo acaba de vir do Norte e relatar que o fogo se aproxima lentamente nesta direção.

Esse anúncio cessou as conversas e o grupo saiu em direção aos automóveis.

Clayton, Jane, professor Porter e Esmeralda ocuparam o carro de Clayton, enquanto Tarzan levava o senhor Philander com ele.

– Meu Deus! – exclamou o senhor Philander, quando o carro se moveu atrás de Clayton. – Quem teria imaginado que isso seria possível? Da última vez que o vi, o senhor era um verdadeiro selvagem, saltando entre os galhos de uma floresta tropical africana e, agora, está dirigindo ao meu lado por uma estrada de Wisconsin em um automóvel francês. Minha nossa! De fato, é muito impressionante.

– Sim – concordou Tarzan e, depois de uma pausa: – Senhor Philander, lembra-se de algum dos detalhes de quando encontrou e enterrou os três esqueletos encontrados em minha cabana, em meio a selva africana?

– Muito distintamente, senhor, muito distintamente – respondeu o senhor Philander.

– Havia algo peculiar em algum daqueles esqueletos?

O senhor Philander estreitou os olhos para Tarzan.

– Qual é a razão da pergunta?

– É muito importante para eu saber de qualquer detalhe – respondeu Tarzan. – Sua resposta pode desvendar um mistério. De toda forma, o pior que pode acontecer é o mistério permanecer insolúvel. Andei considerando uma teoria em relação àqueles esqueletos nos últimos dois meses e gostaria que respondesse à minha pergunta da melhor maneira que conseguir. Os três esqueletos que o senhor enterrou eram todos de seres humanos?

– Não – respondeu o senhor Philander –, o menor, aquele que achamos no berço, era o esqueleto de um macaco antropoide.

– Muito obrigado – disse Tarzan.

No carro à frente, Jane pensava rápida e ansiosamente. Ela sentia por qual motivo Tarzan havia pedido para conversar a sós com ela e sabia que precisava estar preparada para dar uma resposta a ele em um futuro breve.

Ele não era o tipo de pessoa que podia ser evitada e, por algum motivo, esse pensamento a fez se questionar se ela não sentia medo dele.

E seria capaz de amar uma pessoa que temia?

Jane percebia o feitiço que tomara conta dela, nas profundezas daquela selva longínqua. Contudo, não havia o mesmo encantamento lançado agora na prosaica Wisconsin.

No entanto, o jovem francês imaculado também não despertava a mulher primitiva presente nela, do mesmo modo como fizera o deus da floresta valente.

Ela o amava? Não sabia, agora.

Depois, mirou Clayton pelo canto do olho. Não era um homem treinado no mesmo ambiente que ela, um homem de posição social e cultural como ela tinha sido ensinada a considerar essenciais à associação congenial?

Seu melhor julgamento não apontava para esse jovem inglês, cujo amor era do tipo que uma mulher civilizada, como ela, deveria buscar como companheiro?

Conseguiria amar Clayton? Não encontrava razões para não conseguir. Jane não era por natureza friamente calculista, mas treinamento, ambiente e hereditariedade se combinavam para ensiná-la a raciocinar até nas questões do coração.

O fato de ela ter sido carregada pela força do jovem gigante, com os braços ao redor do corpo dela, na distante floresta da África e mais uma vez isso ter acontecido durante o incêndio, nos bosques de Wisconsin, lhe parecia apenas uma reversão mental temporária a um estereótipo que ela criara: o apelo psicológico do homem primitivo à mulher primitiva na natureza.

Se ele nunca a tocasse, pensou, nunca se sentiria atraída por ele. Logo, não o amava. Tais acontecimentos não passavam apenas de uma alucinação passageira, superinduzida por empolgação e contato pessoal.

No entanto, essa excitação nem sempre marcaria seu futuro relacionamento, caso Jane se cassasse com ele, e o poder do contato pessoal acabaria sendo entorpecido pela familiaridade.

Então, novamente, olhou para Clayton. Era muito bonito e, em todos os aspectos, um cavalheiro. Com certeza, teria muito orgulho de um marido assim.

Em seguida, ele falou, um minuto antes ou um minuto depois podiam fazer toda a diferença do mundo para três vidas, mas o acaso interferiu e apontou a Clayton o momento assertivo.

– Está livre agora, Jane – disse ele. – Por favor, diga sim. Dedicarei minha vida a torná-la muito feliz.

– Sim – sussurrou ela.

Naquela noite, na pequena sala de espera na estação, Tarzan pegou Jane sozinha por um minuto.

– Está livre agora, Jane – disse ele. – Eu atravessei as eras, saído de um passado sombrio e distante do covil do homem primitivo, para reivindicá-la. Por você, tornei-me um homem civilizado, cruzei os oceanos e os continentes. Por você, serei o que você quiser que eu seja. Posso fazê-la feliz, Jane, na vida que desejar e gostar. Quer casar comigo?

Pela primeira vez, ela percebeu a profundidade do amor do homem, tudo o que ele conseguiu em um tempo tão curto apenas por amor a ela. Virando a cabeça, enterrou o rosto nos próprios braços.

O que tinha feito? Por ter medo de talvez sucumbir às súplicas desse gigante, ela tinha queimado as pontes que levavam até ele. Em sua infundada apreensão de talvez cometer um erro terrível, cometeu um pior.

Então, Jane contou-lhe a verdade, palavra por palavra, sem tentar se proteger ou justificar seu erro.

– O que podemos fazer? – perguntou ele. – Você admitiu que me ama e sabe que a amo, porém, não conheço a ética da sociedade pela qual é governada. Deixarei essa decisão em suas mãos, porque você sabe o que será melhor para seu bem-estar no final.

– Não posso dizer a ele, Tarzan – disse ela. – Ele também me ama e é um bom homem. Nunca poderia encarar nem você nem mais ninguém se repudiasse minha promessa ao senhor Clayton. Terei de mantê-la, e você precisa me ajudar a carregar esse peso, ainda que talvez não nos vejamos mais depois de hoje.

Nesse momento, os outros entraram na sala, e Tarzan se virava em direção à pequena janela.

Entretanto, ele não observou nada da movimentação lá fora, pois, dentro de si, via um gramado verde cercado por uma massa emaranhada de lindas plantas e flores tropicais e, um pouco mais alto, uma folhagem ondulante de árvores imponentes e, por cima de tudo, o azul de um céu equatorial.

No centro do gramado, havia uma jovem sentada em cima de um montinho de terra e, ao lado dela, um jovem gigante. Os dois comiam deliciosas frutas, entreolhavam-se com paixão e sorriam. Eles estavam muito felizes e completamente sozinhos.

Entretanto, seus pensamentos foram interrompidos pelo comissário da estação que entrou perguntando se havia no grupo um cavalheiro chamado Tarzan.

– Eu sou *monsieur* Tarzan – disse o homem-macaco.

– Há uma mensagem para o senhor, vinda de Baltimore. Trata-se de um telegrama de Paris.

Tarzan pegou o envelope e o rasgou. A mensagem, enviada por D'Arnot, dizia:

As impressões digitais provam que você é um Greystoke. Parabéns!
D'Arnot

Quando Tarzan terminou de ler, Clayton entrou e foi em direção a ele com a mão estendida.

Lá estava o homem que tinha o título e as propriedades de Tarzan, e que, além disso, se casaria com a mulher que Tarzan amava, a mulher que amava Tarzan.

Uma única palavra de Tarzan faria uma grande diferença na vida deste homem.

Tiraria seu título, sua terra e seus castelos, e tiraria tudo isso de Jane Porter, também.

– Olhe, velho amigo – falou Clayton –, não tive chance de lhe agradecer por tudo o que fez por nós. Parece que estava bem ocupado nos salvando na África e aqui. Fico muito feliz por ter vindo. Precisamos nos conhecer melhor. Penso muito sobre você, sabe, e nas circunstâncias impressionantes de seu ambiente. Se eu puder perguntar, como diabos acabou naquela maldita selva?

– Eu nasci lá – disse Tarzan, em voz baixa. – Minha mãe era uma macaca e, claro, não podia me explicar muito sobre minha origem. Eu nunca soube quem foi meu pai.

Para mais aventuras do lorde Greystoke, leia *O retorno de Tarzan*.